SÉRIE BEST-SELLERS

CHRISTOPHE COLOMB

Du même auteur

Un minou fait comme un rat, Éditions Leméac, 1982.

Croquenote, La Courte Échelle, 1984.

De Laval à Bangkok, Éditions Québec/Amérique, 1987.

L'Ombre et la Lumière, Éditions Libre Expression et Art Global, 1990.

Georges-Hébert Germain

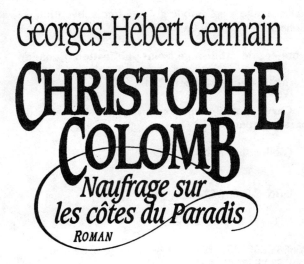

CHRISTOPHE
COLOMB
Naufrage sur
les côtes du Paradis

ROMAN

ÉDITIONS QUÉBEC/AMÉRIQUE

425, RUE SAINT-JEAN-BAPTISTE, MONTRÉAL, QUÉBEC H2Y 2Z7 (514) 393-1450

Cet ouvrage a été publié grâce à une subvention du
Conseil des Arts du Canada.

Données de catalogage avant publication (Canada)

Germain, Georges-Hébert, 1944-

   Christophe Colomb : naufrage sur les côtes du
paradis : roman

   (Collection Deux continents)

   ISBN 2-89037-622-2

   I. Titre. II. Collection

PS8563.E677C57 1992   C843'.54   C92-096750-7
PS9563.E677C57 1992
PQ3919.2.G47C57 1992

Tous droits de traduction, de reproduction
et d'adaptation réservés
© 1992, Éditions Québec/Amérique

Dépôt légal:
3e trimestre 1992
Bibliothèque nationale du Québec
Bibliothèque nationale du Canada

À Francine

Nothing comes
from dreamers
but dreams

PRINCE,
Graffiti Bridge

Première partie

1

Depuis trois ou quatre mois qu'il vivait au monastère chartreux de Las Cuevas, à Séville, l'amiral Colomb ne sortait à peu près jamais. Sauf parfois pour faire de longues promenades avec son fils Fernando. Ils descendaient alors sur les bords du Guadalquivir ou, plus souvent, ils allaient errer dans la montagne, derrière le monastère. Fernando apportait du fromage et des noix, des raisins secs, des œufs durs. Ils parlaient peu. Ils ne rencontraient jamais personne.

L'Amiral aimait bien ces promenades. Il avait vécu en mer si longtemps, qu'il en avait presque oublié les odeurs et les couleurs de la terre, ses bruits et ses fruits, ses poussières, ses ombres, plein de choses qu'il avait l'impression de redécouvrir. Il oubliait alors ses malheurs et les menaces qui pesaient sur lui. Il se laissait charmer, apaiser. Parfois même, Fernando qui marchait devant lui l'entendait fredonner de vieux airs italiens. Et alors il se disait:

« Mon babbo est en forme. Quand nous rentrerons ce soir, il me parlera des Indes. »

Mais pour que l'Amiral acceptât de sortir, il fallait que le ciel fût couvert et le temps frais. À cause de ses yeux malades, il avait en effet pris l'habitude de fuir le gros soleil. Et bien que le bon docteur Chanca lui eût cent fois dit que la chaleur était bonne pour sa santé, il la fuyait elle aussi.

« J'ai passé six ans aux Indes à crever de chaleur et ça ne m'a pas empêché d'être aujourd'hui perclus d'arthrite. »

Mais il y avait autre chose. L'Amiral n'aimait pas s'éloigner, parce qu'il attendait quelqu'un. Et il tenait à être là quand ce quelqu'un viendrait, qui le sortirait de cette misère où il se trouvait, soit en l'assassinant, soit en lui apprenant que les Rois catholiques lui accordaient enfin l'autorisation de repartir pour les Indes où il avait laissé sa gloire et son âme, sans lesquelles il ne pouvait vivre.

Certains jours cependant, il n'y croyait plus. Il se disait que personne ne viendrait jamais. Et c'est alors seulement, quand il était bien désespéré, qu'il n'attendait plus rien de personne, ni des Rois catholiques, ni de Satan, ni de Dieu, ni de lui-même, et qu'il faisait froid et gris sur toute l'Andalousie, qu'il proposait à Fernando, son fils, de l'accompagner dans sa promenade.

Or l'été de 1501 avait été remarquablement chaud et l'hiver s'annonçait sec et ensoleillé; de plus, encouragé par le père Gorricio, l'Amiral s'interdisait de désespérer trop souvent. Le gros et goguenard père Gaspar Gorricio, supérieur du couvent de Las Cuevas, lui vouait en effet une énorme admiration. Chaque jour, il trouvait dans la Bible des preuves irréfutables que les grands projets de Christophe Colomb allaient tôt ou tard se réaliser. L'Amiral sortait donc de plus en plus rarement et de moins en moins longtemps. Il attendait.

Dans la grande cellule qu'on avait mise à sa disposition, il faisait presque toujours nuit. On n'ouvrait jamais les volets. Sauf parfois à la tombée du jour quand la lumière était douce et veloutée. Le vieil amiral fuyait le soleil et le regard des autres que son orgueil et ses yeux blessés ne pouvaient sans peine supporter. Il n'avait besoin de personne pour boire sa honte et lécher ses blessures. Tout le jour, comme un vieux hibou grincheux, il restait assis dans l'ombre. Ou il tournait en rond dans la pénombre de la grande salle capitulaire. Son ami le bon docteur Chanca lui avait dit que marcher lui ferait du bien; alors il marchait. Mais pas question d'aller se faire voir en ville.

« De toutes façons, on ne me verrait probablement pas. Ou si peu, se disait-il. Plus ma vue baisse, moins on me voit. C'est comme si je devenais invisible et aveugle en même temps. Je ne suis plus qu'une ombre dans le noir. »

C'est ça qui lentement le tuait. Il était en train de disparaître, de s'estomper, tout doucement, dans l'indifférence et dans l'oubli. La gloire et la fortune, qui l'avaient autrefois tant aimé, tant cajolé, se détournaient maintenant de lui. Et ça lui faisait horriblement mal. Plus que son arthrite et plus que cette lancinante brûlure qu'il avait aux yeux. Le vent de l'histoire avait tourné; il était tombé par-dessus bord. Et personne au monde ne criait « l'amiral Christophe Colomb se noie ». Personne même ne criait « un homme à la mer ». Plus personne ne pensait à celui qu'il avait été autrefois, avant sa grande et abyssale déconfiture.

« C'était il y a 25 ans, en août 1476. Je me souviens de tout, Fernando, comme si c'était hier. Nous étions dans les eaux portugaises, entre Lisbonne et le cap Saint-Vincent. J'avais 25 ans à peu près. Même pas. Je naviguais alors avec le corsaire français Casenove-Coulon, mon cousin. Il travaillait pour les Portugais et les Français qui, à cette époque-là, étaient encore de bons amis. Nous avions appris que quatre grosses galères génoises accompagnées d'une gigantesque hourque de Hollande retournaient de Flandre probablement chargées de blé, de draps de coton, de soieries et de dentelles. Nous sommes allés à leur rencontre.

» Ce fut horrible, Fernando. Pendant plus de dix heures, la bataille a fait rage. Quand la nuit est tombée, les nefs étaient irrémédiablement liées par des grappins et des chaînes. Les fusées incendiaires que nous avions lancées sur les ponts ennemis avaient engendré des incendies qui gagnaient nos navires. Sept bâtiments, ne formant plus qu'un nœud inextricable de voiles en flammes, de câbles, de vergues et de filins, ont sombré, entraînant sous les eaux tout l'équipage flamand, 500 marins français, autant de gentilshommes portugais trop alourdis par leur armure pour nager. Ils coulaient à pic, laissant sur la mer un petit nuage de sang, quelques bulles, leur âme.

» Je me suis jeté tout nu à la mer. J'ai pu m'emparer d'une rame et, en la poussant devant moi, je me suis mis à nager vers la côte qui se trouvait à deux ou trois milles, tout au fond de la nuit. J'étais épuisé, blessé, affamé, j'avais froid et peur. Mais je savais que je m'en sortirais. Je le savais, je te le jure, Fernando. Je savais alors que Dieu avait besoin de moi.

» Aujourd'hui, je ne sais vraiment plus. Je ne sais plus qui je suis.

» Fernando, mon petit, tu es là ? »

* * *

Fernando était assis près de la fenêtre qui laissait couler un mince filet de lumière sur le gros livre posé sur ses genoux. Tous les jours, il faisait la lecture à son père. Tous les jours, pour commencer, il lisait quelques passages de la Bible, presque toujours les mêmes, tirés du livre d'Isaïe ou de celui d'Esdras, parfois aussi du petit livre de Jonas, son préféré. Et souvent, son père l'interrompait et lui disait :

« Relis-moi ce verset, Fernando, mon petit. »

Et Fernando se raclait la gorge.

« C'est ta voix qui mue, Fernando. Quand nous sommes arrivés ici, chez les Chartreux, tu avais encore une voix de petite fille. Quand nous repartirons pour les Indes, l'hiver prochain, si tu as trouvé ta voix d'homme, tu viendras avec nous. En attendant, relis-moi ce verset. »

Et Fernando relisait. Sa voix était rêche et trouée. Mais il avait ce doux accent chantant d'Andalousie; et les belles manières de la cour. Fernando était un bâtard, mais ce n'était pas un étranger comme son père. Il était le fils naturel et bien-aimé d'un grand homme. Il lisait dans le gros livre :

« "Car les flottes convergent vers moi et les vaisseaux de Tharsis ouvrent la marche pour que je ramène de loin tes enfants, ainsi que leur argent et leur or…"

– Tu vois, Fernando ? Au temps du prophète Isaïe, l'Espagne était le bout du monde. Quand j'ai découvert les Indes, je naviguais sur des vaisseaux de Tharsis. Le sais-tu,

Fernando ? Sais-tu que la Tharsis dont Isaïe dit qu'elle était le bout du monde, c'est ici en Castille, juste à côté de Palos de Moguer d'où je suis parti en 1492 ? »

Fernando savait cela depuis fort longtemps. Et aussi que les prophètes avaient parlé de son père, il y avait plus de deux mille ans. Depuis l'autre bout de l'histoire, Isaïe, Esdras, Ézéchiel et les autres avaient vu se lever cet homme, le Grand Amiral de la mer Océane, Christophe Colomb. Et ils avaient prédit qu'il ramènerait de loin les enfants du Seigneur, ainsi que leur argent et leur or...

« Ce que j'ai à faire est écrit. Tu sais cela, Fernando, mon petit. Tout se tient. Tout se passera comme dans le Livre. Dès que nous aurons des navires, je partirai et j'irai délivrer Jérusalem. Et j'ai d'autres projets encore plus merveilleux dont je te parlerai peut-être. Tu viendras avec moi, Fernando. Nous aurons de l'or. Tu verras. Dieu sera à nos côtés. »

2

Le capitaine Antonio de Torres était à terre lui aussi depuis plusieurs mois, non pas qu'il fût en disgrâce comme l'Amiral, mais à cause d'une vilaine blessure qu'il s'était faite au dos en tombant de cheval. C'était un homme impeccable, poli, très respectueux de l'autorité, des convenances et de l'étiquette. Il n'avait jamais eu d'autre ambition que celle de bien servir. Il le faisait avec passion, efficacité, sans jamais chercher à détourner à son profit la fortune et la gloire qu'apportaient les exploits auxquels il participait.

« Tout ce que je sais de la mer, des hommes et des vents, c'est l'amiral Colomb qui me l'a enseigné, disait-il. Si aujourd'hui j'ai confiance en moi et si je sais commander un navire, si c'est vrai ce que vous dites, que je suis le meilleur capitaine de Castille, c'est à lui seul que je le dois. »

Dès qu'il fut pressenti pour prendre le commandement de la flotte du nouveau gouverneur des Indes, il vint voir l'Amiral au monastère des Chartreux. C'était en octobre, une belle journée venteuse et ensoleillée. Il avait apporté, comme à chacune de ses visites, une pièce nouvelle pour la collection de Fernando.

Fernando était ramasseur et aimait l'ordre. Il avait fait, lorsqu'il était page à la cour des Rois catholiques, des collections d'objets de toutes sortes, médailles, cailloux, plumes d'oiseaux, qu'il classait minutieusement. Il avait aussi constitué une extraordinaire flotte de navires miniatures, son bien le plus cher, son orgueil, la seule chose, avec quelques vêtements et deux ou trois livres, qu'il avait apportée avec lui lorsqu'il était venu vivre auprès de son père chez les Chartreux de Séville.

Sa flotte était installée sur une longue table qui occupait plus de la moitié de sa cellule. Il y avait, tout au bord, quatre fines caravelles gréées de voiles latines, une trière grecque à trois rangs de rames; plus loin, une barque de pêcheurs portugais, deux galères phéniciennes, une hourque bombée comme une noix; là-bas, tout au fond, une pirogue comme en faisaient les Noirs de Guinée et de grands navires marchands de haute mer équipés de voiles carrées, un brigantin à deux mâts gréant lui aussi des huniers carrés; contre l'imposant littoral de pierre, des bâtiments de transport à flancs renflés, jonques, hautes caraques, boutres arabes à l'arrière très élevé, longues barges semblables à celles, lentes et lourdes, qu'on voyait passer en convoi sur le Guadalquivir. Et bien sûr, au milieu de cette rade magnifique des répliques des trois vaisseaux, la *Santa Maria*, la *Niña*, la *Pinta*, que commandait Christophe Colomb en 1492, lorsqu'il avait découvert la route des Indes. Et un grand canot indien, avec ses vingt petits rameurs et leurs grosses rames en forme de pelle de boulanger, œuvre du capitaine Torres qui ce jour d'octobre avait apporté à Fernando un corsaire barbaresque armé de voiles démesurées.

Ils s'étaient longuement amusés tous les trois avec la petite flotte de Fernando, même si l'Amiral n'avait pas tellement l'esprit à la fête. La nomination récente de Nicolas de Ovando comme nouveau gouverneur des Indes l'avait en effet profondément blessé. Il avait l'impression qu'on lui arrachait son bien, qu'on l'écartait d'un pouvoir que lui seul avait le droit d'exercer en toute légitimité.

« On m'offre le poste de Capitaine général de la flotte d'Ovando », avait dit brusquement le capitaine Torres, comme se parlant à lui-même, tentant maladroitement de placer le navire corsaire sur son ber.

« Vous allez donc partir ? avait demandé Fernando.

– Je ne sais pas. Je voulais d'abord vous en parler, Amiral.

– Je suis content pour toi, avait finalement dit celui-ci après un long silence embarrassé. Je suis vraiment content pour toi, Tonino. Tu vas accepter cette offre. Moi, tu le sais, je n'ai rien à t'offrir pour le moment. »

Mais au fond de lui, le vieil homme pleurait. Et Torres, son ami, le savait. Et ça lui fendait le cœur.

« Quelle sorte de flotte ?

– Je ne sais pas encore, Amiral. Probablement une quinzaine de caravelles et aux alentours de douze ou treize cents hommes.

– C'est bon. Je suis content pour toi, mon ami. Vous partirez en décembre, je suppose ?

– Quelque part en janvier ou en février.

– C'est bon. Pas plus tard, cependant; sinon tu risques de toucher des calmes plats et de grandes chaleurs, comme ça m'est arrivé en 98, quand je suis parti pour mon dernier voyage. Tu descendras jusqu'à sept ou huit degrés au sud des îles Canaries, presque jusqu'aux îles du Cap-Vert, comme en 93, tu te souviens, Tonino ? Puis tu t'embarqueras sur les grands vents d'est qui t'emmèneront à Santo Domingo en moins de trois semaines. »

Et Torres avait laissé le vieil homme. Il lui avait menti. Il n'avait pas eu le courage de lui dire toute la vérité, qu'il aurait probablement plus de trente navires et deux ou trois mille hommes sous ses ordres. La flotte de Nicolas de Ovando, l'usurpateur des titres et des privilèges de Christophe Colomb, serait la plus importante jamais réunie pour aller là-bas, aux Indes où, s'il n'en tenait qu'aux grands commis du Roi, le Grand Amiral de la mer Océane ne remettrait jamais les pieds.

* * *

L'Amiral détestait passionnément Séville, qui était pourtant, en ce début du XVIe siècle, l'une des villes les plus excitantes de toute la Chrétienté. C'était cela justement qui l'ennuyait le plus, ce succès auquel il ne participait plus, cette histoire heureuse dont il considérait être l'auteur et où il n'avait plus sa place. Mais il n'avait pas le choix : pour entrer dans l'histoire et pour aller aux Indes, il fallait désormais passer par Séville.

C'était là que se trouvaient l'argent, les cerveaux, les bons capitaines et les pilotes d'expérience, les décideurs influents, les cartographes et les cosmographes les plus éclairés, les mieux informés. Là aussi, autant sinon plus qu'à Lisbonne, que l'image du monde était en train de se préciser.

Chaque fois que rentraient de grands voiliers du fin fond de la mer Océane, on ajoutait quelques lignes aux cartes et aux portulans, des îles, des caps, des golfes. C'était le spectacle le plus grandiose qu'on eût jamais vu, une aube magnifique, exaltante, la naissance d'un nouveau monde, qui peu à peu prenait forme, comme une fleur qui éclot.

Même les intellectuels si artistes et si raffinés de Florence et de Rome voulaient connaître Séville, ville moderne douée d'un passé puissant et promise à un brillant avenir. Les grands financiers de Venise et de Gênes, de France, d'Angleterre et de Lisbonne y avaient établi leurs antennes. On y rencontrait des aventuriers et des entrepreneurs de toutes sortes, des espions, des escrocs, des missionnaires, des visionnaires. Dans les boutiques, les ateliers et les bureaux du quartier de l'Alcazar et du vieux port, on parlait toutes les langues d'Europe, et l'hébreu, le latin et l'arabe, en plus des incroyables baragouins qu'utilisaient entre eux les esclaves importés de Guinée, des Grandes Indes portugaises, du Mozambique et de Madagascar, ou des Indes espagnoles.

Séville était portée par l'esprit des grandes découvertes. La puissante Casa de Contratación, chambre de commerce créée par les Rois catholiques pour traiter toutes les affaires indiennes, y avait son bureau chef que dirigeait d'une main ferme le cardinal de Fonseca. Sans l'appui logistique et financier de cette organisation, il était impensable de monter une expédition. Les marins de carrière l'appelaient entre eux la Maison des Indes ou la Casa del Oceano. Qui n'y avait ses entrées devait faire son deuil de la mer Océane et de l'or des Indes.

Or Fonseca, le grand patron, ne portait pas Colomb dans son cœur. Il n'aimait pas cette façon qu'avait l'Amiral de regarder tout le monde de haut, et son entêtement à ne négocier qu'avec les Rois directement. Il lui trouvait l'air d'un halluciné, d'un illuminé, l'œil hagard, trop bleu, trop pâle, toujours injecté de sang, sa grosse face rouge ravagée de tics, brûlée, le cheveu rare et délavé par le soleil. Et cette agaçante manie qu'il avait de parler comme un prophète et de citer à tout propos les Docteurs et les Pères de l'Église ! Comme s'ils avaient quelque chose à voir dans le gouvernement des Indes !

« Ce n'est pas tout de savoir traverser la mer Océane, disait le cardinal de Fonseca, quand il voulait accabler Colomb, il faut encore savoir comment agir une fois là-bas. Il semble que la belle intelligence de notre amiral, qu'on dit si sûre et si vive en mer, s'embrouille et cafouille dès qu'il débarque. Il faudrait que cet homme n'arrive plus jamais nulle part. Voilà la solution. »

L'année précédente, il avait envoyé Francisco de Bobadilla aux Indes, pour qu'il enquête sur l'administration de Colomb et de ses frères. En arrivant à Santo Domingo, Bobadilla aperçut cinq Chrétiens se balançant au bout d'une corde. Il s'en trouvait encore une demi-douzaine en prison qu'on devait pendre le lendemain matin. Bobadilla les fit libérer, mit les trois frères Colomb en état d'arrestation et confisqua leurs biens. Tout le monde là-bas avait trouvé cela énorme. Quand était venu le temps de passer les fers à l'Amiral, on n'avait trouvé personne.

Un cuisinier s'était finalement porté volontaire. Qu'espérait-il ? On ne le saura jamais. Que peut espérer un cuisinier qui enchaîne un amiral? Il avait peur, ses mains tremblaient si fort qu'il avait dû se reprendre plusieurs fois pour fermer le loquet des menottes qu'il passait à Colomb. Il cherchait partout un regard ou une parole d'approbation. Mais tous autour de lui faisaient silence et regardaient ailleurs.

Le capitaine de la *Gorda*, la vieille caravelle qui ramenait les Colomb en Espagne, avait voulu les libérer de leurs chaînes dès qu'ils s'étaient trouvés en haute mer, mais l'Amiral avait refusé en disant que si c'était par la volonté des Rois qu'ils en étaient chargés, eux seuls avaient le pouvoir de les leur enlever. Ses frères et lui avaient donc fait le voyage avec les rats et les cancrelats à fond de cale jusqu'à Cadix où ils étaient arrivés en novembre. Le Roi et la Reine se trouvaient alors à Grenade. Ils avaient donné des ordres pour que l'Amiral et ses frères fussent libérés et bien traités. Mais ils avaient tardé presque deux mois à les recevoir.

Quand enfin le grand jour était arrivé, Colomb avait éclaté en sanglots devant Ferdinand d'Aragon, Isabelle de Castille, le cardinal de Fonseca, les secrétaires et de nombreux pages de la Cour parmi lesquels se trouvaient ses deux fils, Diego et Fernando. C'était à Grenade, dans le grand palais de l'Alhambra. On n'avait jamais vu ça: un amiral, un vice-roi cinquantenaire, un Grand d'Espagne sanglotant comme un enfant devant la Cour! Il s'était caché la tête dans les mains et tremblait de tous ses membres. Tout le monde le regardait sans dire un mot. On n'entendait que ses sanglots qui résonnaient sous les voûtes de l'Alhambra. De grosses larmes lui roulaient entre les doigts. Ses frères et ses fils avaient dû l'aider à sortir.

Le plus jeune de ses frères n'avait rien dit. Il était resté tout le temps immobile et impassible, comme si rien de tout cela ne le concernait. Mais l'autre, Bartolomé, avait été terriblement cinglant avec les Rois catholiques. Il avait rappelé à la Cour que Christophe Colomb par ses découvertes avait fait de l'Espagne une grande puissance; qu'il était toujours, de par la volonté de Dieu, Grand Amiral de la mer Océane et vice-roi et gouverneur des Indes et qu'aucun roi ne pouvait le priver de ces droits, titres et privilèges, surtout pas celui qui avait signé les Capitulations de Santa Fe qui les lui conféraient à perpétuité et qu'il n'était pas question que les Colomb y renoncent. Jamais!

Il avait ajouté qu'il avait passé cinq des sept dernières années de sa vie au service des Rois catholiques, avec toujours la mort à ses côtés. Et qu'il n'avait pas besoin de cela pour être heureux. Qu'il n'avait pas besoin non plus de l'Espagne ni même des Rois catholiques pour faire sa vie.

Le roi Ferdinand ne disait rien. Tout le monde savait qu'il ne tenait pas les Colomb en bien haute estime. Il était blanc de rage. Il devait penser, non sans raison, qu'il était en train de se faire avoir une fois de plus, que tout cela était une habile mise en scène, et que Colomb, retors négociateur, jouait encore au martyr. Il avait tenu à s'afficher à Cadix avec ses chaînes pour qu'on le prenne en pitié. Et dès son arrivée en Castille, il avait demandé au notaire Perez de Luna d'ajouter à son testament qu'il désirait être inhumé avec ces chaînes afin qu'on sache au ciel qu'il avait été sur terre victime d'injustices. « Des trucs de juif ! », disait le roi Ferdinand au cardinal de Fonseca. Il ne ferait plus rien désormais pour étouffer la rumeur voulant que les Colomb fussent d'ex-juifs, des *conversos*.

La reine Isabelle par contre était visiblement très émue. Elle avait toujours manifesté une profonde sympathie pour Christophe Colomb. Elle avait même été très ouvertement favorable à ses projets, très sensible à ses idées qui lui semblaient motivées par les plus nobles idéaux. Elle était persuadée que cet homme avait des pouvoirs surnaturels, en tout cas hors du commun. Il lui parlait de Dieu. Il disait qu'il avait une mission, que son prénom, Christophe, signifiait en grec « porteur du Christ », qu'il devait donc apporter la parole du Christ aux peuples plongés dans les ténèbres et dans l'erreur, qu'il allait les tirer de l'oubli et les réunir dans la paix et l'ordre de la sainte Église. Il prétendait également que le nom de ses ancêtres, Colomb, le prédestinait à de grandes choses. Il se comparait à la colombe de Noé portant son message au-delà des mers. Il disait qu'il était le Colon de Dieu et qu'il ferait des Indiens, en les arrachant aux mains de Satan, des colons du Paradis terrestre qu'il prétendait avoir retrouvé et qu'il se proposait de rendre à nouveau habitable. Tout cela, pour la plus grande gloire de l'Espagne. Et la Reine, autrefois en tout cas, se laissait impressionner et l'écoutait toujours religieusement. Elle avait toujours aimé les mystères insondables de la foi et de la mer, la vraie grande mer, l'Océane, qui baignait de ses vagues surgies du fond de l'inconnu les côtes occidentales de la Castille, son royaume hérité.

La première fois qu'ils s'étaient rencontrés, à l'Alcazar de Cordoue, en 1486, au printemps, Isabelle de Castille et Christophe Colomb avaient tous les deux presque 35 ans. Ils auraient facilement pu passer pour frère et sœur. Elle était belle. Cheveux acajou, yeux bleus, peau très blanche marquée de taches de rousseur, hanches fortes, poitrine généreuse. Il était assez beau lui aussi, mais pas de cette beauté évidente, à la fois radieuse et austère, qui était celle de la Reine. Ses cheveux à lui étaient déjà tout blancs, comme souvent ceux des marins qui ont beaucoup voyagé au gros soleil et dans l'air salin. Il avait le nez busqué, le front haut, les yeux bleus lui aussi, dans un visage massif aux traits lourds. Le cou était large et fort, les mains grosses et calleuses qu'il avait la curieuse habitude de tenir fermées quand il discutait. Il souriait très peu, ne riait jamais. Son charme, il était presque tout entier dans le timbre chaud et profond de sa voix. Il parlait toujours très lentement, avec cet accent indéfinissable qu'ont les gens qui connaissent plusieurs langues. Et quand il parlait, on l'écoutait.

La Reconquête n'était pas tout à fait achevée qu'Isabelle de Castille acceptait de le rencontrer. Ils s'étaient tout de suite compris, elle et lui. L'expansion maritime, que proposait Colomb, serait le prolongement naturel de la Reconquête. Ce serait une conquête mondiale, l'avènement de la parole de Dieu sur toute la terre, une vaste entreprise de civilisation. Quel beau rêve ils ont fait ensemble !

Mais quinze ans plus tard, que restait-il de tout cela ? L'Amiral et la Reine étaient tous les deux malades et fatigués, vieux déjà. Il n'avait plus beaucoup de cheveux. Ses mains fermaient mal et tremblaient toujours un peu. Et parfois, lorsqu'il était ému, sa voix chevrotait, il cherchait ses mots. Ses yeux, souvent injectés de sang, étaient larmoyants et glauques, brouillés. Le beau visage de la Reine était flétri, fripé, triste. La mort de son fils Juan et le départ de ses filles pour l'Angleterre et les Flandres, où elles avaient épousé des hommes du Nord, si froids, si durs, l'avaient beaucoup affectée. Elle était très seule désormais. Tout le monde savait que son mari, très pris par ses affaires et par ses jeunes et éphémères maîtresses, l'avait depuis longtemps délaissée.

23

L'Amiral savait bien qu'elle ne le portait plus dans son cœur, même si elle restait vivement attachée au grand rêve qu'il lui avait permis de vivre autrefois. Elle considérait qu'il avait lui aussi trahi, d'une certaine manière. Il lui avait fait vivre, quelques années auparavant, l'une des plus douloureuses crises de conscience de toute son existence en mettant sur pied un monstrueux commerce d'esclaves, dans le seul but de rentabiliser son projet de conquête des Indes.

Le cardinal de Fonseca, mis devant le fait accompli, avait procédé à la vente de ces misérables sur le marché aux esclaves de Cadix. La Reine n'avait pas voulu les voir. Elle était bouleversée. On lui disait que ces hommes et ces femmes avaient voyagé dans des conditions effroyables, entassés sur des sortes d'étagères qu'on avait installées à la hâte dans les cales surchauffées des caravelles. Plus de la moitié d'entre eux étaient morts en route. Les autres étaient arrivés malades, maigres à faire peur, à jamais démoralisés. Elle avait fermé les yeux. Et le remords, qui est bien la plus horrible chose qui soit en cette vie, s'était installé dans son cœur.

« Comment notre Amiral, dont la mission sacrée était de porter à ces pauvres gens la parole de Dieu, a-t-il pu agir ainsi ? Si les naturels de ces pays n'ont pas d'âme, nous ne sommes pas justifiés d'aller chez eux les convertir à notre foi. S'ils en ont une, nous n'avons pas le droit de les traiter ainsi. »

Le débat faisait rage depuis dix ans chez les intellectuels et les religieux espagnols et portugais. Les Noirs de Guinée et les Indiens ont-ils une âme ? De la réponse dépendait la politique d'expansion qu'on adopterait. Mais les théologiens de la Cour, servilement liés au pouvoir, tergiversaient. La Reine avait demandé au cardinal de Fonseca ce qu'il en pensait.

« Les Indiens ont-ils une âme selon vous ?

— Je ne saurais me prononcer tout à fait sur ce sujet, votre Majesté. Ce n'est pas de mon ressort. Je suis administrateur, pas théologien. Mais je serais porté à croire qu'ils naissent avec une âme, comme nous. Je peux vous dire cependant que le jour de leur arrivée, quand je les ai aperçus, parqués sur les quais de Cadix, souillés, blessés, plus morts que vifs, j'ai eu l'impression qu'ils n'en avaient plus beaucoup.

– Vous voulez dire qu'ils auraient perdu leur âme en cours de route ! Vous voulez dire qu'on peut avoir plus ou moins d'âme !

– Je ne crois pas en tout cas que le sort que nous leur faisons subir, donne à ces malheureux le goût d'embrasser notre foi. »

Le Cardinal aimait bien réfléchir tout haut à ces grandes questions qui lui permettaient d'exécuter de brillantes voltiges intellectuelles et d'impressionner les beaux esprits de la cour. Mais il le faisait en dilettante, avec un certain cynisme de bon aloi, sans éprouver cette inquiétude profonde que ressentait la Reine quand elle songeait à tout cela. Cette croisade indienne qu'elle avait au départ imaginée si juste et si noble était devenue une vulgaire et barbare invasion, une sale petite guerre, comme celles que menait son mari à travers la vieille Europe méditerranéenne.

Elle avait écrit à Colomb pour lui rappeler qu'il devait traiter les Indiens avec tout le respect qu'on doit aux sujets de la couronne de Castille. Elle avait cependant toléré l'asservissement et la vente des prisonniers de guerre. C'était une grave erreur qu'elle avait comprise trop tard. Afin de faire de ces Indiens de bons esclaves, les conquérants espagnols n'avaient plus dès lors qu'à les pousser à faire la guerre.

Ce fut au début une entreprise assez compliquée. Les Indiens étaient foncièrement paresseux et peureux ; ils n'aimaient pas la guerre, n'avaient que des armes de chasse peu précises et peu dangereuses. Il avait fallu leur apprendre, les provoquer, violer leurs femmes, leur voler le peu d'or qu'ils possédaient, brûler leurs maisons, en mutiler, en décapiter, en brûler des centaines, des milliers. Ils finirent par comprendre. Ils acceptèrent peu à peu de se révolter, de faire la guerre, ils allèrent même, dans un bel excès de zèle, jusqu'à tuer quelques Chrétiens. En quelques mois, ils étaient devenus de bons esclaves légitimes et payants.

La Reine n'ignorait pas que là-bas, c'était déjà la guerre totale et irréversible. Les relations avec les Indiens s'étaient détériorées au point qu'on ne pouvait plus espérer pouvoir les assainir. Il faudrait désormais leur faire la guerre jusqu'au bout, les exterminer. On n'avait plus le choix. Quelle horreur !

La reine Isabelle pensait parfois encore à son ami Christophe Colomb avec une tendresse triste. Elle avait cru si fort en lui ! Elle l'avait si souvent défendu, contre le Roi, contre les fonctionnaires, contre les Sages de Salamanque, contre les hidalgos et les nobles qui ne pouvaient supporter qu'un étranger eût la confiance royale. C'était fini maintenant. Tout était fini et gâché. Elle ne le verrait plus. Elle ne devait plus le voir. Il lui parlerait encore de cette mission divine dont il se croyait investi. Et elle succomberait de nouveau au charme de cette voix qui, même affaiblie et chevrotante, saurait trouver le chemin de son cœur. Et elle dirait : « Oui, Amiral », « Vous avez raison, Amiral ». Et il obtiendrait d'elle tout ce qu'il voudrait. Au fond, pensait-elle, il est comme le roi Ferdinand. Tout ce qu'il veut, c'est le pouvoir, la fortune et la gloire.

« Ils sont tous pareils. Hélas ! »

* * *

Ferdinand d'Aragon était un homme puissant et comblé, pas très beau, mais agile et adroit, excellent cavalier, comme souvent sont les tout petits hommes, intelligent aussi, habile, dangereusement ambitieux et passionné de politique. Il considérait qu'il avait bien construit et bien mené sa vie. Il avait marqué son époque, on le lui disait, il le croyait. Par son mariage avec Isabelle de Castille, il avait unifié l'Espagne dont il avait parachevé la Reconquête en combattant les Maures et en bannissant définitivement les Juifs en 1492. Il avait scellé à jamais l'unité espagnole, associant ses ambitions méditerranéennes à l'expansion atlantique de la Castille d'Isabelle. Leurs fils et leurs filles avaient épousé les héritiers des plus puissantes couronnes. Tout cela se tenait. L'Espagne était devenue le pays le plus pur et le plus fort d'Europe. Et la couronne d'Espagne était la plus solide de toutes. Pourtant, Ferdinand d'Aragon n'était pas un roi heureux.

Chaque fois qu'on lui parlait des richesses et des beautés des Indes, il affichait une froide indifférence. Si l'on insistait le moindrement, il finissait par se mettre en colère. Il aimait mieux entendre dire, même neuf ans après la grande découverte et après que des milliers d'hommes fussent rentrés de là-bas émerveillés et enrichis, qu'on ne trouvait que des îles perdues sur la mer Océane, des terres vaines et stériles peuplées de sauvages imbéciles et idolâtres. Et il écoutait toujours plus volontiers ceux que ce nouveau monde avait désillusionnés.

On s'étonnait fort autour de lui de le voir s'entêter à dévaloriser ainsi des possessions que tous les monarques d'Europe lui enviaient. Ses fonctionnaires et ses grands commis ne savaient plus comment s'y prendre pour lui annoncer qu'on venait de découvrir là-bas de nouvelles mines d'or ou des colonies de perles ou quelque nouveau peuple riche et ingénieux qui ne demandait pas mieux que de se soumettre à son autorité.

Plus il se rendait compte de l'énormité des découvertes que faisaient là-bas ses capitaines, plus il devenait amer et affolé, et plus il regrettait ce geste irréparable qu'il avait posé le 17 avril 1492, une simple signature distraitement jetée au bas des Capitulations de Santa Fe. Et plus aussi il haïssait l'amiral Christophe Colomb. Et en voulait à sa femme qui l'avait entraîné dans cette sordide aventure.

« Les Capitulations de Santa Fe, c'est l'erreur de ta vie», se disait-il.

Parce qu'il n'y croyait pas vraiment, qu'il était las de négocier ou qu'il avait la tête ailleurs, il avait alors signé ce maudit contrat qui risquait de faire de Christophe Colomb, cet étranger arrogant et vétilleux, probablement juif de surcroît, son presque égal en titre et peut-être un homme beaucoup plus riche que lui.

En effet, par les Capitulations de Santa Fe, en plus de conférer à Colomb les titres fort lucratifs de Grand Amiral de la mer Océane et de gouverneur et vice-roi de toutes les îles et de toutes les terres qu'il pouvait découvrir, les Rois catholiques lui attribuaient le dixième de tous les produits qu'on pourrait en tirer, y compris l'or, l'argent, les pierres précieuses. Il était en outre autorisé à investir son propre capital sur tout navire qui irait commercer vers ces nouvelles possessions jusqu'à concurrence du huitième de la dépense totale, ce qui lui donnait droit en sus à une part équivalente des bénéfices. Et ces titres et privilèges, il pouvait les léguer à ses descendants à perpétuité.

Tout cela, selon Ferdinand, n'avait plus aucun sens en 1501. Il devenait en effet absurde d'imaginer que les droits de Colomb sur un tel territoire puissent être respectés. Si l'on appliquait à la lettre les clauses des Capitulations de Santa Fe, Colomb pourrait très bientôt être plus riche que jamais Crésus ne le fut, plus riche que Salomon, plus riche infiniment que Ferdinand lui-même et que tous les rois et les princes d'Europe réunis. Et il régnerait alors sur un royaume dix fois, vingt fois, peut-être même cent fois plus grand que tous ceux d'Espagne.

Le Roi était donc hanté par cette intolérable idée que quelque chose d'immense était peut-être en train de lui échapper, un monde neuf, une autre création. Et Christophe Colomb pourrait peut-être un jour, en vertu des clauses de cet inepte contrat, réclamer un dixième plus un huitième de toutes les richesses de cette Création, en plus de ses droits inaliénables d'amiral, de gouverneur et de vice-roi. Il pourrait même, s'il le voulait, et c'était ce qui angoissait le plus Ferdinand, s'associer aux Princes de ces pays pour écraser les Puissances d'Europe.

Le Roi ne dormait plus. Il enrageait. Il aurait voulu qu'il n'y ait rien de l'autre côté de la mer Océane, que des terres inutiles ou, mieux encore, qu'un grand vide dévorant dans lequel auraient sombré les vaisseaux de cet amiral de malheur. Et on n'en parlerait plus jamais, jamais.

Mais plus personne en 1501 ne croyait au grand vide dévorant. Tout le monde, les Anglais, les Portugais, les Français, voulait aller là-bas, aux pays de l'or, et tous donnaient ainsi raison à Isabelle et à Colomb. Le roi Ferdinand, qui se targuait d'être perspicace et clairvoyant et qui croyait connaître mieux que quiconque la valeur des choses et des hommes, n'avait pas su, comme eux, reconnaître le nouveau monde au premier coup d'œil.

Avec ses conseillers, ses comptables, ses avocats, ses dominicains, il avait longuement considéré la question. Il avait même fait une proposition à Christophe Colomb: un duché dans le royaume de Grenade, une rente, des titres, et on déchirait les Capitulations de Santa Fe. Et on lui élevait une statue à Séville ou à Palos ou à Barcelone. Ou dans chacune de ces trois villes, s'il le voulait. Une très noble statue, grandeur nature, avec lui triomphant, debout, le bras tendu vers l'avenir... Christophe Colomb avait carrément refusé; il avait tout de suite engagé des avocats qu'il avait lancés dans la mêlée juridique.

« L'un de nous deux est de trop dans cette histoire, avait alors dit le Roi. Pour le bien de l'Espagne, vous devez me débarrasser de cet homme. »

Les avocats du roi Ferdinand avaient mis au point diverses machines juridiques destinées à perdre Colomb. Ils avaient d'abord secrètement contacté à Palos la veuve, les fils et les frères de Martin Alonzo Pinzón qui avait réuni l'équipage de la première flotte de Colomb et commandé en 1492 l'une de ses trois caravelles, la *Pinta*, à bord de laquelle se trouvait Rodrigo de Triana qui, dans la nuit du 12 octobre, avait le premier aperçu la terre des Indes.

Ils prétendaient, les avocats du Roi, que Pinzón était autant, sinon plus que Colomb, le véritable découvreur de la route des Indes. Sans lui, disaient-ils, jamais Christophe Colomb, étranger connaissant mal les Espagnols, n'aurait réussi à convaincre quatre-vingt-dix hommes de risquer leurs âmes et leurs vies et de s'embarquer pour un voyage aussi long, aussi dangereux, et que certains à l'époque considéraient comme un défi au bon sens et même un défi à Dieu, dont on reprochait à Colomb d'ailleurs de chercher à pénétrer l'intimité et les secrets. Beaucoup de théologiens affirmaient encore que toute cette aventure de découvertes était une profanation, un viol pur et simple, le viol de Dieu...

On n'avait jamais retrouvé le contrat liant Colomb et Pinzón, mais il était plus que certain que ce dernier, homme d'affaires habile et âpre au gain, ne s'était pas lancé dans cette aventure sans bonnes garanties. Mais il était mort cinq jours après le retour de la première expédition, en mars 1493. Et Colomb, toujours selon les avocats du roi Ferdinand, aurait pris dès lors tout le crédit de la découverte.

« Votre père avait exigé de partager à parts égales les bénéfices des Capitulations de Santa Fe », disait-on aux Pinzón qui évidemment ne demandaient pas mieux que de croire tout cela et avaient fini par renflouer du fond de leur mémoire quelques vagues souvenirs confirmant ces dires.

C'étaient des gens plutôt incultes, sans le moindre soupçon de noblesse, mais fort malicieux et possédant un sens inné des affaires. La pensée d'être associés au roi Ferdinand dans un procès les comblaient de joie. À eux aussi on avait promis une statue, qu'on élèverait à Palos, une belle statue de Martin Alonzo Pinzón, le véritable découvreur des Indes. Ce serait Yañez, celui de ses frères qui lui ressemblait le plus, qui poserait à sa place, debout, un bras tendu vers l'horizon, dans une posture immensément noble, avec une épée, une croix, un astrolabe...

La veuve, les fils, les frères de Pinzón furent ainsi convaincus d'intenter des poursuites contre Colomb afin que justice soit faite. Secrètement stipendiés par la Couronne, ils allaient de plus s'engager officiellement, en toute magnanimité et pour le bien de l'Espagne, à renoncer à leur part des privilèges et des bénéfices que leur auraient conféré les Capitulations de Santa Fe. Ils donneraient ainsi une belle leçon de nationalisme espagnol aux Colomb, ces étrangers, qui ne songeaient toujours qu'à s'enrichir aux dépens des Rois catholiques.

Et au cas où le procès Pinzón n'aboutirait pas, les avocats de Ferdinand d'Aragon avaient imaginé autre chose. Ils essaieraient de prouver que toutes les terres découvertes par Colomb n'étaient que des îles et qu'il n'avait jamais vraiment touché la terre ferme des Indes. En tout cas, pas le premier. Les Capitulations de Santa Fe ne s'appliqueraient alors que sur des territoires insignifiants.

Or depuis quelques années déjà, de brillants capitaines étaient partis pour les Indes. Ils avaient eux aussi découvert là-bas de grandes terres et de nombreuses îles. Certains avocats avaient entrepris de faire la preuve que l'un de ces capitaines, probablement Amerigo Vespucci, avait mis le pied sur la terre ferme des Indes avant l'amiral Colomb.

Les avocats de Colomb alléguaient cependant que la terre de Cuba que l'Amiral avait explorée plusieurs années auparavant n'était pas une île, mais une longue péninsule rattachée à la terre ferme des Indes.

« Nous en avons une preuve absolument irréfutable, disaient-ils. Cette preuve, elle se trouve chez le notaire Perez de Luna. C'est lui qu'il faut voir. »

Ainsi, cette année-là, au débat sur l'âme des Indiens qui faisait toujours rage parmi les intellectuels et les commerçants castillans, était venu s'ajouter celui sur Cuba, à savoir s'il s'agissait d'une île de la mer Océane ou d'une péninsule appartenant à la grande terre des Indes ou de ce que certains appelaient déjà le Nouveau Monde. De la réponse à cette dernière question dépendaient la fortune et l'avenir de l'amiral Christophe Colomb.

3

Fernando aimait son père de tout son être, sans restriction, d'un amour absolu, innocent et radieux. Tous les matins, tous les soirs, dans sa cellule du couvent des Chartreux, il priait pour lui d'une prière ardente et violente, rappelant à Dieu que Christophe Colomb était son allié, son plus précieux collaborateur, et lui demandant la mort et la damnation de ses ennemis.

Il le regardait tout le temps, il l'écoutait, il l'imitait. De plus en plus souvent, il parlait comme lui, avec son accent, ses intonations. Lui qui avait toujours détesté la mélasse, il en mangeait maintenant chaque jour, comme son père faisait, qui disait que c'était le meilleur des aliments qui soit. Il voulait tout savoir de cet homme. Il apprenait sa vie avec application. Il voulait qu'il soit heureux aussi, et surtout qu'on le reconnaisse à travers toute la Chrétienté comme un grand homme, à l'égal de Moïse, de Salomon, d'Alexandre.

Il considérait tous ceux qui d'une manière ou d'une autre s'étaient opposés à son père au cours de sa vie comme des ennemis à abattre, des suppôts de Satan. Ce messager qui ne venait jamais et que son père continuait d'attendre, il se le représentait comme un être maléfique, détestable. Fernando était en guerre. Le Roi était son ennemi, et le cardinal de Fonseca, parce qu'ils empêchaient l'Amiral d'accomplir sa mission et le dépossédaient... Il parlait d'eux avec haine et mépris. Il priait contre eux.

L'Amiral au début n'avait pas trop su comment se comporter avec ce fils passionné de lui qu'il retrouvait déjà grand, bientôt 13 ans, qui l'observait avec une si brûlante intensité, qui souvent lui rappelait mot à mot des propos qu'il avait tenus plusieurs années auparavant, qui lui donnait parfois l'impression de connaître mieux que lui sa propre vie et qui se considérait chargé auprès de lui d'une sorte de responsabilité sacrée d'ange tutélaire. Peu à peu l'Amiral se laissa devenir ce que Fernando voulait qu'il fût, un héros. Il devenait ainsi la créature de son propre fils, son invention. Quand il se racontait à lui, c'était grandiose, c'était épique, magnifique.

* * *

« Ferme cette fenêtre, Fernando. »

La grande cellule nue était de nouveau plongée dans l'obscurité. On entendait vaguement les bruits du jour au loin, ses insectes, ses cavalcades, il y avait des enfants qui jouaient et riaient, des femmes qui chantaient au loin, de l'eau qu'on versait et des bêlements, des jappements, toute la vie, Séville, là-bas, tout autour, sous le gros soleil tranchant et cru. Et dans le monastère, rien que ce noir chaud et doux qui enveloppait Fernando et son père. De sa grosse voix profonde et mélodieuse, avec cet accent qui n'appartenait qu'à lui, le Grand Amiral de la mer Océane racontait ses voyages à son fils, créant dans la nuit diurne de lumineux et troublants paysages. Des plages blanches sous la lune. Des golfes aux eaux diaphanes. Des îles. Et des tempêtes meurtrières. La jungle, ses mystères.

« Les îles du Cap-Vert, ne va surtout pas croire qu'elles sont vertes, Fernando. C'est tout sec et jaune... Je suis passé par là, il y a trois ans, quand je suis parti pour mon dernier voyage aux Indes, en juin ou juillet 98, dans le plus chaud de la chaude saison.

» Les Indes étaient plus encore qu'aujourd'hui entourées d'un mystère profond. Aucune autre flotte ne s'était aventurée à la découverte des terres ou des îles situées hors des

chemins que j'avais moi-même empruntés. Ton oncle Bartolomé, mon ami le capitaine Antonio de Torres ou ce crétin
d'Aguado, lorsqu'ils traversaient la mer Océane, suivaient
exactement les routes que j'avais ouvertes en 92: vers le 10e
parallèle à l'aller, vers le 30e au retour. C'étaient des
expéditions de ravitaillement sur une route déjà connue.
Aucun capitaine n'avait encore tenté une voie nouvelle;
personne n'avait osé sortir du chemin par moi tracé... Je
restais donc un précurseur, un pionnier.

» Cette fois, j'avais décidé de descendre le plus près
possible de la Ligne équatoriale, parce que je voulais cueillir
de l'or et, comme je t'ai dit déjà, mon petit, l'or naît et
pousse dans la terre sous l'action de l'intense chaleur du
soleil. On sait cela depuis Aristote. Là où il fait très chaud,
les hommes sont noirs et il y a de l'or en abondance.

» Donc, avant de faire voile vers les Indes, où j'étais déjà
allé deux fois en me laissant porter par les vents parfaitement
réguliers qui à la hauteur des îles Canaries soufflent toujours
vers l'ouest, je me suis rendu jusqu'à la latitude de la Sierra
Leone qui se trouve sur la côte africaine, à huit degrés environ
de l'Équateur. J'étais déjà allé à la Mine Saint-Georges, quand
je naviguais pour les Portugais. Mais jamais je n'étais descendu
plus loin, jamais je n'étais allé aussi près de la Ligne.

» Nous avons fait escale dans ces îles du Cap-Vert qui se
trouvent au large de l'Afrique. Nous avons d'abord mouillé à
l'île du Sel où nous sommes restés une bonne semaine pour
faire de l'eau. Mais l'eau est rare en cet endroit. Les plantes
sont dures, sèches et rêches, souvent hérissées d'aiguilles et
couvertes d'une sorte de cuir très résistant.

» Nous nous sommes ensuite arrêtés dans une autre île
qu'habitait une communauté de lépreux qui se soignaient en
mangeant des tortues de mer et en se lavant dans leur sang.
Tout cela était horrible. Ils vivaient dans des grottes au bord
de la mer, dans une saleté repoussante, comme des bêtes. Ils
nous ont parlé d'une terre qu'ils apercevaient souvent à
l'ouest après les grosses tempêtes qui survenaient à la fin de
la saison sèche. Ils nous ont raconté que les Noirs de Guinée
s'y rendaient parfois sur de grandes pirogues chargées de

marchandises. Nous sommes partis dans cette direction. Vers les Indes. C'était à la mi-juillet, au plus fort de l'été.

» Et nous nous sommes rapidement retrouvés en dehors de la route des grands vents, dans une zone de calmes plats, de brumes opaques et de chaleur intense et gluante, où nous sommes restés encalminés, entre ciel et mer, pendant plus de huit jours.

» J'ai cru qu'allaient brûler les navires et les gens. Personne n'osait descendre sous les ponts pour prendre soin des tonneaux et des vivres qui n'étaient plus que charogne puante dont les miasmes nous chaviraient le cœur. J'avais déjà lu Aristote et saint Augustin qui disaient qu'on ne pourrait jamais franchir la Ligne, parce que les navires prendraient feu; je n'en croyais rien. Mais dans cette effroyable fournaise où nous étions entrés, je me suis mis à douter. J'ai commencé à croire qu'Aristote avait peut-être raison et que le monde était entouré d'une ceinture de feu infranchissable.

» Me croiras-tu, Fernando, si je te dis que dans cet enfer, dont j'ai cru ne jamais pouvoir sortir, j'ai vu les plus beaux ciels qu'il m'ait été donné de contempler de toute ma vie ? »

Dans le noir de la chambre, Fernando regardait ces ciels magnifiques qu'évoquait son père. C'était tout chamarré d'or, par moments doucement irisé comme de la nacre, de lentes morves d'azur sur la mer glauque et plate.

Et là-haut, pas de soleil. Jamais. Mais on voyait son reflet dans l'eau; on voyait le soleil au fond de la mer lisse beaucoup mieux que dans ce ciel changeant et chatoyant. De sorte qu'on croyait regarder un paysage à l'envers; et qu'on finissait par croire qu'on était à l'envers.

Les hommes pleuraient en disant qu'on était descendus trop bas, qu'on était rendus aux antipodes, à l'envers du monde, où il n'y avait pas de vent, plus jamais de vent.

« Parfois, tout au fond de l'horizon, nous apercevions des pluies, de gigantesques colonnes noires qui lentement s'approchaient de nous en se dandinant. Et nous les attendions comme une délivrance. Mais toujours elles se dissipaient et s'évaporaient avant de nous atteindre. Le temps s'était arrêté, à bout de force.

» La nuit était si profonde, si noire, qu'un homme ne pouvait voir sa main. Si parfaitement silencieuse que chacun entendait battre son cœur. Et de temps en temps un éclair immense et muet nous arrachait des cris de terreur que la nuit ne parvenait jamais à absorber tout à fait et qui continuaient de retentir d'un bout à l'autre des paysages blafards et hallucinants que nous avions entrevus. La mer de plomb, immobile et vide. Et dessus, des vaisseaux fantômes aux voiles flasques et aux flancs translucides. Et sur le pont, des visages hagards, figés, effarés, immobiles eux aussi, des bouches grandes ouvertes, trous d'ombre, sans voix…

» C'était la nuit qui avait hurlé. C'était la mer mauvaise et sombre qui avait hurlé. Nous, nous étions tous morts. C'était l'enfer déjà, c'était l'envers du monde, la fin. »

Fernando écoutait et voyait tout cela dans la chambre noire du monastère des Chartreux. Même quand c'était horrible et effrayant, qu'il y avait des tempêtes et des monstres, il avait envie de partir lui aussi, d'aller partout, à tous les bouts du monde.

* * *

Tous les dimanches, le bon docteur Alvarez Chanca, chaque jour plus rond et replet, toujours hilare et affable, formidablement négligé, tant dans ses propos que dans sa tenue, venait avec sa charmante et silencieuse épouse assister à la messe haute des Chartreux et ils rendaient ensuite visite à l'Amiral.

Le long séjour qu'il avait fait aux Indes, de 1493 à 1496, restait la plus grande et la plus merveilleuse aventure de sa vie. Rien ne le rendait plus heureux que de raconter ce qu'il avait vécu là-bas, « dans ces pays déments ». Il avait une telle propension à tout embellir qu'il avait fini par recréer ces pays dans son esprit et les arranger à sa convenance, par en faire des lieux de rêves, d'ordre et de beauté, un infini pays des merveilles. L'Amiral lui-même ne s'y retrouvait plus. Il s'étonnait que son ami ne soit pas retourné vivre là-bas où, à l'entendre, s'ouvraient tous les cœurs, où tous les vins coulaient.

Ainsi, ce n'était un secret pour personne que le second voyage de l'amiral Colomb aux Indes avait été extrêmement dur, à part la traversée à tous égards agréable. Il y avait eu beaucoup d'accidents et de maladies mortelles, des massacres, des meurtres crapuleux, des trahisons...

Mais quand c'était le bon docteur Chanca qui racontait cette histoire, tout redevenait absolument parfait, amusant et riant. Isabela, ce monstrueux embryon de ville jeté sur la côte septentrionale de l'Hispaniola, dans un lieu insalubre et laid où des centaines d'hommes étaient morts des fièvres quartes, était dans le souvenir du docteur un endroit presque charmant.

L'Amiral était parfois tenté d'interrompre son dithyrambe et de dire :

« Mais non, mon cher docteur. C'était horrible et sale. C'était l'enfer. Tout le monde était malade et brisé. Tout pourrissait et croupissait, même nos âmes. Et nous pleurions tous les jours des larmes de sang.

» Souvenez-vous, quand nous sommes arrivés devant La Navidad où nous devions retrouver les 39 hommes que j'y avais laissés à mon premier voyage. Ce silence affreux qui a suivi notre coup de bombarde ! Nous regardions la côte, vous étiez à mon côté, docteur Chanca, attendant la réponse des nôtres qui n'est jamais venue. Souvenez-vous des morts que nous avons trouvés sur la plage, leurs mains liées, leurs ventres monstrueusement gonflés, leurs bouches grandes ouvertes, toutes noires, vides, leurs yeux dévorés dans lesquels nichaient des crabes et des araignées de mer. Et la pluie, froide, qui tombait sur eux.

» Souvenez-vous des Indiens qui se sont révoltés, leurs hurlements toutes les nuits dans la montagne. Et les hidalgos qui refusaient tout travail qu'ils ne pouvaient faire à cheval. Et le père Buil, cet hypocrite, ce paresseux qui prétendait que les Indiens n'avaient pas d'âme, ce qui lui épargnait d'avoir à les convertir, et qui m'a excommunié parce que je n'étais pas assez ferme avec eux.

» Je sais, moi, que c'est à cause des exactions des hidalgos que les Indiens se sont révoltés. Je sais moi que les Espagnols ne sont pas dignes de ce monde dont je leur ai donné les clés. Ils ont tout gâché. Ce sont des incapables et des ignares, vous le savez bien, docteur Chanca. Les hommes forts dans ce pays, ce sont des étrangers, des Italiens, comme moi, comme Vespucci, comme les gros bonnets de la haute finance... Sans les Juifs, sans les Maures et les Italiens, l'Espagne serait restée un pays de barbares et d'arriérés. Vous savez cela, n'est-ce pas, docteur Chanca ? »

Mais l'Amiral se taisait. D'abord parce que ce qu'il pensait ne se disait pas. Pas en Castille en 1501. À moins qu'on eût envie de mourir ou de finir ses jours dans les geôles de l'Inquisition. Il se taisait aussi parce que le récit du docteur Chanca lui plaisait bien. Il aimait entendre cette heureuse version des faits. Ce n'était peut-être pas la plus juste, mais elle était infiniment plus agréable à vivre que la réalité.

Tous les dimanches donc, l'Amiral écoutait le bon gros docteur Chanca, témoin privilégié du plus beau rêve qu'il avait fait. Et Isabela redevenait ce qu'il avait jadis rêvé qu'elle fût, une ville forte et belle dans une jolie petite baie bien abritée, avec un alcazar, une cathédrale, un arsenal... Tout cela en pierre de taille. Comme les remparts qui dominaient le port. Tout cela, solide et propre, inexpugnable.

Et parfois, l'Amiral s'endormait pendant que parlait son ami. Celui-ci s'en allait sur la pointe des pieds, tout heureux d'avoir soulagé Christophe Colomb de son mal qui était la réalité pure et simple, la lumière, la vérité.

« Le seul remède qu'on puisse apporter au mal dont souffre cet homme, disait-il à sa femme, c'est de le replonger dans son rêve. »

* * *

Fernando avait rangé avec soin et méthode les nombreuses lettres que son père avait gardées pêle-mêle depuis une quinzaine d'années et avait commencé à en dresser un inventaire le plus exhaustif possible : lettres des Rois catholiques, du cardinal de Fonseca, du docteur Chanca, du père Juan Perez, de Luis de Santangel...

Il avait aussi des copies des grands journaux de bord de son père et des copies de lettres que celui-ci avait écrites en latin, en castillan, quelques-unes en italien ou en portugais, ses rôles d'équipages, des registres de toutes sortes, des actes notariés, rapports de fournisseurs, copies ou résumés de capitulations et de conventions diverses, brouillon d'un petit traité de navigation écrit l'hiver précédent à l'intention des capitaines partant pour les Indes, des notes en vrac sur les météores et les vents, plein d'autres choses, papiers tout secs, jaunis, cassants, un fouillis d'écritures...

De temps en temps, l'enfant farfouillait au hasard dans cette masse de textes. Chaque fois, il découvrait quelque facette nouvelle de la personnalité de son père, des détails révélateurs, des mystères qui l'enchantaient ou l'effrayaient. Et aussi des trous béants qu'il essayait tant bien que mal de combler.

Il relisait de temps à autres les plus belles pages du Journal de bord du premier voyage. Il y retrouvait ses moments préférés de la vie de son père, les quelques jours précédant la grande découverte, début octobre 92. Jamais, à ses yeux, la mer Océane n'avait été plus parfaite, plus immense, plus terrible. Il relisait, en date du 8 octobre:

Grâce à Dieu, l'air est très doux comme en avril à Séville et c'est plaisir d'être là tant il est parfumé.

De l'herbe apparut sur la mer, très fraîche, et beaucoup de petits oiseaux des champs. Les matelots en prirent un qui fuyait au sud-ouest. Nous vîmes également des corneilles, des canards et un albatros.

Mais l'anxiété et le désir de voir la terre sont si grands que les hommes n'accordent plus foi à aucun indice.

Fernando aimait penser à cette nuit du 12 octobre, la dernière nuit de l'ancien monde, derniers moments de la grande noirceur... Il n'y avait rien à cette date dans le journal de bord. Mais l'Amiral dans la pénombre de la cellule du monastère de Las Cuevas avait raconté à son fils:

« La veille au soir, vers dix heures, j'étais sur le château de poupe. J'ai vu une lueur, mais si furtive que je n'ai pas voulu la signaler, de peur de créer de fausses joies dans le cœur de mes hommes. J'ai quand même appelé Pedro Guttierez, notre interprète, qui a vu lui aussi cette lueur. Et Rodrigo de Sanchez, qui ne l'a pas vue, parce qu'il n'était pas placé de manière à la voir ou parce qu'il n'avait pas de bons yeux. Mais moi, je l'ai par la suite plusieurs fois revue. C'était comme une petite chandelle de cire qui se haussait et s'abaissait. Je n'ai rien dit aux hommes. Mais avant d'aller dormir, j'ai recommandé la plus grande prudence. J'ai placé deux guetteurs à la proue, les enjoignant de bien regarder du côté de la terre, là où j'avais vu la petite lueur. Et je leur ai dit qu'au premier qui verrait la terre, je donnerais sur-le-champ un pourpoint de soie rouge en sus des dix mille maravédis de rente perpétuelle promis par la reine Isabelle. Après avoir dormi une heure environ, je suis retourné auprès d'eux. À la deuxième heure après minuit, à deux lieues environ, exactement dans la direction que j'avais indiquée après avoir aperçu la lueur, la terre parut, une longue plage pâle sous la lune. Nous avons chanté le *Te Deum*. J'ai fait carguer les voiles et mettre en panne. Et toute la nuit, les hommes sont restés debout à la proue des navires. La lune s'est couchée. Le soleil s'est levé. Et nous avons vu la terre enfin… »

» Ce jour-là, Fernando, si tu veux tout savoir, quand nous sommes arrivés aux Indes, j'ai senti tout au fond de moi comme une tristesse très douce que je ne saurais t'expliquer. J'attendais ce moment depuis si longtemps ! Avec trop d'ardeur, peut-être. Les hommes étaient tout à la joie de notre découverte. Nous avions réussi, nous avions traversé sains et saufs la mer Océane et touché les Indes. Mais moi, je me suis soudain senti très seul. J'aurais voulu tout recommencer, même si cela avait été si effroyablement long et difficile. »

* * *

Le père Gaspar Gorricio, supérieur du couvent des Chartreux, était un joyeux drille formidablement érudit et fort pieux, qui depuis vingt ans n'avait pas mis les pieds hors de l'Andalousie, qui avait peur du ciel et de l'enfer, mais que rien ne passionnait autant que les récits et les projets de voyages de l'amiral Colomb. Il était né en Italie, comme Colomb. Il rêvait d'y retourner finir ses jours. Pas l'Amiral.

Pendant que de part et d'autre, des nuées d'avocats et de notaires amassaient des matériaux et des témoignages, et s'engageaient dans le lacis inextricable de la procédure d'un procès qui allait être l'un des plus longs de toute l'histoire du monde, l'Amiral et le père Gorricio se consacraient corps et âme à une œuvre étrange, qu'ils avaient provisoirement intitulée *Le Livre des Prophéties*. Pendant tout l'été précédent, ce livre les avait jour et nuit occupés et obsédés, au point qu'ils s'étaient peu à peu désintéressés de tout le reste, ce qui n'avait pas empêché le père Gorricio d'engraisser encore un peu et l'Amiral de souffrir presque tous les matins de puissants accès de goutte qui le rendaient généralement d'assez mauvaise humeur.

Ce *Livre des Prophéties*, projet vieux de plusieurs années auquel l'Amiral avait d'abord travaillé seul, était fait exclusivement d'extraits de la Bible, de traités de cosmographie et de récits de voyage très anciens qui, mis bout à bout, racontaient une histoire cohérente et exemplaire, celle de l'amiral Christophe Colomb lui-même. C'était en quelque sorte sa première biographie, rédigée d'un bout à l'autre, par bribes éparses, avant même que son œuvre ne soit achevée, longtemps même avant que sa vie ne soit commencée.

Colomb avait en effet retrouvé dans la Bible et chez les anciens philosophes le récit anticipé de ses propres faits et gestes, la découverte des Indes (faite), la libération de Jérusalem (à faire très bientôt) et autres grands exploits dont il avait été ou allait être l'auteur. Ainsi toutes ses découvertes et ses entreprises se trouvaient de tout temps légitimées et reconnues.

Convaincre le père Gorricio de collaborer à la rédaction du *Livre des Prophéties* n'avait cependant pas été une mince affaire. D'abord, le bon moine avait eu un sérieux choc en apprenant que cet homme essentiel dont la silhouette se dressait çà et là dans les prophéties du grand Isaïe, dans les écrits encyclopédiques d'Aristote et les méditations de saint Augustin, n'était nul autre que ce vieillard perclus d'arthrite qui vivait chez lui. L'Amiral avait dû lui expliquer longuement la nature de son projet.

« Je veux que les Rois catholiques sachent que ma découverte a été prophétisée, disait-il. C'est selon moi la seule façon de les convaincre de l'importance de ce que je fais. Je veux qu'ils sachent que tout cela s'inscrit dans l'ordre divin, que ma conduite est dictée par la parole de Dieu et de ses Prophètes. Lorsqu'ils en seront convaincus, il leur sera impossible de me refuser quoi que ce soit.

— Certains prétendent que ce ne sont pas les Indes que vous avez découvertes, mais qu'il s'agit d'un nouveau monde.

— À mon avis, c'est une grave erreur que de croire une telle chose. Il ne peut y avoir d'autre monde que celui dont on parle dans la Bible. Ce serait contraire à l'enseignement de saint Augustin, qui en cette matière s'y connaît infiniment mieux que nous. Ce serait supposer qu'il y a des nations qui ne descendent pas d'Adam. Or la Bible dit que tous les hommes descendent d'un seul et même père. Il n'y a pas et il n'y aura jamais de nouveau monde. C'est moi, Christophe Colomb, qui vous le dis. »

Mais il y avait autre chose qui inquiétait au plus haut point le pieux Chartreux. Il considérait que tout écrivain était à la solde de Satan. Il n'y avait selon lui qu'un seul livre auquel il n'y avait strictement rien à ajouter, la Bible des Chrétiens, source de toutes les connaissances, écrin de toutes les vérités.

Il connaissait presque toute la Bible par cœur. Vingt fois au moins, il l'avait copiée amoureusement d'un bout à l'autre, de sa blanche main d'artiste. Mille heures chaque fois d'un travail patient et minutieux. Pour lui, l'imprimerie, cette invention moderne qui depuis une cinquantaine d'années faisait fureur à travers toute l'Europe, était une profanation. Le père Gorricio était persuadé que si l'on cessait de copier le Livre, on finirait bientôt par ne plus le comprendre. Le Livre mourrait. La seule lecture vraiment attentive et approfondie qu'on pouvait en faire était celle du copiste calligraphe qui devait représenter chaque mot avec clarté et fidélité, lui donner corps et sens.

« Je n'aime pas ces machines à imprimer qui manipulent sans respect la parole de Dieu, disait-il. Par son travail et sa prière, le copiste illumine le texte saint, il s'applique à le rendre parfaitement lisible et limpide comme une eau courante. La composition mécanique de la presse à imprimer tuera cela. La parole de Dieu ne portera plus cette lumière; on ne l'entendra plus; elle stagnera et croupira. Cette invention allemande, c'est la porte ouverte à l'hérésie. Vous verrez, Amiral. »

Le chartreux avait peu à peu amené Colomb à débarrasser son livre des idées de la science et de la cosmographie modernes et à mettre davantage l'accent sur les vérités fondamentales et immuables de la Bible. Ils avaient biffé tous les passages tirés de l'*Imago Mundi* de Pierre d'Ailly, du *Guide géographique* de Ptolémée, et même des *Œuvres morales* de Plutarque, que l'Amiral aimait tant. En septembre, le père Gorricio, enfin satisfait, avait préparé à l'intention des Rois catholiques un joli manuscrit en très grosses lettres bien grasses. On savait que le roi Ferdinand n'aimait pas beaucoup la lecture. En fait, jamais personne ne l'avait vu un livre à la main. Espérant le séduire, le père Gorricio avait utilisé des encres de diverses couleurs, beaucoup de rouge et d'or.

Mais il y avait plus de deux mois déjà que *Le Livre des Prophéties* avait été envoyé à la Cour. Et toujours pas de nouvelles.

* * *

« Viens près de moi, Fernando, mon petit, que je te raconte le voyage que j'ai fait autrefois à Thulé. En plein hiver, il y a plus de vingt ans. Thulé, c'est une île grande comme l'Angleterre que les Anciens croyaient être à la limite du monde, tout au nord de la mer Océane.

» Là-bas, en cette saison, le jour ne dure que quelques heures. Le ciel se meut avec beaucoup de bizarrerie, de façon très saccadée, jamais avec ces mouvements amples et

43

continus, tout en rondeurs et en douceur, comme ceux qu'il fait ici. Il est rempli de figures d'une étonnante pureté, de grands cristaux, des iris géants, des nuages en rosaces aux arêtes tranchantes. C'est tout en triangles et en dents de scie, comme des motifs de broderie ou de dentelle vivement colorés, avec des guipures d'argent, des filigranes mauves, des aiguilles d'or. Parfois, quand le soleil bas s'en mêle, on voit de grands vitraux se dresser au-dessus de nous jusqu'à l'infini. Au loin, sur l'horizon, on aperçoit des monts et des glaciers flamboyants portant de vastes miroirs, véritables brasiers où pétillent des nuées d'étoiles. Et tout en bas, très nette, se trouve la ligne sombre et pure de l'horizon, la côte. On peut pendant des jours faire voile vers cette côte. Elle restera toujours éloignée. Et soudain, elle apparaîtra derrière nous. Et puis tout autour. On vogue alors sur une mer intérieure totalement fermée par des côtes, visibles mais intouchables, qui se dérobent dès qu'on s'en approche, et qui se reforment, toujours plus loin, plus fermes.

» La nuit, sous ces hautes latitudes, l'étoile immobile, qu'on appelait la Tramontane quand j'étais petit, en Italie, parce qu'elle semble fixée au-dessus des montagnes derrière Gênes, se trouve presque à la verticale, toujours très brillante... Et au creux de la nuit, apparaissent parfois des lueurs chatoyantes, verdâtres, des sortes de méduses ou de poulpes lumineux aux longs tentacules qui semblent danser très haut dans le ciel...

» Je te raconterai un jour toutes les légendes que j'ai entendues là-bas au sujet des terres qui se trouvent à l'ouest et où les grands hommes blonds de Thulé et des pays du nord de l'Europe sont allés jadis. Ils y ont même créé des villes et cultivé des terres très fertiles...

» En rentrant de Thulé, nous avons fait escale à Gallway, sur la côte occidentale de l'Irlande. Au large de cette côte, nous avons vu dans une petite embarcation à la dérive les cadavres étroitement embrassés d'un homme et d'une femme fort bien conservés. Ils étaient petits de taille, ils avaient les yeux bridés, la peau bistre et les cheveux très noirs, exactement comme ces habitants de la Chine et des Indes que nous décrit Marco Polo qui est allé par voie de terre dans ces contrées, il y a plus de deux siècles.

» Si cette petite embarcation portant ces malheureux amants, sans doute chassés de leur pays pour avoir commis quelque faute impardonnable, a pu dériver jusqu'aux côtes de l'Irlande, il est certainement possible, ai-je alors pensé, de faire le voyage inverse avec de bons voiliers. Selon moi, il n'est pas de vent qu'on ne puisse remonter. Et je me suis dit que toutes ces légendes de voyages au-delà de la mer Océane que racontaient les marins de Thulé, de Bristol ou de Gallway étaient certainement fondées sur la réalité.

» Ah ! Fernando, ce que j'aurais donné pour que ces amants fussent parvenus sains et saufs au terme de leur terrible voyage ! Songe à tout ce qu'ils auraient pu nous apprendre sur l'univers.

» Ils portaient de courtes robes de cuir très souples et des jambières lacées de même matière. Elle avait au cou, aux poignets et aux chevilles des petites chaînes faites de baies et de pépins que les embruns et les pluies avaient décolorés. Il n'avait pas d'armes. Ils semblaient dormir, paisibles. Nous avons laissé leur barque flotter librement sur la mer... »

4

Un jour de la mi-novembre, le temps d'abord maussade ayant brusquement viré au beau, l'Amiral et Fernando rentraient au monastère un peu passé midi, lorsqu'ils aperçurent le père Gorricio courant à leur rencontre, tous voiles dehors, suant et soufflant, incapable cependant de réprimer le lumineux sourire qui sourdait de son âme.

« Un homme est venu pour vous, don Christophe !

– Qui donc ?

– Il vous a laissé un mot que j'ai là quelque part. »

Et ce disant, le gros moine fouillait à deux mains sous sa bure, se tâtait, se palpait, secouait ses jupes en se dandinant et se tortillant :

« C'était un jeune homme très élégant qui portait des bottes et les cheveux très longs, disait le père Gorricio. Il était à cheval, un cheval terrible qui piaffait et ruait comme un diable. Je crois qu'il avait une moustache aussi. »

Enfin, un papier froissé finit par tomber en voletant sous sa robe. Fernando le ramassa et le tendit à son père qui lut à mi-voix :

« Les avocats du Roi nous demandent de produire le texte du Serment sur Cuba. Que fait-on ? »

L'écriture était franche et claire. Mais la signature était pratiquement illisible. Don Diego Quelque chose, notaire.

La réaction de l'Amiral étonna Fernando et plus encore le père Gorricio. Il semblait n'attacher aucune importance au message même et ne s'intéressait qu'à son porteur et signataire, ce don Diego Quelque chose, notaire, dont il tentait de déchiffrer le nom. Pourquoi ? Il n'en savait strictement rien. Il n'avait aucun besoin de connaître ce nom. Mais il n'y pouvait rien. Sa pensée lui échappait ainsi de plus en plus souvent, comme si elle acquérait tout à coup une vie autonome. Elle s'occupait alors à sa guise, sans lui, tout à fait malgré lui.

« Je pense que je vois à peu près qui c'est, disait l'Amiral en considérant rêveusement le petit bout de papier. C'est le jeune blanc-bec qui le jour fait semblant de travailler avec mon notaire Perez de Luna et qui passe ses nuits avec mon frère Bartolomé et ses semblables dans les tavernes du port. Il est assez grand et mince, n'est-ce pas, père Gorricio ? Avec une moustache, vous dites ? Et une mèche toute blanche qui lui traverse les cheveux qu'il a très bruns et tout raides ? Je le vois comme je vous vois, père Gorricio. Je vois très bien qui c'est. »

Mais le pauvre père Gorricio ne s'intéressait absolument pas au signataire de ce billet. Il était profondément déçu. Il avait cru ce matin-là en voyant arriver au monastère ce beau jeune homme si élégant, monté sur un si fier et si fringant cheval, que les Rois catholiques avaient enfin lu leur ouvrage et qu'ils appelaient enfin l'Amiral auprès d'eux. Il avait cru que le grand rêve qu'ils avaient fait ensemble allait bientôt se réaliser pour la plus grande gloire de Dieu, de l'Espagne et des Rois. Le cœur battant, incapable de penser à autre chose, il avait donc attendu le retour de l'Amiral, s'interdisant par esprit de sacrifice et par action de grâce de lire le message qu'il avait gardé sur lui depuis le matin.

Or il s'était lamentablement trompé. Ce n'était ni le Roi, ni la Reine, ni le Cardinal. Des mauvaises nouvelles sans doute, des menaces, des malheurs certainement, encore ! Qu'est-ce que c'était que cette affaire de Serment sur Cuba ? Le père Gorricio aurait voulu se jeter aux pieds de l'Amiral et lui demander pardon de cette fausse joie qu'il lui avait faite. Mais l'Amiral, s'il était déçu ou inquiet, n'en laissa rien paraître, tout absorbé qu'il était par sa futile recherche.

« Ah ! son nom va me revenir, disait-il, se parlant à lui-même, je sais qui c'est, ce gars-là. Je l'ai déjà vu. »

Et bien qu'il comprît l'absurdité de la chose et qu'il sût que ce message émanait sans aucun doute possible de l'étude de Perez de Luna, son notaire, dépositaire du texte du Serment sur Cuba, et qu'on attendait très certainement de lui une réponse prompte et précise, il fut incapable au cours des heures qui suivirent de penser efficacement à autre chose qu'à cette signature illisible et à ce nom introuvable. Ce visage, ce regard arrogant et heureux, cette signature négli-gée, cette mèche blanche qui traversait comme l'éclair la longue chevelure sombre, lui revenaient sans cesse en mémoire. Ce n'est que tard dans la nuit, alors qu'il croyait avoir depuis longtemps renoncé à chercher, qu'il trouva enfin :

« Diego Mendez. Voilà. Ce gars-là s'appelle Diego Mendez. »

Et alors, ayant identifié le messager, il s'en désintéressa totalement, Son esprit, enfin satisfait, revint se placer sous sa gouverne, et il se mit à considérer avec un effroi grandissant le message même. Les trois derniers mots que Diego Mendez avait griffonnés lui revenaient sans cesse en tête. « Que fait-on ? Que fait-on ? Que fait-on ? »

Toute la nuit, ces mots s'imposèrent à l'esprit du Grand Amiral de la mer Océane. Incapable de s'attacher à la recherche d'une solution, il ne cessait de reprendre la question, comme un moulin tournant à vide. Que faire ? Que faire ? Que faire ? Il venait d'avoir 50 ans. Et pour la première fois de sa vie, il ne savait pas quoi faire. Pour la première fois de sa vie, Christophe Colomb se sentait perdu.

* * *

Il s'endormit à l'aube, comme d'habitude. Il rêva beaucoup, ce qui lui arrivait de plus en plus rarement. Un rêve écœu-rant et triste dans lequel il était une grosse chose flasque, pâle et apeurée, que ballottaient mollement de vieilles eaux sales et froides.

« Babbo, réveille-toi, babbo, le notaire est là. »

Mais déjà, le notaire Perez de Luna entrait en coup de vent dans la cellule de l'Amiral. Il était nerveux et agité, lourdement parfumé, comme un Maure, mélange de bergamote et d'eucalyptus, de cuir mouillé, de sueur de cheval. Il parlait trop fort et trop vite. L'Amiral clignait des yeux et grimaçait, se grattait les côtes et le crâne, se massait les jambes et le dos qu'il avait tout endolori, tout raides.

« Qu'est-ce que vous faites, Amiral ?

— Comment ça, qu'est-ce que je fais, j'essaie de me réveiller, vous le voyez bien, non !

— Je veux dire avec le texte du Serment sur Cuba.

— Faites-en ce qui vous semble bon, Perez. Qu'est-ce que vous voulez que ça me fasse ?

— Mais ce texte peut vous être gravement préjudiciable, Amiral.

— Et à vous donc, Perez ? »

Depuis quelque temps, Perez de Luna vivait dans la peur que soit publié ce texte du Serment sur Cuba, de même que beaucoup d'autres documents et manifestes qu'il avait dressés et signés du temps qu'il était aux Indes. Il avait en effet enregistré sous son seing des découvertes qui s'avéraient maintenant tout à fait inexactes. Ce n'était pas un crime. À ses yeux cependant, c'était pire, une bêtise, une bourde grossière, révélant un grave manque de culture et de discernement.

Tant et aussi longtemps que Colomb et ses hommes avaient été les seuls à fréquenter la réalité d'outre-mer, ils avaient pu en rendre compte et l'interpréter tout à fait librement. Mais depuis quatre ou cinq ans, de nombreux capitaines avaient suivi les traces de l'Amiral et ce qu'ils rapportaient des choses et des gens vus là-bas ne correspondait pas toujours à ce qu'il en avait dit. La réalité s'imposait avec de plus en plus de force ; elle ferait bientôt autorité, elle viendrait contredire les actes notariés qu'on avait dans la plupart des cas dressés trop rapidement.

Perez de Luna craignait, non sans raison, que sa compétence professionnelle et sa crédibilité soient sérieusement remises en question. Le Serment sur Cuba n'était qu'un exemple parmi d'autres. Au cours de son séjour aux Indes, il avait enregistré sous son seing les prises de possession de la Chine, des Indes, de Cipango, de Cibao… Or il semblait de plus en plus évident qu'il ne s'agissait pas de ces pays. Et que Cuba n'était pas une péninsule, mais une île. On s'était trompés. Perez de Luna avait un furieux besoin de savoir ce que Colomb ferait après que le texte du Serment ait été rendu public.

Émergeant avec peine de son cauchemar maritime, Christophe Colomb ne disait rien. Il était désemparé. Perez de Luna le voyait bien qui avait l'intention d'en profiter pour obtenir de lui qu'il révoque non seulement le Serment sur Cuba, mais plusieurs autres déclarations fort embarrassantes pour beaucoup de gens.

Or Christophe Colomb avait toujours soutenu qu'un serment était techniquement irrévocable. Selon lui en effet, le serment engendrait fatalement et inexorablement sa propre vérité, il façonnait la réalité et liait à jamais ceux qui l'avaient prêté. L'écrit notarié finissait toujours par se réaliser, comme le Verbe de Dieu s'était fait chair, par une sorte de transmutation mystérieuse, irréversible et irrépressible. Ce qui était dit, écrit et juré sous serment était donc l'absolue vérité. Ou le serait tôt ou tard. Et on n'y pouvait rien changer.

Perez de Luna avait pour l'amiral Colomb un respect et une admiration pratiquement sans limites. Mais certaines des idées que professait ce dernier, celle-ci par exemple de l'irrévocabilité et de l'indélébilité du serment, l'agaçaient au plus haut point et lui semblaient terriblement obscures et arriérées. Prétentieuses aussi. L'Amiral se comportait souvent comme s'il était lui-même un prophète à l'instar d'Esdras, d'Ézéchiel et d'Isaïe. Il prétendait que ce qu'il disait était oracle et par définition échappait à toute discussion, à toute remise en question.

Or, dans le cas de ce serment sur Cuba, la transmutation ou la réalisation ne s'était pas produite et ne pourrait vraisemblablement jamais se produire. Toute cette histoire était à peu près certainement une grave erreur. Ou le serait tôt ou tard, surtout si les avocats du roi Ferdinand décidaient de s'en mêler et de révéler que Christophe Colomb avait forcé ses hommes à jurer, sous son seing à lui, Perez de Luna, que Cuba n'était pas une île, mais bien la terre ferme des Indes.

« Quel besoin ont-ils de ce document ? demanda soudainement l'Amiral. Je croyais qu'ils en avaient une copie à la Maison des Indes !

— Moi aussi, je le croyais. Mais ils ne trouvent jamais rien là-dedans. Vous le savez bien. »

L'Amiral se leva, marcha lentement vers la fenêtre qu'il referma et, sans se retourner, tout bas, dans le noir, il ajouta :

« Et chez vous, mon cher notaire, ça ne vous arrive jamais de perdre des papiers ? »

Perez de Luna était abasourdi. Pendant un long moment, il ne sut que répondre. Jamais il n'aurait cru que l'Amiral proposerait de lui-même cette solution. Ce matin-là, en se rendant au monastère des Chartreux, il s'était dit que pour une fois il ne tomberait pas dans les pièges dialectiques de son illustre client. Et qu'il ferait tout pour le convaincre que la perte de ces documents était nécessaire. Or voilà que l'Amiral lui-même proposait d'emblée cette solution que le notaire craignait si fort d'évoquer devant lui.

« C'est ce qu'il y a de mieux à faire, n'est-ce pas ? » demanda Colomb en se tournant vers le notaire.

Il semblait terriblement inquiet. Cette décision qu'il venait de prendre bouleversait sa vie de fond en comble. C'était une démission, une trahison, un parjure. Il avait peur des conséquences.

Ainsi, un nouveau monde allait bientôt commencer. Sans lui. Un monde non prophétisé, non prévu, non pensé. N'importe quoi pouvait maintenant arriver. N'importe qui pouvait désormais découvrir et bâtir…

« Qu'est-ce qui se passerait selon vous, Perez, si le prophète Isaïe revenait aujourd'hui parmi nous et nous apprenait qu'il s'est trompé, que ses prophéties sont erronées, et que ce n'est pas du tout ce qu'il voulait dire ?

— Mais ce n'est pas la même chose, Amiral. Ce que le prophète Isaïe a dit s'est réalisé. Nous le savons tous. Nous le voyons.

– Et s'il avait dit le contraire de ce qu'il a dit. Qu'est-ce qui serait arrivé ? Dites-moi.

– Il serait arrivé qu'il n'aurait pas été prophète. Les prophètes ne se trompent pas.

– Notre Seigneur se serait quand même incarné ?

– Le Messie serait quand même venu, oui, certainement.

– Sans avoir été annoncé ? ni attendu ? À quoi servent les prophètes, alors, si ce qu'ils disent ne change rien à rien ? »

Perez de Luna ne répondit pas. Et son silence frappa durement l'Amiral, qui se tut lui aussi. Ils restèrent debout tous les trois, un long moment silencieux dans la pénombre de la petite cellule, Fernando, l'Amiral et le notaire. Puis le vieil homme s'en fut marcher dans l'oliveraie du monastère, Fernando derrière lui, Perez de Luna debout dans l'embrasure de la porte, les regardant, ému, fatigué.

Quand on est notaire, on devient dépositaire des plus graves secrets des hommes. Comme un confesseur. Perez de Luna connaissait à peu près tout le monde à Séville, tous les hidalgos des meilleures familles. Il avait fait affaire avec la plupart des aventuriers et des armateurs italiens ou portugais qui s'y trouvaient. Il connaissait aussi les intellectuels arabes et les grands financiers juifs. Et jamais, chez ces gens fous d'ambition, brillants et instruits, il n'avait eu connaissance d'un rêve ou d'un projet comparable, par la grandeur et l'audace, à celui qu'avait entretenu Christophe Colomb au cours des dernières années.

Tout chez cet homme lui apparaissait grand, immense, effrayant, l'ambition et la peine, la vision et l'aveuglement, le rêve et l'échec, l'erreur. C'était pour tout cela qu'il lui avait toujours été si profondément attaché, même si auprès de lui, il se sentait moins brillant, moins éloquent, petit homme ordinaire et vide, sans rêve, sans grandeur.

Colomb était de ces êtres qui ont une telle volonté de pouvoir, une telle foi en eux qu'ils parviennent à s'élever au-dessus du commun ou à en donner à tous l'illusion. S'il avait tant d'ennemis à travers tout le pays, n'était-ce pas justement à cause de cette inébranlable volonté qu'il possédait et de cette grandeur qu'il mettait en toutes choses, de ce don de Dieu, de cette force et de cette passion qu'il portait en lui ?

Quel autre homme en Espagne avait fait ce rêve géant de changer à ce point le monde et la vie ? Qui à part lui avait déjà voulu et cru être, plus qu'un homme, un prophète à l'égal d'Isaïe, un proche collaborateur du Créateur ?

Mais ce matin-là, Christophe Colomb constatait le formidable échec de sa vie. Il comprenait qu'il n'était pas prophète, que ce qu'il avait dit, écrit et juré resterait sans conséquence. Il devait admettre, à 50 ans, qu'il n'était pas celui qu'il avait toujours voulu ou cru être. Son rêve chéri venait de s'écrouler. Esdras et Isaïe n'étaient pas ses pairs. Ses paroles passeraient et ne changeraient rien à la face du monde…

Perez de Luna aurait eu plein de choses à faire chez lui, mais il tenait à rester auprès de l'Amiral, pour lui manifester son amitié. Ils regardèrent la pluie mêlée au petit soleil de novembre tomber doucement sur le patio du monastère. Ils parlèrent des Indes, des hommes et de Dieu. Et même des femmes. L'Amiral ne revint pas sur sa décision.

« De toutes façons, lui disait Perez de Luna, tous les signataires de ce serment l'ont déjà vingt fois renié. Vous le savez bien, Amiral.

— Même la Cosa. Oui, je sais.

— Ce n'était pas pour mal faire. La Cosa, comme vous, comme moi, recherche la vérité, Amiral. S'il dit aujourd'hui à qui veut l'entendre qu'il considère le Serment sur Cuba comme tout à fait nul et non avenu, ce n'est pas pour le plaisir de vous contredire, mais parce qu'il croit vraiment que la vérité est tout autre. Il a des preuves de cela, je le sais. Et ce n'est pas votre document, même s'il est signé par lui et dûment enregistré sous mon seing, qui l'empêchera de faire ce qu'on lui a demandé de faire. »

* * *

Juan de la Cosa avait été chargé par le roi Ferdinand de dresser une mappemonde faisant état de toutes les découvertes des neuf dernières années, c'est-à-dire depuis que Christophe Colomb avait découvert la route des Indes. Tous les capitaines espagnols rentrant de voyages au-delà de la mer Océane étaient désormais requis de remettre à la Cosa leurs journaux de bord et leurs cartes. Dans quelques semaines, en janvier 1502, il devait présenter aux Rois catholiques les résultats de ses travaux qu'il avait jusque-là menés dans le plus grand secret. Mais on savait déjà que son portulan allait révolutionner la cartographie. Que toutes les cartes qu'on avait dressées depuis dix ans seraient dès lors obsolètes. De même que le fameux globe terrestre de Martin Behaïm qui avait tant émerveillé les intellectuels européens quelques années plus tôt. Toutes les idées qu'on s'était faites du monde depuis Ptolémée ou Aristote et depuis les prophètes les plus compétents et les plus anciens seraient à jamais dépassées, finies, caduques.

Juan de la Cosa avait réussi à mettre la main sur des copies de cartes et de rapports de Giovanni Caboto; ce dernier, chargé par Henri VII d'Angleterre de trouver une route septentrionale vers la Chine serait monté jusqu'à la mer des Glaces, jusqu'au Vinland et au Groenland, en se frottant à la côte orientale des Indes, sans jamais pouvoir y pénétrer vraiment. La Cosa avait vu aussi les cartes qu'avait dessinées Amerigo Vespucci qui, voyageant pour le compte des Espagnols avant de passer aux Portugais, prétendait être descendu très loin sous la ligne équinoxiale.

Mises bout à bout, la côte de Caboto et celle de Vespucci dressaient, de l'autre côté de la mer Océane, une formidable barrière qui allait du 70e degré nord jusqu'à près de 30 degrés au sud de l'équateur, peut-être même beaucoup plus loin. Et la Cosa, qui avait pourtant juré le contraire en signant en 1494 le Serment sur Cuba, prétendait maintenant que cette barrière était absolument infranchissable, que les Grandes Indes où allaient les Portugais en contournant l'Afrique et en naviguant vers l'est se trouvaient en fait de l'autre côté de cette barrière et qu'on ne pourrait jamais les atteindre en naviguant vers l'ouest. Il faudrait, disait-il, franchir à pied cette masse de terre inconnue qui selon lui était très épaisse, parce qu'il en sortait de grands fleuves, tant au nord qu'au sud. C'était absolument effarant ! Un nouveau monde, une autre création! Peut-être même, prétendaient certains esprits hérétiques, un autre Créateur.

On disait aussi que le Paradis terrestre se trouvait là-bas et que les portes en étaient grandes ouvertes; n'importe qui pouvait y entrer, y retrouver la jeunesse, la beauté, y refaire sa vie... Sans être tout à fait de cet avis, Juan de la Cosa considérait que les îles et les terres de la mer Océane formaient un pays des merveilles d'une incommensurable richesse. Les grands capitaines qui rentraient de là-bas étaient d'accord avec lui. N'en déplaise au roi Ferdinand, l'avenir était aux Indes. Beaucoup plus que dans la vieille Europe. La mappemonde de Juan de la Cosa allait en faire la preuve; de même que de l'irréfutable ineptie du Serment sur Cuba et du pauvre fou qui en avait exigé la prestation.

* * *

Au cours des jours qui suivirent, mi-décembre, froids et secs, une grande joie s'empara du cœur de l'Amiral. Il s'était remis à prier, d'une prière limpide et vive qui coulait de source et au passage lui lavait, lui rafraîchissait l'âme.

Il s'était lamentablement trompé. Celui qu'il avait si longtemps attendu, messager libérateur ou tueur à gages, ne viendrait pas. Christophe Colomb avait échoué en toute chose. Comme armateur, comme prophète et comme découvreur, comme martyr, comme gouverneur et vice-roi. D'autres déjà avaient pris sa place là-bas, à Santo Domingo; d'autres, qui ne connaissaient rien à rien, et qui s'arrogeaient les trésors et les honneurs et les idées qui lui appartenaient, qu'il avait lui-même créés. Même ses rentes de Grand Amiral de la mer Océane, son émolument comme gouverneur et ses bénéfices en tant qu'armateur, on avait pratiquement cessé de les lui verser depuis plusieurs mois. Il ne possédait plus rien. Et pendant quelques jours, c'est cela même qui fit sa joie, ce dépouillement si total, ce vide tout propre et sans équivoque, cet échec si parfait qui lui rappelait le goût de la liberté. Il avait désormais tout son temps. Il n'attendait plus rien de personne. Enfin!

Il savait cependant que cela ne durerait probablement pas bien longtemps. Ses états d'âme avaient toujours été très éphémères, imprévisibles. Les arcanes de cette météorologie de l'âme lui échappaient; il savait seulement qu'elle était toujours changeante et toujours recommencée. Un jour, il était porté par une flamboyante joie; le lendemain, il se noyait dans une tristesse amère.

Pendant plusieurs jours et nuits, il fut sauvagement assailli par un bouleversant désir de coucher avec une femme. Ça non plus, ça ne lui était pas arrivé depuis fort longtemps. Son ambition et la mission qu'il s'était donnée l'avaient tenu éloigné du monde des femmes. Et il ne savait plus du tout comment faire pour y entrer, ne fut-ce qu'un court moment. Il était pris avec ce désir troublant, presque douloureux, qu'il ne pouvait assouvir et qui le tenaillait, le travaillait nuit et jour.

Il pensa un moment renouer avec Beatrix, la mère de Fernando, qui se trouvait à Cordoue. Elle devait être encore belle, plus ronde sans doute, à peine 30 ans. Mais elle avait probablement d'autres hommes dans sa vie. Et il avait été vraiment trop odieux avec elle. Elle était si jeune à l'époque, si puissamment belle, folle de lui. Il la prenait quand il voulait, toujours à la sauvette. Et il partait dès que c'était fini. Elle se pendait à son cou et l'embrassait longuement. C'était encore une enfant, 16 ans, rieuse, gourmande, sensuelle. Il dénouait ses bras, il lui tapotait les fesses. « Allez! laisse-moi, Paloma, ma colombe, je dois partir. »

Et il partait, la plupart du temps pour nulle part, pour rien, il errait tout seul dans les rues de Cordoue ou il rentrait chez lui, il lisait, il écrivait à la mamma et au babbo à Gênes ou à son frère Bartolomé qui à l'époque se trouvait en Angleterre ou en France. Il n'avait rien d'autre à faire. C'était avant ses grandes expéditions, avant qu'il ne soit quelqu'un. Il n'était pas riche alors, pas drôle non plus. Et pourtant, elle l'aimait, comme jamais personne ne l'avait aimé. Il n'a jamais compris pourquoi. Ses projets ne pouvaient pas vraiment l'intéresser, ses affaires, ses lectures non plus; mais elle l'écoutait, émerveillée, amoureuse, heureuse et rassurante comme seules les vraies femmes savent l'être. Elle lui disait qu'un jour il réussirait, qu'il irait au bout du monde et y rencontrerait le Grand Khan... Elle seule au fond n'en avait absolument jamais douté.

Elle lui avait fait connaître ses frères et ses cousins qui étaient devenus par la suite de précieux collaborateurs. Elle raccommodait ses vêtements, lui lavait les cheveux, le parfumait. Il ne lui avait jamais rien donné, que cet enfant, Fernando, qu'elle avait élevé toute seule et qu'il lui avait repris quand il en avait eu besoin.

Que lui dirait-elle aujourd'hui s'il se rendait la voir et lui disait, comme autrefois: « J'ai envie de toi, Colomba » ? Lui répondrait-elle encore en riant et se pressant contre lui: « Moi aussi, Colombo » ? C'était si bon, si doux !

C'était trop tard aussi. Certainement.

Tout chez elle, son sourire, ses soupirs, lui rappellerait fatalement ce qu'il avait gâché et refusé. Il ne voulait pas penser à cela. Il ne voulait pas parler d'amour, pas se laisser envahir par le remords et les regrets. Il rêvait de tenir une femme nue dans ses bras, point.

La solution la plus simple eût été d'aller trouver une fille dans le port. C'eut été rapide, sans conséquence, pas compliqué. Mais il n'osait pas. Il avait peur qu'on le voie. Peur du mal et du péché. Peur du plaisir surtout, qu'il n'avait pas fréquenté depuis tellement longtemps.

Il se résolut donc à attendre que passe le désir. Il savait bien que ça non plus, ça ne durerait pas, car une grande idée viendrait tôt ou tard le trouver, il en avait la certitude. Et il devrait de nouveau repartir, oublier les femmes et la liberté, toutes les douceurs de la vie.

Il avait compris qu'il n'était pas prophète, mais il s'était convaincu à nouveau qu'il était celui dont ils avaient parlé, eux, dans leurs livres; il était le nouvel homme qu'avait annoncé Isaïe. Il n'était pas auteur, mais sujet de prophéties; il était de la trempe et de la lignée des grands patriarches, Abraham, Noé, Moïse, rien de moins. Ainsi, d'abord Miserere, sa prière devint peu à peu action de grâce, Te Deum.

« Fernando, mon petit, va me chercher ton psautier. »

Et Fernando lisait dans le grand livre les psaumes les plus heureux et lumineux qu'avait écrits le roi David :
   « "Le Seigneur te gardera de tout mal,
      Il veillera sur ton âme,
   Le Seigneur protégera tes allées et venues,
      Dès maintenant et à tout jamais." »

                              * * *

Pendant plusieurs jours, le ciel d'hiver fut gris et mouillé. L'Amiral et son fils en profitèrent pour faire de longues randonnées dans les montagnes qu'on apercevait depuis les jardins du monastère. De lourdes pluies les ayant surpris, ils durent un jour se réfugier dans une grotte où se trouvaient deux jeunes bergers qui les reçurent avec beaucoup de timidité et une aimable curiosité. Ils avaient à boire et à manger, des couvertures sèches, un bon feu. Ils comprenaient mal le castillan, de sorte qu'il fallut se parler par gestes et mimiques. L'Amiral se mit quand même à leur raconter sa vie et à leur exposer ses théories cosmographiques, dessinant sur le sol de la grotte la terre ronde et les planètes tout autour, évoquant les vagues de la mer Océane et ses navires voguant sur elle, mimant la stupéfaction des Indiens qui le virent arriver chez eux, la peur de ses hommes dans les tempêtes du retour, le triomphe, la disgrâce, son arrestation, la prison. C'était fou, magnifique.
   Quand la nuit vint, on riait aux larmes. La pluie tombait toujours. Dans la grotte, il faisait bon comme jamais il n'avait fait bon dans la vie de l'Amiral depuis des années. Il se livra à une grotesque et tordante parodie du roi Ferdinand et du cardinal de Fonseca, toute une pantomime que les jeunes bergers suivirent bouches bées, étranglés de rire. Fernando, qui n'avait jamais vu son père dans un tel état, s'était laissé prendre au jeu et avec force gestes fit comprendre à ses jeunes amis qu'il partirait bientôt lui aussi sur la mer Océane et qu'il irait avec son père plus loin que jamais personne au monde n'était allé...
   Et c'est pendant qu'il écoutait son fils raconter ses futures aventures que l'Amiral sentit la grande et excitante idée

qu'il avait prévue et attendue se poser sur lui, y faire son nid, commencer à y répandre sa vive et pénétrante lumière. Il dormit cette nuit-là d'un sommeil sans fond. Quand il s'éveilla tout était clair et bien organisé dans sa tête. Les vacances étaient terminées. Le grand voyage, *el alto viaje*, pouvait enfin commencer.

Après avoir embrassé les petits bergers, ils rentrèrent d'un pas rapide au monastère, sous le ciel impeccablement bleu. L'Amiral ne fredonnait pas ses vieux airs italiens qui plaisaient tant à Fernando. Il était tout à son idée. Parti, déjà.

D'abord, il allait abandonner aux marchands et aux fonctionnaires sans envergure et sans génie la colonisation et l'exploitation des quelques îles et des terres des Indes qu'il avait découvertes au cours des dix dernières années. Ce Nouveau Monde n'était déjà plus intéressant. Il irait plus loin. Infiniment plus loin. À l'autre bout du monde et de l'histoire, comme avait dit Fernando dans son récit aux bergers.

Ce que Christophe Colomb avait alors en tête était certainement la plus ambitieuse et la plus audacieuse entreprise à laquelle on eut jamais osé penser depuis que le monde était monde. C'était beaucoup plus important que la découverte des chemins maritimes vers les Indes et que la libération de Jérusalem et que les Croisades et que l'Exode et l'Anabase.

Il voulait organiser la plus formidable expédition de l'histoire, de quoi faire pâlir d'envie Moïse, Salomon, Nabuchodonosor, Cyrus et Alexandre, et tous les grands conquérants, tous les croisés et les prophètes. Ce projet allait faire de ceux qui le mèneraient de véritables démiurges, des saints, les architectes propriétaires d'un monde nouveau, travaillant de concert avec l'éternel Dieu au grand Dessein de la Chrétienté.

On trouverait d'abord à travers ces îles de la mer Océane le passage qui menait au pays du Grand Khan, au cœur des Indes; là-bas, on découvrirait le trésor de Salomon et avec cet or, on monterait une armée de 100 000 hommes ou de 200 000 ou de 500 000 hommes avec lesquels on libérerait le tombeau du Christ et la Maison de Jérusalem. Ainsi serait réalisé l'idéal des Croisés; ainsi serait parachevée la Reconquête. Tous les grands projets que la Chrétienté avait laissés en plan au cours des mille dernières années, on allait les mener à bien. En 1492, les Rois catholiques avaient débarrassé l'Espagne des Maures et des Juifs; on allait faire beaucoup plus, on allait évincer à jamais tous ces Infidèles du monde et de l'histoire, on allait les refouler jusqu'au tréfonds du Néant, dans la Géhenne dont nul jamais ne ressort. Ainsi seraient réalisées les grandes prophéties.

Mais il y avait plus encore. En 1498, dans les parages du golfe de Paria, l'amiral Colomb avait retrouvé le Paradis terrestre. Dans une lettre à ses rois, il avait longuement décrit ce lieu sublime où il croyait avoir retrouvé, au sommet d'une montagne ronde et régulière comme un sein de femme, les sources des quatre grands fleuves de la Bible, le Tigre, le Nil, l'Euphrate et le Gange. Son grand projet était de procéder au réaménagement de ce territoire et d'y ramener l'humanité afin qu'elle y retrouve le bonheur d'avant la faute, l'éternité, rien de moins. Il ferait lotir le paradis, fonderait une société immobilière. Il régnerait sur ce Royaume, entré vivant dans la vie éternelle.

Ce qu'il allait chercher désormais, ce n'était plus seulement un passage vers les Indes, mais un passage vers l'au-delà. Le Nouveau Monde, comme on commençait à Séville et à Lisbonne à désigner les terres et les îles qu'il avait découvertes, ne l'intéressait plus du tout. C'était dans l'autre monde qu'il voulait maintenant aller, là où étaient montés le Christ et les prophètes Énoch et Élie sur leurs chars de feu. Il y avait certainement un passage quelque part, très probablement dans les parages de ce Paradis terrestre. Il le trouverait, lui, Christophe Colomb. Il irait au Paradis. Il serait sanctifié. Et il reviendrait parmi les hommes. Il serait leur sauveur. Il les ramènerait chez eux, dans ce Paradis retrouvé, « ainsi que leur or et leur argent ». C'était écrit dans la Bible, dans le livre d'Isaïe.

« Fernando, mon petit, tu vas me trouver tes oncles, Diego et Bartolomé. J'ai affaire à eux. »

5

C'était au milieu de la nuit parfois ou à l'aube ou en plein midi, n'importe quand, qu'il arrivait. Il faisait piaffer et hennir son cheval dans la grande cour du monastère. Et il entrait en coup de vent, sans frapper. Même s'il faisait gros soleil, il ne s'arrêtait jamais pour laisser à ses yeux le temps de s'habituer un peu à l'obscurité. Jour ou nuit, il s'avançait à tâtons vers Fernando et Christophe. Et ceux-ci sentaient dans ses cheveux la capiteuse chaleur du soleil ou l'odorante fraîcheur de la nuit quand il se penchait sur eux pour les embrasser. Il était grand, souple et solide. Il aimait rire et se battre, Bartolomé.

Il allait sombrer dans l'ennui quand, en décembre 1501, son frère Christophe lui proposa ce projet en or, de quoi se battre et remuer ciel, terre et mer pendant plusieurs années. À partir de ce jour, il fut de nouveau heureux. Autant qu'il l'avait été au cours des années précédentes dans l'enfer d'Hispaniola quand il devait se battre contre les Indiens, contre les Chrétiens, contre les maladies, la solitude, la chaleur, la faim; et dormir tout habillé pendant des mois avec ses armes à portée de la main; et tuer, ce qui n'était jamais facile, même quand il le fallait. Et ne jamais savoir de quoi serait fait le lendemain, qui trahirait, qui frapperait le premier, qui frapperait le dernier.

Il avait lu distraitement, en diagonale, *Le Livre des Prophéties* qu'avaient préparé son frère et le père Gorricio à l'intention des Rois catholiques. Il avait écouté son frère lui exposer ses projets de conquête du Paradis. Il n'aimait pas beaucoup toutes les théories, la mystique et les prophéties qui sous-tendaient ce projet. Le pourquoi et le but ultime des choses ne l'intéressaient pas vraiment. Ce qui le motivait, lui, ce n'était jamais le but à atteindre, mais les moyens et le chemin à prendre pour y parvenir. Pour lui, le seul but attirant était le voyage lui-même, l'imprévisible, le jamais fait. Là était le plaisir.

« Ce qui est écrit est fait et vice versa, disait-il. C'est du passé. Ça ne sert plus à rien. Il faut chercher ailleurs que dans les livres…

– Ce qui est écrit est à faire et se fera, répondait Christophe. Tout ce que tu feras dans ta vie est écrit, Bartolomé. Et moi aussi. Et Fernando et le père Gorricio. Toute l'histoire du monde est racontée dans la Bible depuis son commencement jusqu'à sa fin.

– Tu sais quand viendra la fin du monde, toi ?

– La fin du monde est pour dans 155 ans, Bartolomé.

– Ce qui nous mènerait en 1656, si je compte bien.

– Exact. La fin du monde se produira en 1656.

– Où es-tu allé chercher ça ?

– C'est écrit, Bartolomé. Saint Augustin a dit que le monde durerait 7 000 ans. Or il dure depuis déjà 6 845 ans. Fais le calcul. Tu verras.

– Où as-tu trouvé ça ?

– Dans les tables chronologiques qu'a fait dresser le roi Alphonse.

– Qui ça, le roi Alphonse ?

– Alphonse X, Bartolomé, l'ancêtre de la reine Isabelle.

– Et Alphonse X savait que le monde durait depuis 6 845 ans ?

– Dans son temps, il durait depuis moins longtemps. Quand il est mort, le monde avait à peu près 6 625 ans.

– Tu crois ça, toi, Fernando ?

– Je crois tout ce qui est écrit.

– Qu'est-ce que ça donne ?

– Ça donne qu'on sait où on s'en va.

– Si tu sais où tu t'en vas, à quoi ça te sert d'y aller ? Penses-tu que ton père savait où il allait quand il a découvert la route des Indes ?

– Bien sûr que je le savais, coupa l'Amiral.

– Alors c'est vrai, ce qu'on dit, que tu n'as rien découvert !

– Fernando, lis à ton oncle le verset du prophète Isaïe. »

Mais l'oncle n'écoutait plus. Il riait. Il avait l'esprit ailleurs. Parti, déjà.

Il aimait profondément son frère Christophe. Il disait souvent que c'était le seul homme en Espagne, probablement même dans toute la Chrétienté, encore capable d'avoir des idées et des projets stimulants. Et Christophe soutenait que seul Bartolomé pouvait mener à bien ses projets, parce qu'il n'avait peur de rien, ni de personne.

L'idée de la Reconquête totale et du tour du monde stimulait Bartolomé au plus haut point. Il faisait des plans, rencontrait ses comptables, faisait savoir aux quatre coins de l'Andalousie qu'il cherchait des caravelles, quatre ou cinq caravelles, très légères, aptes à l'exploration fine, gréées si possible de voiles latines; et un équipage jeune et expérimenté, prêt à affronter l'inconnu et à prendre des risques. Il contactait des fournisseurs, des armateurs, des financiers. Mais ce n'était pas facile. Les grands projets de colonisation financés par la Maison des Indes avaient vidé la Castille de ses plus valeureux capitaines et de ses meilleurs hommes d'équipage. De plus, les frères Colomb étaient encore interdits de séjour en Hispaniola et ils n'avaient toujours pas l'autorisation royale de partir en expédition où que ce soit.

Jusqu'au début de janvier, Bartolomé chercha des caravelles et des hommes. À Palos, à Sanlúcar de Barrameda, à Cadix, à Huelva, dans tous les ports grands et petits de la côte océane et des bouches du Guadalquivir. Il rencontrait les fonctionnaires et les grands commis royaux. Il avait de quoi financer une bonne partie de l'expédition, il avait un projet génial, il avait l'idée du siècle. Mais pas la bénédiction du cardinal de Fonseca. Les portes ne s'ouvraient pas. Son neveu Diego qui avait toujours ses entrées à la Cour, où il venait d'être nommé page de la Reine, s'était assuré que les Rois catholiques avaient reçu *Le Livre des Prophéties* de Christophe Colomb et du père Gorricio, mais il ne semblait pas qu'ils l'aient lu.

Les frères Colomb étaient bien sûr assurés de l'appui inconditionnel de quelques anciens, le gros Pedro de Terreros, Bartolomé Fieschi que tous appelaient Flisco, Diego Tristan, Pedro de Ledesma, deux ou trois autres qui avaient déjà voyagé avec eux et se disaient prêts à participer au financement de la nouvelle expédition. Dans le milieu, on les appelait d'ailleurs les Hommes de Colomb. Personne, pas même Antonio de Torres, n'aurait osé les débaucher. Il fallait cependant constituer le gros de l'équipage.

Bartolomé, infatigable, descendait sur les quais, il entrait dans les tavernes et les auberges, l'Ane Aveugle, le Loup Blanc, le Chien Fou... Il n'était pas toujours le bienvenu dans ces endroits. Il y avait là des gars, marins et hidalgos, qui avaient eu affaire à lui en Hispaniola, quand il était *adelantado*. Il en avait mis plusieurs aux fers et aux travaux forcés. Il avait fait pendre quelques-uns de leurs meilleurs amis. Voilà des choses qui se pardonnent difficilement. Mais s'il ne prenait pas de risques, il n'aurait rien.

Il allait vite se rendre compte que même s'il prenait des risques, il n'aurait rien non plus. Les gars ne l'écoutaient pas. Ou ils lui disaient que jamais plus ils ne s'embarqueraient pour où que ce soit avec Christophe Colomb, que désormais ils avaient le choix, qu'il y avait maintenant de nombreux capitaines qui connaissaient la route des Indes.

« Ils payent mieux que vous, disaient-ils. Une fois là-bas, ils ne nous forceront pas à leur bâtir un alcazar et une forteresse comme vous avez fait, tes frères et toi.

— Mais nous n'avions pas le choix, plaidait Bartolomé. Nous devions bâtir une ville. Si on n'avait pas bâti Santo Domingo, l'Espagne n'aurait jamais pu se maintenir aux Indes !

— Ton frère nous avait menti. Il disait que là-bas on pourrait cueillir de l'or comme des pommes dans un verger, que la terre était généreuse, que les habitants ne demandaient qu'à devenir nos esclaves.

– Mais ce n'est pas aux Indes que nous allons cette fois. Nous ferons le tour du monde. Nous établirons un contrat. Vos conditions seront les nôtres.

– Nous ne verrons rien. Et il n'y aura pas de contrat ni de conditions. »

Bartolomé s'en allait, furieux. Quand Christophe lui demandait comment allaient les affaires, il répondait toujours « Ça va, ça va ». Et ça finit par aller. Bartolomé réussit à se constituer un équipage. Très particulier. Dont personne d'autre que lui n'aurait voulu.

Au cours de cette année de grande oisiveté qu'il venait de passer à Séville, il s'était entouré d'une bande de jeunes voyous de bonne famille, rêveurs sans expérience, mais prêts à tout, qui passaient leurs nuits à boire, couraient les filles, ne savaient rien faire de leurs dix doigts, ne savaient rien, même pas cela qu'ils ne savaient rien. Ils appartenaient à cette jeunesse dorée de l'après-Reconquête, première génération d'Espagnols totalement libres depuis 700 ans. Tous les rêves leur étaient permis. Ils semblaient considérer qu'ils avaient eux-mêmes créé ces changements et réalisé la Reconquête et qu'ils étaient responsables de tout ce qui se passait dans la nouvelle société espagnole, alors qu'en fait, comme disait souvent l'Amiral avec humeur, ils n'étaient que des enfants gâtés qui ne pensaient jamais qu'à eux-mêmes.

« Qu'est-ce que ça vaut sur un navire, ces gars-là ? demandait-il, inquiet.

– Autant que n'importe quel marin de carrière, répondait Bartolomé. Contrairement à ce que tu penses, ces gars-là ont du cœur au ventre, tu verras. Ils cherchent à vivre de grandes choses. C'est exactement l'équipage qu'il nous faut pour le genre de voyage que nous voulons entreprendre. »

Ces jeunes vouaient un véritable culte à l'amiral Colomb, vieux loup de mer grincheux et amer, intraitable, à leurs yeux l'aventurier par excellence. Ils aimaient sa folie, sa solitude, sa révolte, ils aimaient même son échec, parce qu'ils détestaient l'ordre établi. Ils haïssaient tous Fonseca et

Ferdinand d'Aragon et méprisaient les fonctionnaires tâtillons de la Maison des Indes; ils considéraient que les anciens qui étaient rentrés désabusés de leurs voyages aux Indes avec l'Amiral étaient des mauviettes. Ils voulaient partir avec les frères Colomb. L'organisation et le peuplement des Indes ne les intéressaient pas. Tout cela selon eux n'appartenait déjà plus à l'aventure, mais à la fonction publique. Ils rêvaient de se battre, ils iraient jusqu'au bout, eux, ils rentreraient couverts d'or et de blessures, ils seraient terribles, les femmes les aimeraient.

« C'est toi qui décides, Bartolomé, finit par dire l'Amiral. S'ils pleurent en voyant disparaître la terre, tu devras t'arranger avec eux. Moi, je sens qu'ils vont vite m'énerver. »

Le seul véritable sujet de discorde entre eux restait Diego, leur jeune frère, qu'ils continuaient d'appeler Giaccomo, comme lorsqu'ils étaient enfants à Gênes. Giaccomo était un être timide et veule, douillet à l'extrême, paresseux. Mais Christophe l'aimait bien. Il l'avait emmené aux Indes, en 1493, et lui avait confié d'écrasantes responsabilités.

« C'était une erreur, tu dois maintenant l'admettre, disait Bartolomé. Notre frère est en bonne partie responsable des troubles d'Hispaniola. Il ne sait pas commander, il ne sait pas obéir.

– Qu'est-ce que tu comptes faire de lui ?

– Rien. Tu sais très bien qu'il ne peut pas venir avec nous. Pas dans ce genre de voyage. Ce qu'il veut, c'est une charge ecclésiastique. Il veut se faire une petite vie bien tranquille, ici à Séville ou à Gênes. Tu devrais demander au père Gorricio s'il ne connaîtrait pas un moyen de le faire nommer cardinal. Ça ne pourrait pas nous nuire… Et j'aimerais mieux le savoir ici en train de prier pour nous que sur l'un de nos navires en train de brailler sur son sort. »

Il y avait toujours eu beaucoup de prêtres dans la vie de l'Amiral. Beaucoup de notaires et d'avocats aussi. À ses avocats, il demandait de suivre en son absence les Rois catholiques dans leurs pérégrinations à travers l'Espagne et de défendre âprement ses droits auprès d'eux, de leur intenter au besoin des procès et de ne jamais céder sur aucun point. Ses notaires, il les emmenait avec lui en voyage pour qu'ils notent les découvertes, les prises de possession, ratifient les traités conclus avec les caciques et les khans indiens, enregistrent les serments qu'il faisait prêter à ses hommes. Cette fois-ci plus que jamais, il aurait besoin d'un bon notaire, car il s'attendait à de très grandes choses. On ne prend pas possession du Paradis terrestre sans faire dresser des actes notariés et constituer des dossiers en bonne et due forme.

« Un notaire ! J'en ai un tout prêt, lui avait dit Bartolomé.

– Il a déjà navigué ?

– Ça n'a pas d'importance. Tu verras. »

* * *

Le lendemain matin, Bartolomé se présentait au monastère en compagnie de Diego Mendez, ce beau jeune homme qui quelques semaines plus tôt était venu porter à l'Amiral le message de Perez de Luna. Très brun, grand, mince et souriant, bien bâti et bien mis, il faisait penser à ces Italiens arrogants et polis qu'on rencontrait dans le quartier des affaires et de la Maison des Indes et qui avaient le don d'exaspérer l'Amiral. « Ce gars-là n'a rien d'un marin », se disait-il en voyant les mains délicates, l'impeccable moustache, les cheveux bien lissés traversés d'un éclair blanc, les bottes rouges fraîchement vernies, les vêtements de bonne coupe.

À Cadix où il était né, puis à Séville où il avait ensuite étudié et pratiqué le droit, Diego Mendez avait souvent aperçu l'amiral Colomb, mais il ne l'avait jamais approché. Il le trouva ce matin-là plus jeune qu'il n'avait cru, même s'il était tout blanc de cheveux et avait la face marquée de profondes rides. Il y avait dans son regard et dans ses gestes quelque chose de très juvénile, de presque enfantin. Mendez remarqua aussi, ce qui l'étonna beaucoup, que l'Amiral était timide et tendu. Pendant qu'il parlait, il se grattait le cou, se tirait le lobe de l'oreille, se frottait sans cesse les yeux.

Les deux hommes passèrent ensemble trois heures délicieuses. À parler d'Aristote, de Duns Scott, des écrits de saint Augustin, de l'itinéraire qu'avait suivi Marco Polo lorsqu'il était rentré de Chine, des livres de Dante Alighieri, de Boccacio, de Pulci... L'Amiral se prit sur-le-champ d'amitié pour le jeune Mendez; il aimait sa vaste culture, sa façon de parler, le timbre bien net de sa voix, l'espèce d'assurance tranquille et élégante de ses gestes. Ce genre d'hommes l'avait toujours intrigué et fasciné. Sans doute un peu parce qu'il n'y comprenait rien. Ils n'était pas motivés par le devoir. Ils n'avaient pas, comme lui, une mission qui les obsédait, pas de passion qui les possédait totalement d'un bout à l'autre de leur vie. Ils étaient irrésistiblement attirés par l'inconnu, par l'aventure pure et simple.

Mendez lui faisait penser à ce Guttierez (était-ce Pedro ou Diego ?) qui était du premier voyage. Guttierez n'avait jamais mis les pied sur le pont d'un navire. Et pourtant, plus que tous les autres, il était impatient de partir. Pourquoi ? Pour le plaisir, tout simplement. Pour être ailleurs. Jamais, même quand les marins les plus aguerris, pris de peur, disaient qu'on était allés trop loin, il n'avait voulu rentrer. Et après que la *Santa Maria* eût fait naufrage et qu'on se fût résolu à laisser des hommes aux Indes, il s'était tout de suite porté volontaire pour rester là-bas. Il était mort à la Navidad, avec tous les autres. C'était ce qu'il cherchait probablement. Plus que la gloire et la fortune.

« Au fond, ce sont eux les vrais marins, songeait l'Amiral. Ils sont toujours partis en fait. Ou voudraient toujours l'être. Beaucoup plus que moi. Moi, quand je pars, c'est pour mieux m'établir ici, pour qu'on me reconnaisse et qu'on m'aime. »

Mendez avait 24 ans. C'était un gentilhomme fortuné. Il aurait fort bien pu gagner sa vie à Séville avec tous ces marchands qui s'arrachaient les bons notaires. Surtout qu'il parlait assez bien le latin et l'arabe, l'italien et même un peu de français et d'anglais. Il aurait facilement pu se couler bien douillettement dans une agréable petite vie. Mais il n'avait pas envie de cela. Surtout pas. Il était venu offrir ses services.

« Je m'ennuie ici. Il n'y a rien à faire », dit-il à l'Amiral.

Il était célèbre dans tout Séville pour ses frasques et ses écarts de conduite. Il s'était joint depuis peu à l'étude du notaire Perez de Luna où il s'ennuyait à périr. La pensée qu'il pouvait passer sa vie à remuer de la paperasse le terrorisait au plus haut point. Les seuls dossiers qui l'intéressaient avaient rapport aux Indes ou à la mer Océane; ils lui permettaient de rêver un peu et de rencontrer de temps en temps des gens fascinants, sinon intéressants. Son patron Perez de Luna, qui avait été notaire de la flotte du second voyage de Colomb, de 1493 à 1496, avait en effet établi de bons contacts chez les gens de mer. Il était maintenant reconnu comme le notaire des capitaines et des marins qui, lorsqu'ils s'absentaient, lui confiaient le soin d'administrer leurs biens et, à leur retour, celui de faire valoir leurs droits auprès de la Couronne et de la Maison des Indes.

Mendez ne se possédait plus lorsqu'il quitta le monastère des Chartreux. Il se rendit à toute bride chez son ami Bartolomé de Las Casas.

« Casas, je pars. L'Amiral m'a engagé. »

* * *

On pouvait difficilement imaginer deux êtres plus dissemblables que Diego Mendez et Bartolomé de Las Casas. Autant l'un était en société brillant et séduisant, beau parleur, élégant, frondeur, haut en couleur, autant l'autre, Las Casas, était, non pas timide, mais bourru, austère, toujours de noir vêtu, maigre et renfrogné, un peu voûté, pieux. Tous deux, fils de bonnes familles, avaient des manières, de la culture. Las Casas avait en sus des principes et des convictions, des idées, de grandes ambitions, le regard vif et froid, long nez très droit, grandes mains blanches qu'il agitait tout le temps quand il parlait.

Il avait terminé depuis quelques années déjà ses études de prêtrise. Mais il ne voulait pas être ordonné. Plus tard, peut-être. Il avait assisté en 1493, le jour de ses 17 ans, au retour triomphal de l'amiral Colomb. C'était pendant la Semaine sainte. Il avait vu Séville en liesse, démente, acclamant les Indiens parés d'or et de plumes et le grand homme drapé de rouge sur son cheval blanc. Depuis ce jour, Las Casas n'avait cessé de rêver. Il voulait aller aux Indes, comme son père, qui lui avait ramené de là-bas un Indien arawak de la tribu des Taïnos, Oabo, qui était devenu son inséparable compagnon.

On les voyait souvent ensemble, Las Casas et Oabo, dans les rues de Séville et de Cordoue. Ils s'étaient forgé une sorte de jargon, mélange d'espagnol, d'arawak et de mots de leur cru, qu'ils étaient les seuls à comprendre. Cette étrange amitié étonnait et choquait la bonne société sévillane à laquelle appartenait le jeune Bartolomé de Las Casas.

« Comment un hidalgo qui se respecte peut-il manger à la même table que son esclave ? Et passer des heures en tête à tête avec lui ? De quoi peuvent-ils bien parler dans leurs interminables conciliabules ? »

De temps en temps, Las Casas rendait visite à Christophe Colomb au monastère des Chartreux. Il le faisait parler de ses voyages, de ses projets. Curieusement, l'Amiral était intimidé par ce jeune homme, si raffiné, si instruit de tout, anxieux et ambitieux d'apprendre et en même temps tellement empressé de faire étalage de ses connaissances, des découvertes qu'il avait faites dans les livres, des secrets qu'il avait arrachés aux fonctionnaires, aux marchands et aux marins qu'il rencontrait. Il fréquentait la toute nouvelle université de Séville, dont on parachevait cette année-là la construction; il passait des jours, parfois des nuits, dans la salle des archives de la Maison des Indes, à compulser des rapports et des récits de voyages aux Indes. Il avait rencontré Amerigo Vespucci, Alonso de Hojeda, Antonio de Torres, Yañez Pinzón, tous les grands capitaines qui, à la suite de Christophe Colomb, avaient traversé la mer Océane; pendant des heures, il les avait méticuleusement confessés, questionnés sur la flore, la faune, les fleuves, les sols, les vents, mais surtout sur les habitants des Indes pour qui il éprouvait une véritable passion. De ces Indiens, il voulait tout connaître, leurs mœurs, leurs coutumes, leur langage. La seule chose des Indes pour laquelle il éprouvait un dégoût total était le tabac, cette herbe sèche, très odorante, dont on faisait des fumigations procurant une sorte d'ivresse qui selon Las Casas devait dangereusement troubler l'âme et finissait par asservir le corps; on disait en effet que ça tenait l'esprit en éveil mais qu'après un certain temps on ne pouvait plus s'en passer.

À l'Amiral, Las Casas demandait sans cesse des précisions sur les Indes que celui-ci était bien souvent incapable de lui donner. Il s'agissait de détails qui lui avaient échappé et qui semblaient revêtir pour Las Casas une importance extrême. Neuf fois sur dix, Colomb ne savait que répondre. Et il finissait presque toujours par éprouver une sorte de malaise, une vague culpabilité. Il avait l'impression, en présence du jeune Las Casas, qu'il avait mal regardé, mal voyagé, mal découvert.

Et Bartolomé de Las Casas lui expliquait plein de choses qu'il avait apprises de Oabo. Comment les Indiens filaient le coton, comment ils tissaient, comment ils faisaient du feu, de l'eau douce. Il connaissait leurs dieux, leurs jeux, les formules de politesse et même les mots tendres qu'ils utilisaient dans l'amour, leur religion. Il s'enflammait, il racontait, il expliquait toutes sortes de choses à l'amiral Colomb et à qui voulait l'entendre.

« Les Arawaks croient que leur dieu les a abandonnés, il y a très longtemps. Ils se le représentent sous la forme d'un serpent à plumes vivement coloré. Un jour, celui-ci est entré dans la mer et est disparu sous le soleil levant. Et depuis des temps immémoriaux, ils attendent qu'il revienne, comme nous avons attendu notre Messie. Quand ils vous ont vu arriver, ils ont cru assister au retour de leur dieu... C'est étrange, ne trouvez-vous pas, Amiral ? Il y a parfois de troublantes similitudes entre leur religion et la nôtre. Ils se croient abandonnés de leur dieu. Nous nous savons chassés par le nôtre du Paradis terrestre. »

Ces idées effrayaient quelque peu l'Amiral. Et plus encore la téméraire virtuosité avec laquelle le jeune Las Casas les manipulait. L'Amiral n'était pas sûr de toutes façons que l'on dût se préoccuper de savoir ce que pensaient les Indiens. Selon lui, le premier devoir des Chrétiens était de convertir, pas de comprendre.

En Hispaniola, il avait donné des ordres pour que les grotesques idoles que les Indiens portaient parfois sur eux et auxquelles ils attribuaient des pouvoirs exceptionnels leur soient arrachées et détruites. Et ce ne fut pas sans une certaine stupeur qu'il remarqua un jour un de ces « zemis » au cou d'Oabo que Las Casas avait amené avec lui à Las Cuevas. Il s'était alors étonné et s'étonnait encore qu'un Chrétien de bonne famille comme Bartolomé de Las Casas permît à son esclave baptisé de continuer à vénérer de telles idoles.

Mendez, lui, ne s'étonnait de rien. Au contraire. Il connaissait Las Casas depuis sa tendre enfance. Il l'avait toujours fui, persuadé qu'il n'y avait personne au monde de plus ennuyant que lui. Leur amitié était née brusquement quelques mois plus tôt, lorsque Las Casas s'était pointé chez Perez de Luna auprès de qui Mendez venait d'entrer en fonction et qu'il avait demandé à voir le texte du Serment sur Cuba et les journaux de bord des trois voyages aux Indes de l'amiral Christophe Colomb. Pour une recherche qu'il faisait, disait-il.

Perez de Luna l'avait vertement éconduit, disant qu'il n'avait jamais eu en sa possession les journaux de bord de l'Amiral que celui-ci en principe devait avoir déposés à la Maison des Indes, et que, les eût-il eus, il ne les aurait certainement pas laissés entre les mains du premier venu, fût-il le fils d'un ami bien-aimé, sans la permission expresse de son client. Mendez cependant, curieux de savoir ce que devenait et ce que voulait Las Casas, l'avait rattrapé dans la rue.

« Casas! attends-moi. »

Ils avaient erré tout le jour dans le vieux quartier arabe, puis dans le port, et s'étaient échoués, le soir venu, dans une rôtisserie à la mode où Las Casas, encouragé par son compagnon, avait bu un peu plus qu'il n'avait coutume de le faire, ce qui était encore très peu, mais tout de même assez pour le mettre en joie et le disposer à la confidence. Mendez ce soir-là découvrit quel homme passionné était Las Casas qui pendant des heures lui parla de ses projets: un livre sur les Indes et une biographie de l'amiral Christophe Colomb.

« Je prends comme modèles *Les Vies parallèles* de Plutarque et les œuvres de l'historien Suétone, qui a écrit *La Vie des douze César.* Tous deux étaient des hommes d'études et d'archives qui menaient des recherches très érudites. Je veux aller plus loin que cela. Dans l'œuvre de Suétone, la critique est pratiquement absente. Moi, j'ajouterai un commentaire à mes récits. Ce ne sont pas les grands actes qui seuls m'intéressent, ce sont les signes de l'âme, la morale.

– Les motivations profondes, comme chez Plutarque, avait risqué Mendez.

– C'est ça, oui. Ainsi, je veux faire un livre sur l'amiral Colomb, non pas dans le but d'en magnifier ou d'en célébrer les faits et gestes, mais plus pour en découvrir le sens et la portée. J'ai déjà une importante collection d'anecdotes et de témoignages à son sujet. Mais je veux également porter un jugement sur cet homme.

» Je veux aussi, et ce projet est encore beaucoup plus ambitieux, faire un livre sur les Indes, avant qu'elles ne soient changées par notre présence. Je parle des Indes vierges, intouchées, innocentes. Je sais que les intellectuels sévillans et même les intellectuels de toute l'Europe attendent ce livre avec impatience. Et je pense être bien placé pour le faire. J'ai déjà une grosse recherche en cours. Et dès que possible, j'irai là-bas. Je verrai, j'écouterai. Je veux décrire ce monde presque à son insu, avant même qu'il ne se soit aperçu que nous sommes là. Je ne veux pas comme Suétone être un écrivain objectif; je veux être un témoin passionné, engagé. »

Mendez était séduit, non pas tant par le projet lui-même que par cette passion qu'y mettait Las Casas, par cette espèce de feu dévorant qu'il avait en lui. Mendez n'avait rien de tel dans son âme. Il s'ennuyait, non seulement dans le cabinet du notaire Perez de Luna mais aussi dans la vie, même dans les tavernes avec ses amis et des filles, les plus belles filles d'Espagne. Il n'avait aucun désir qu'il ne pût rapidement assouvir, à part celui d'être lui aussi habité par une grande passion; aucune peur qu'il ne pût surmonter, à part celle de passer sa vie à n'être rien qu'un obscur et inutile gratte-papier.

Il confia ce soir-là à Las Casas: « Tu vois, Casas, moi, je souffre d'indifférence, comme d'une maladie. Tout me laisse froid. » Il ne s'étonnait effectivement de rien. Et c'était là le drame de sa vie. Rien ni personne ne l'étonnait ou ne le passionnait. Il souffrait de son insensibilité, il souffrait de ne pas souffrir.

« Je n'ai pas de but, pas de projet, pas de combat. Tout le monde se demande aujourd'hui si les Indiens ont une âme. J'aime bien assister et même participer aux discussions que suscite cette question. Mais la réponse me laisse froid. De même, tu me dirais que les Maures envahissent de nouveau l'Espagne et je te dirais : "Tant mieux, ça fera changement." »

Las Casas cependant était fasciné par Mendez, par cette hautaine impassibilité qu'il avait en toute circonstance, par sa froideur, son étonnante culture aussi, et cette façon particulière qu'il avait de flotter, de planer au-dessus de tout, sans que jamais rien ne l'affecte ou ne le choque.

Mendez avait voyagé pendant plus de deux années à travers l'Europe. C'était un chose assez exceptionnelle, à l'époque. Depuis la grande Découverte de 1492 par l'amiral Colomb, les Indes seules semblaient avoir intéressé les esprits épris d'aventure et il était infiniment rare que Las Casas rencontre un hidalgo de sa génération qui, comme Mendez, était allé à Florence et à Venise, à Nuremberg, à Paris, à Bruges.

« Qu'as-tu vu, dis-moi, Mendez, pendant tout ce temps passé dans ces pays ? Qu'est-ce qui t'a le plus intéressé ?

— Les peintres, je dirais, les peintres et leurs œuvres. Ils font des choses incroyables. À Nuremberg, par exemple, j'ai rencontré ce graveur, Albrecht Dürer, qui a fait en art mille choses qui te paraîtront probablement très simple, mais qui ne s'étaient jamais faites avant lui. Il a peint son propre portrait. Jamais, dans toute l'histoire de l'art, un peintre n'avait pensé ou osé faire cela. Il m'a raconté qu'il avait été très profondément troublé et à jamais marqué par cette expérience. En peignant ce tableau, il avait sans cesse été tenté de fuir, de se fuir, de se représenter tel qu'il aurait voulu être et non tel qu'il était réellement, avec cette lueur d'effroi dans le regard et ce pli amer aux lèvres. Tout le temps qu'il a travaillé à ce portrait, il voyait en lui, sur sa face, le mensonge et le mal, sa propre mort. Mais il me disait que c'était pour cela qu'on peint, tout simplement pour voir et faire voir, non pas ce qui devrait être, mais ce qui est réellement. »

Tout en parlant de ces choses, les idées lui venant avec une déconcertante facilité, séduisantes, stimulantes, Mendez se rendait compte que l'enthousiasme de Las Casas était communicatif. Le voyage qu'il avait fait l'année précédente lui semblait soudainement plein d'intérêt.

« Tu vois, Casas, nous ici en Espagne, nous sommes en train de pénétrer dans ce monde neuf que sont les Indes. Mais en Allemagne aussi et en Italie et même en France, il y a des mondes nouveaux qui s'offrent, il y a des explorateurs et des conquistadors de l'esprit, de l'âme, des idées nouvelles. Là-bas aussi, le monde est neuf.

» J'ai vu à Florence un vieil efféminé de génie, Léonard de Vinci, qui, me sachant espagnol est venu me questionner sur les Indes qui semblaient réellement le fasciner. Ce Léonard est un peintre, un sculpteur, un architecte, un ingénieur de très grand talent. Il connaît tout, il touche à tout. Il a même disséqué des cadavres afin de voir comment nous sommes faits à l'intérieur. Il a comparé cela à la découverte et à l'exploration du Nouveau Monde. Dans un cas comme dans l'autre, me disait-il, il s'agit de ce que les Grecs auraient appelé une autopsie, c'est-à-dire un examen que l'on fait *de visu*, de ses propres yeux. Découvrir, c'est faire de l'autopsie. Ainsi, l'Espagne est en train de faire l'autopsie d'un nouveau monde.

— Et ce Dürer dont tu parlais qui a fait son autoportrait, n'est-ce pas aussi sa propre autopsie qu'il faisait, l'autopsie de son âme ? »

Mendez et Las Casas prirent l'habitude de se voir et de parler. L'Indien Oabo se trouvait presque toujours avec eux, qui les écoutait et parfois se saoulait copieusement et alors il devenait impossible, injuriant grossièrement tout le monde, y compris celui que d'habitude il appelait son « bon maître », puis il roulait sous la table ou on le perdait quelque part au fond d'une sombre venelle et il fallait le chercher, le ramener, le contenir, vociférant, vomissant, voulant toujours pisser sur ceux dont la tête ne lui revenait pas ; toutes choses qui amusaient Mendez et irritaient au plus haut point Las Casas.

Celui-ci consignait ses notes dans un carnet qu'il avait toujours avec lui. Tous les matins, après la messe qu'il entendait à la cathédrale de Séville, il transcrivait dans un grand cahier ses notes de la veille auxquelles il ajoutait ses réflexions, ses observations, beaucoup de questions.

6

Le bon docteur Chanca avait rapporté de son voyage des centaines d'échantillons de plantes, feuilles, fleurs, racines et graines séchées, cosses, gousses et siliques, coquillages, peaux de bêtes, plumes et os d'oiseaux, quelques insectes, des centaines de croquis de paysages et d'animaux. Bien qu'il fût de retour depuis plus de cinq ans, rien de tout cela n'était encore classé. Il avait remis à la Maison des Indes les échantillons d'épices que l'Amiral voulait faire expertiser par les marchands et les naturalistes de la Cour. Mais il n'avait pas lu leurs rapports. Il savait pertinemment qu'il n'y avait là-dedans rien de valeur, rien qui puisse intéresser les épiciers de la rue San Jorge ou les apothicaires de la plaza de los Reyes.

Le mastic qu'il avait cueilli en Hispaniola ne donnait qu'une résine légère sans consistance. Le cinnamome était tout blanc et goûtait le mauvais gingembre. L'aloès non plus n'était pas très bon, ni la cannelle, ni le coton.

Fernando s'était tout de même offert pour mettre de l'ordre dans le fatras végétal du docteur Chanca. Il avait demandé l'aide de Las Casas qui n'y connaissait pas grand-chose, mais qui aimait toucher, sentir, goûter toutes ces choses qui venaient de là-bas. Hélas! ils étaient la plupart du temps incapables de nommer quoi que ce soit. Même Oabo n'y reconnaissait pas grand-chose, à part les graines de maïs, quelques patates toutes ratatinées, les grandes feuilles de tabac jaunies dont la puissante odeur le ravissait, des sortes de gourdes et de courges très dures, toutes cabossées, de minuscules baies rouges à saveur très forte qui pouvaient brûler la bouche si on les mangeait seules. Il y avait aussi quelques tiges de cette « drôle de plante qui tient le milieu entre l'arbre et l'herbe », selon les notes du docteur, « et dont la chair est très pâteuse et de peu de saveur, mais très puissante. » Du yucca selon Oabo, qui ajoutait : « Y a rien de meilleur ». Quelques noix encore, et diverses choses qui ressemblaient à des faines ou à des glands. Le reste était méconnaissable et tout à fait innommable, réduit en poudre ou en bouillie nauséabonde.

Mais parmi les notes qui accompagnaient cet amas confus, Fernando tomba sur une lettre de la main du docteur, en fait une copie du rapport que celui-ci, premier homme de la science et de l'art aux Indes, avait préparé à l'intention des Rois catholiques, à son retour, en 1496. Pas facile à lire. L'écriture du docteur Chanca lui ressemblait, tout en rondeurs, bourrelets et fossettes, et en lourdes arabesques désordonnées. Il se fit un plaisir de lire son œuvre à Fernando qui patiemment, de son écriture magnifiquement disciplinée, en tira une copie claire et nette pour ses archives.

Ce fut dans cette lettre de Chanca que Fernando fit la connaissance du terrible père Buil. Le bon docteur racontait que ce moine catalan avait excommunié l'Amiral, en 1494, parce qu'il refusait de faire pendre un cacique indien, Guacanagari, que certains croyaient responsable du massacre de 39 Chrétiens, à La Navidad. Il disait aussi que Buil avait dépensé de véritables trésors d'énergie dans le but de discréditer les frères Colomb auprès des Rois catholiques. Pour Fernando, Buil ne pouvait être qu'un suppôt de Satan, un ennemi à abattre.

Le soir même, il refit une copie de la lettre du docteur Chanca, éliminant totalement le père Buil du récit. Ainsi, la dure critique qu'avait formulée celui-ci des faits et gestes de l'Amiral et de ses frères, et que Chanca rapportait fidèlement, serait annulée, occultée. Il fallait extirper le mal; or le père Buil, parce qu'il s'opposait aux desseins de l'Amiral, homme choisi par Dieu, représentait le mal. Il fallait l'éliminer. Qui était contre l'Amiral, était contre Dieu.

* * *

Las Casas ne pensait évidemment pas ainsi. Il voulait au contraire rencontrer le père Buil. Il voulait connaître ses motivations profondes. Pourquoi haïssait-il tant Christophe Colomb ? Pourquoi cet acharnement fanatique à détruire une œuvre à peine esquissée ?

Fernando n'aimait pas cette façon qu'avait Las Casas de tourner autour de son père en questionnant les gens qui l'avaient connu, qu'ils l'eussent aimé ou pas, et en cueillant sans discernement toute information, positive ou négative, qu'il pouvait trouver sur lui. Fernando aurait voulu conserver pour lui seul ce sujet d'étude et de vénération qu'était l'amiral Colomb. Il était en train de se construire un père idéal, un héros; il amassait toutes sortes de témoignages et de documents le concernant, il classait minutieusement ces matériaux, il élaguait, polissait, ne conservant que le noble, l'irréprochable, l'inaltérable. D'une certaine manière, il faisait lui aussi un livre sur Christophe Colomb.

Ainsi se trouvaient réunis à Séville, en cet hiver 1502, les trois premiers biographes de Christophe Colomb. Lui-même, qui dans son *Livre des Prophéties* avait écrit une auto-biographie anticipée. Bartolomé de Las Casas, qui cherchait en lui la vérité. Et Fernando, son fils, qui voulait en faire un inexpugnable héros, un saint.

Il ne comprenait pas ce besoin qu'avait Las Casas de connaître les erreurs, les défauts, les faiblesses de l'homme qu'il se proposait de peindre dans son livre. Cette curiosité lui semblait de mauvais aloi, presque malsaine, vulgaire. Rapetisser, diminuer son propre héros, quelle étrange et aberrante idée ! N'était-ce pas diminuer en même temps l'œuvre elle-même ? Comment en effet bâtir une grande œuvre autour d'un héros fragile, faible, faillible ?

Le jeune garçon était devenu soupçonneux et méfiant. Il regrettait amèrement d'avoir prêté à Las Casas les copies des journaux de bord des trois premiers voyages que son père avait faits aux Indes. Las Casas avait senti le froid s'installer dans ses relations avec le jeune Fernando. Il en était peiné. Mais il n'avait rien fait qu'il jugeât répréhensible. Et il n'était pas homme à s'arrêter longuement à ce genre de choses.

* * *

Mendez et Las Casas finirent par trouver Buil sur l'interminable chantier de l'université de Séville, où il surveillait quelque travaux d'aménagement de la faculté de théologie. Ils l'abordèrent prudemment, craignant d'être éconduits. Le père Buil avait une assez terrible réputation. C'était un être cassant, autoritaire et soupçonneux. Il avait de gros yeux verdâtres exorbités, le teint pâle, les lèvres minces, les cheveux rares et gras. Il avait gardé l'accent sec et cassant de la Catalogne, comme le roi Ferdinand, comme le cardinal de Fonseca, comme Francisco Roldan, qui se trouvait toujours là-bas en Hispaniola, et qui avait fomenté une révolte armée contre l'Amiral. Las Casas faillit commettre une erreur irréparable en lui rappelant que son père et son oncle l'avaient jadis bien connu, et qu'ils disaient le plus grand bien de lui.

« Vous mentez, jeune homme, avait coupé sèchement le père Buil. Ni votre père ni votre oncle n'ont jamais dit le moindre bien de moi. »

Cependant, dès que Mendez eut expliqué le but de leur visite, qu'ils voulaient mieux comprendre ce qui l'avait si violemment opposé à Colomb, le visage du moine s'était brusquement détendu.

« Vous parler de Christophe Colomb ? Mais je le ferai avec grand plaisir, mes enfants ! Pas aujourd'hui cependant. J'ai trop à faire. »

Deux jours plus tard, comme promis, Las Casas recevait une longue lettre dans laquelle Buil s'expliquait.

Je vous dirai tout de suite que j'ai appuyé de toute mon autorité la rébellion menée par Francisco Roldan contre

Christophe Colomb. Je pensais et je pense toujours que c'était mon devoir.

C'était en 1494, en Hispaniola. Je devais, nous devions tous, préparer là-bas le terrain à l'avènement du Royaume de Dieu. Or le royaume de Dieu et celui que voulait créer l'amiral Colomb étaient absolument incompatibles. Ce que je voyais naître sous mes yeux était un État païen, anti-espagnol et anti-chrétien. Vous comprendrez que j'aie voulu le détruire. Et que je me sois opposé à Colomb.

À Isabela, j'ai fait mon devoir de prêtre. Tous les jours, j'ai entendu des dizaines d'hommes en confession. Tous les matins, ils venaient s'accuser à moi des mêmes fautes: transgression des sixième et neuvième commandements de Dieu, abjects péchés de la chair commis seul ou avec d'autres. Trois fois, cinq fois, dix fois, mon Père. Tous des mous, incapables de résister aux tentations de la chair. Vous savez comment sont ces hommes. Le matin au réveil, ils regrettent amèrement les excès et les égarements de la veille. Ils sont fragiles, pleins de repentir, de remords et de bonnes intentions et du ferme propos de ne plus recommencer. Ils se veulent purs et doux comme des enfants. Mais le soleil n'est pas sitôt levé qu'ils recommencent.

Certains sont même allés jusqu'à assouvir leurs bas instincts avec des Indiennes, mêlant honteusement leurs corps de chrétiens baptisés et bénis à ceux de ces femelles en rut. Partout, dans les fourrés, sur les plages et jusque dans les huttes que nous avions construites et que j'avais bénies, j'entendais leurs rires et leurs soupirs démoniaques. Mais bientôt, ces cris lascifs se sont changés en plaintes et en gémissements de douleurs, en râles affreux que nous entendions désormais jour et nuit. Les maladies de l'âme dont jouissaient ces hommes s'étaient propagées à leurs corps. Le docteur Alvarez Chanca qui prétendait les soigner est un mauvais chrétien. Comme l'amiral Colomb, son proche ami. Ni l'un ni l'autre ne voulaient reconnaître l'origine spirituelle de ces maladies. Ils soignaient les corps, sans se préoccuper des âmes. Et ils appliquaient aux malades chrétiens des remèdes indiens, des infusions, des fumigations et même probablement des incantations. Je ne serais pas étonné qu'ils aient fait appel à des zemis, ces idoles monstrueuses auxquelles les Indiens idolâtres prêtaient des pouvoirs extraordinaires.

Comment vouliez-vous que dans de telles circonstances je remplisse les fonctions de mon ministère ? Nous vivions dans le stupre et la fornication, la profanation. Comment vouliez-vous que s'incarne dans ce lieu le corps du Christ ?

En 1494, le jour des Rois, j'ai célébré sur un autel dressé à la hâte la première messe qui se soit dite aux Indes, à Isabela. Il pleuvait à torrents. Dans la petite hutte chambranlante dont le toit ne parvenait pas à contenir l'eau du ciel, j'entendais les râlements écœurants des malades. Mêlée au parfum de la myrrhe, leur odeur montait vers Dieu, une aigre odeur d'excréments et de vomissure. J'avais l'impression de profaner quelque chose en exigeant par les paroles de la sainte messe que le Christ, le plus beau des enfants des hommes, s'incarne en ce lieu. Et la pensée que ces hommes perclus de péchés, malades, nauséabonds, et sur lesquels on pouvait encore saisir l'odeur bestiale des femelles indiennes, mangent le corps du Christ Jésus, me bouleversait.

Ces êtres vivent comme des bêtes, ils ont des mœurs répugnantes, aucune spiritualité… Et l'amiral Colomb à cette époque cherchait à s'associer à eux, ce que je considérais et considère toujours comme une très grave faute. Je dis que les Chrétiens ne doivent pas s'associer à des idolâtres, c'est pécher contre Dieu. L'Amiral a voulu dissocier le spirituel du matériel. Pis ! selon lui, le spirituel devait être assujetti au matériel et au politique.

Cet État que tentait d'établir l'amiral Colomb était malade, comme ces hommes qui le peuplaient. J'ai cru et je crois encore fermement que mon devoir était de le renverser, car il était contraire à l'ordre du Royaume de Dieu.

Quand nous sommes arrivés là-bas, nous avons trouvé morts les 39 hommes que l'Amiral avait laissés à la Navidad lors de son premier voyage. Tous massacrés. J'ai tout de suite découvert que le cacique Guacanagari, dont l'amiral nous avait dit qu'il était une sorte de bon génie tout disposé à embrasser notre sainte Foi, était en réalité un crétin hypocrite et lâche.

En lui laissant la vie sauve, l'amiral accréditait implicitement la version des faits de ce sauvage idolâtre et accusait par conséquent les Chrétiens morts à la Navidad de s'être entretués. Il prenait parti pour le Paganisme contre la Chrétienté. Comme si la vie d'un Indien avait plus de valeur que celle d'un Chrétien! J'ai tout de suite compris qu'il voulait instituer une société anti-espagnole et anti-chrétienne.

J'ai su par ailleurs que Christophe Colomb est un ex-Juif. Ou devrais-je dire un Juif tout court? Puisque « Juif un jour, Juif toujours », dit-on. Le Juif agit toujours dans ses propres intérêts ou dans l'intérêt de la Juiverie plutôt que dans celui de l'Église ou de l'État. L'amiral Colomb est un vulgaire Juif chercheur d'or et avide de gloire. Dans toute cette entreprise, malgré tout ce qu'il a dit, il ne pensait qu'à l'édification de sa propre personne. Je le sais, je l'ai vu, mon devoir est de le dire. Cet homme est un dangereux usurpateur. Il veut se tailler un empire au détriment des Rois catholiques et au détriment de Dieu. Qui est contre l'Espagne est contre Dieu.

Mes amitiés à votre famille,
Buil, ofm.

* * *

À la mi-janvier, le roi Ferdinand ordonnait au cardinal de Fonseca de régler aux frères Colomb leur dû et de prendre des arrangements pour qu'ils puissent organiser le plus rapidement possible une nouvelle expédition aux Indes.

Tout le monde fut assez étonné. Apparemment, le Roi donnait raison à Colomb et respectait à la lettre des privilèges que par ailleurs, dans les procès qu'il lui avait intentés, il récusait absolument. On comprit qu'il souhaitait de tout son cœur le voir disparaître au plus vite afin de mettre son plan à exécution: l'écarter définitivement de l'histoire, en effacer à jamais le nom, couvrir le découvreur de brouillard et de nuit.

« Pendant un an, ils m'ont empêché de partir; et aujourd'hui, ils me chassent, disait l'Amiral. D'une manière ou d'une autre, ce n'est plus jamais moi qui décide. »

Il ne croyait pas si bien dire. Le cardinal de Fonseca fit bientôt rappeler aux frères Colomb qu'ils étaient toujours interdits de séjour en Hispaniola et qu'ils ne pourraient donc relâcher à Santo Domingo, leur propre ville, « sauf au retour, si besoin est, et pour peu de temps ». On les prévenait en outre que le nouveau gouverneur des Indes, Nicolas de Ovando, qui devait bientôt entrer en fonction là-bas, avait de sévères et très précises directives à leur sujet et qu'il entendait les respecter à la lettre.

Quelle humiliation ! Interdits de séjour dans la ville qu'ils avaient eux-mêmes fondée et arrosée de leur sang, de leur sueur et de leurs larmes !

Pendant quelques jours, l'Amiral se laissa sombrer dans un silence amer. Santo Domingo avait soudainement pris à ses yeux, du fait qu'on lui en eût interdit l'accès, une importance telle que ses grands projets lui apparaissaient désormais de peu d'intérêt. Il ne pensait plus au Grand Khan, ni au trésor de Salomon, ni à la libération de Jérusalem, ni même à ses projets d'aménagement et de mise en valeur du Paradis terrestre, mais à Bobadilla et à Ovando, ces usurpateurs, ces voleurs...

* * *

Fernando cependant, tout excité qu'il était par l'idée du départ, ne voyait pas le désarroi de son père. Il avait soigneusement emballé ses navires miniatures qui furent rangés bien au sec dans la sacristie du monastère, de même que la correspondance et la bibliothèque de l'Amiral dûment annotées et classifiées.

Un jour, cherchant à la demande de son père une lettre à lui écrite jadis par un savant florentin, Paolo Toscanelli, l'enfant découvrit au fond d'une mallette de cuir un petit miroir ovale finement ouvragé. L'Amiral fut profondément ému de revoir cet objet qu'il croyait depuis longtemps perdu. Il le prit des mains de son fils, y plongea son regard, s'y absorba...

C'était Beatriz de Haraña, la mère de Fernando, qui le lui avait donné la veille de son premier grand voyage vers les Indes, le 3 août 1492. « Chaque fois que tu te regarderas là-dedans, lui avait-elle dit, tu verras ce que j'aime le plus au monde et tu penseras à moi. » Et souvent, au cours de ce premier voyage, quand il se trouvait seul dans sa cabine, il sortait son petit miroir et se regardait un moment, amusé, charmé par le pouvoir qu'exerçait sur lui la jeune femme.

Aujourd'hui, dix ans plus tard, dans sa triste cellule du couvent des Chartreux, à Séville, il se souvenait, navré, du radieux visage qu'il voyait alors dans ce petit miroir, le triomphant sourire qu'il avait, la flamme qui brillait dans ses yeux, ce que la belle Beatriz de Haraña aimait le plus au monde. Mais aujourd'hui, il ne souriait plus. La flamme de ses yeux s'était éteinte, morte. Ses yeux étaient vides et ternes, yeux de zombis, exactement. Il ne pensait plus à Beatriz. Il était bien fini le temps des flammes, des femmes et de l'amour.

Certains jours, au moment où il émergeait de sa sieste méridienne, il se surprenait à penser que le but ultime de ce voyage qu'il préparait n'était rien d'autre que sa propre réhabilitation, son sauvetage, sa délivrance à lui et non celle de Jérusalem. La libération de Jérusalem et le retour au Paradis terrestre n'étaient peut-être en fin de compte que des prétextes derrière lesquels il dissimulait plus ou moins à son insu ses véritables intentions, infiniment moins louables.

N'était-ce pas plutôt lui-même qu'il s'en allait chercher au bout du monde ? N'était-ce pas pour se rendre à nouveau visible et recherché qu'il voulait encore une fois se plonger dans l'inconnu et qu'il s'apprêtait à y entraîner son fils, son frère, tous ceux qui lui feraient confiance, dans ce périlleux et inutile voyage sans retour au bout de lui-même ?

Il enviait parfois Bartolomé qui ne se posait certainement jamais ce genre de question, qui ne semblait pas connaître le doute et l'angoisse. Tout dans la vie de Bartolomé était d'une magnifique simplicité. Il y avait des choses qu'il aimait, d'autres qu'il détestait. Il courait après les unes; et fuyait les autres. Tant et aussi longtemps qu'il courait ou qu'il fuyait, il était heureux.

Mais Christophe était toujours à se demander s'il ne devrait pas fuir ce qu'il aimait et courir après ce qu'il détestait. Et qu'il courût ou qu'il fuît, il était inquiet, il hésitait, il regrettait. Il restait enfermé dans le noir, alors qu'il voulait briller parmi les hommes. Il se préparait à partir au bout du monde, mais il n'avait au fond qu'un seul désir: qu'on parle de lui à la Cour des Rois catholiques, qu'on pense à lui dans toute la Chrétienté, que son nom soit de nouveau sur toutes les lèvres, comme en quatre-vingt-treize. Son grand projet n'était au fond que Christophe Colomb; son unique passion, c'était lui, rien que lui.

Il se réveillait maussade et inquiet. Il appelait Fernando. Il écoutait la voix des prophètes.

« "Je vais faire de toi la lumière des nations, pour répandre mon salut jusqu'au bout du monde.

– Car je vais créer de nouveaux cieux et une terre nouvelle." »

Dans la pénombre, le vieil amiral parvenait encore à imaginer de temps en temps des apothéoses et des transfigurations. Mais dès qu'on ouvrait les fenêtres, que la lumière du jour et la réalité crue et nue envahissaient sa cellule, il retombait dans une espèce d'abattement qui semblait à ses proches d'autant plus effrayant qu'ils ne pouvaient se l'expliquer. Il était libre de partir enfin. Il aurait dû être heureux. Il ne l'était pas. Mais n'était-ce pas l'histoire de sa vie ?

Cet homme ne trouvait jamais ce qu'il cherchait, ni dans les grandes ni dans les petites choses. Et il ne voulait jamais rien savoir de ce qu'il avait trouvé. Désormais, seule la ville interdite l'intéressait. Le pur plaisir de partir, qui dans sa jeunesse berçait si merveilleusement son âme, il ne le sentait plus, il n'en voulait plus. Il ne voulait plus qu'arriver, toucher au but. Or le but, le seul but qui lui faisait encore envie, était intouchable, interdit. Pourquoi partir ?

Au fond, Christophe Colomb n'aimait plus voyager. Il avait été toute sa vie tellement obsédé par le but à atteindre que le chemin à parcourir lui apparaissait, dès lors qu'il le connaissait, comme une douloureuse et inutile attente.

En 1492, lors de son premier voyage aux Indes, il avait passé ses jours et ses nuits sur le pont de la *Santa Maria* à scruter le ciel et la mer. Et il avait minutieusement noté ses observations dans son journal: trois oiseaux traversant le ciel nu, un bout de bois vert à la dérive, un changement de quelques degrés dans la direction des vents ou des courants, un tremblotement de l'aiguille aimantée, une vague odeur de terre dans la brise marine, etc. Même chose au retour.

Mais par la suite, au cours des autres traversées qu'il avait effectuées, il avait agi comme si tout cela n'avait plus aucun charme ni aucune importance. Toutes ses nuits et presque toutes ses journées, beau temps, mauvais temps, il les avait passées enfermé dans sa cabine, sous le château de poupe. À relire les prophètes de la Bible ou le Livre de Marco Polo. Ou à ne rien faire. À attendre que finisse le voyage. Et que commence enfin le jamais vu. Alors seulement, il sortait de sa torpeur et se remettait à scruter et à sonder le ciel et la mer, à toucher, palper, interroger le but atteint. Alors, il ne dormait plus, ni nuit, ni jour…

* * *

On dit qu'un homme qui n'aime pas voyager ne peut aimer les femmes. Il peut en aimer une, bien sûr. Il peut même l'aimer follement. Mais ce n'est pas ce qui s'appelle aimer les femmes. Dans sa jeunesse, l'amiral Colomb ne se privait pas de coucher avec elles, quand l'occasion s'en présentait et que l'aventure ne risquait pas de compromettre sa carrière et ses projets. Mais il détestait leur faire la cour. Il était d'ailleurs en cela d'une remarquable maladresse.

Son frère Bartolomé, lui, ne pensait qu'à ça, à l'approche, au voyage, à la séduction. Il aimait le spectacle toujours recommencé de la mer et celui sans cesse changeant de l'amour. Il aimait le danger, les tempêtes, la guerre, au même titre que la flânerie ou la rêverie, toutes choses qui, aux yeux de son frère aîné, n'étaient que pertes de temps, obstacles, retards et empêchements.

Bartolomé n'aurait su dire ce qu'il préférait: faire la cour ou faire l'amour. En fait, il aimait séduire, le pur et parfait plaisir de séduire et d'être objet de désir. Il aimait par-dessus tout ce moment enivrant quand il sentait que la femme allait céder à ses avances et dans un souffle, tout bas, tremblante, laisser filer ces mots magiques et inoubliables: «Oui, je veux. Oui, j'ai envie de toi. Viens. Je t'aime.» Il prétendait que le reste n'était plus que simples formalités à remplir et que le gros du plaisir était déjà passé. Il lui était parfois arrivé de travailler pendant des jours, voire des semaines, pour séduire une fille à côté de laquelle il se contentait, le grand soir venu, de dormir tranquillement du sommeil du juste, en tenant la belle étroitement enlacée.

Il les aimait toutes. Même ces vieilles mammas sévères et pieuses avec lesquelles il savait qu'il ne coucherait jamais; il leur parlait gentiment et s'arrangeait toujours pour qu'elles lui sourient et se disent entre elles: «Quel gentil garçon, ce Bartolomé Colomb.» Il était alors satisfait. Il sentait qu'elles auraient aimé l'avoir, sinon comme amant, du moins comme fils. Et ça lui suffisait amplement. Quant aux autres, les jeunes et belles femmes, il voulait de toutes ses forces qu'elles le désirent vraiment, d'un désir amoureux et sensuel. Il aimait les regarder, leur parler, parler d'elles, de leurs regards, de la texture si émouvante de leur peau, de leurs cheveux soyeux et parfumés, leurs soupirs, leurs désirs, leur âme…

«En chaque femme, il y a un port qui t'attend.» Telle était sa devise.

Des heures durant, avec Diego Mendez, Bartolomé «Flisco» Fieschi et Diego Tristan, il parlait des femmes, de celles qu'ils avaient eues, de celles qu'ils rêvaient d'avoir un jour, de celles qu'ils savaient qu'ils n'auraient probablement jamais, de celles qui n'existaient pas, les femmes de leur invention, les plus belles, les plus voluptueuses, leurs préférées. Et Bartolomé évidemment, le plus hâbleur des quatre, finissait toujours par délirer sur sa maîtresse indienne, la princesse Anacoana. Ses amis savaient bien qu'il en rajoutait, qu'il l'embellissait probablement beaucoup et l'idéalisait, l'inventait. Mais il parlait si bien qu'ils étaient tous devenus plus ou moins amoureux de la belle princesse arawak qu'ils allaient bientôt retrouver, dans la forêt en fleurs d'Hispaniola, de l'autre côté de la mer Océane.

« La première fois que je l'ai vue, racontait Bartolomé, ce n'était encore qu'une enfant, mais elle en connaissait déjà autant sur l'amour que les plus délurées des filles de Séville. Là-bas, les femmes vont presque toujours nues et elles se livrent sans retenue à qui leur fait envie…

» La première fois que nous avons fait l'amour ensemble, Anacoana ne parlait pas encore espagnol et moi je ne connaissais à peu près pas un mot d'arawak. On s'est parlé avec les yeux, avec les mains. Et je vous jure qu'on n'a pas eu besoin d'interprète. Son frère, le cacique Behechio qui avait lui-même cinq ou six très belles femmes et qui avait remarqué comment je regardais sa sœur, me l'avait gracieusement offerte pendant un banquet. On me l'avait apportée sur une litière faite de branches de bois très odorant. Elle-même n'était vêtue que de guirlandes de fleurs. Mais jamais je ne l'aurais prise si je n'avais senti que je l'intéressais. Il n'y a rien de plus déprimant que de faire l'amour avec une femme qui n'en a pas envie. Or je crois qu'Anacoana avait soif et faim de moi. Je dirais, les gars, que mon œil étincelant de luxure l'avait allumée. Chaque fois que nos regards se croisaient, elle me faisait de grands sourires suggestifs et elle prenait devant moi toutes sortes de poses lascives qui me troublaient infiniment. Je souffrais. Et pour faire durer ce douloureux plaisir, j'ai fait semblant un bon moment que je ne voyais rien à son petit manège. Mais après deux jours, je n'en pouvais plus.

» Je l'ai aperçue à l'écart, un matin, toute seule près de la mer. Et je suis allé vers elle. Quand elle m'a vu approcher, elle s'est retournée. Je me suis collé à son dos et je lui ai caressé le ventre, les cuisses et les seins en l'embrassant dans le cou, dans les oreilles. Elle s'est frottée contre moi. Puis s'est laissée tomber à quatre pattes dans le sable chaud. Et c'est ainsi que je l'ai possédée. Sans un mot. Par en arrière. Comme ils font presque toujours aux Indes. Ce jour-là, je l'ai aimée sept ou huit fois, de diverses manières, par en avant, par en arrière, dans l'eau, debout… Tout l'intéressait. Cette fille-là, Anacoana, c'est un génie. Je vous la prêterai, c'est promis. Si elle veut de vous, je vous la prêterai avec plaisir… »

L'Amiral ne se mêlait jamais à ces conversations qui tournaient immanquablement selon lui au scabreux. Il était d'une pudibonderie un peu effrayante dont seul Bartolomé osait se gausser, qui reprochait parfois à son frère de passer à côté des plus belles occasions sans les voir et de ne pas avoir su répondre aux avances que lui faisait dans le temps la reine Isabelle.

« Mais la reine Isabelle ne m'a jamais fait d'avances ! protestait Christophe, scandalisé.

– Je suis certain qu'elle m'enverrait au bûcher si elle m'entendait dire qu'elle a déjà rêvé de coucher avec toi, disait Bartolomé. Et elle le ferait sans doute de bonne foi. Elle ignore certainement qu'elle te faisait des avances. Mais moi, je le sais. Je l'ai vue frémir quand tu lui parlais. Elle ne se possédait plus. Elle buvait tes paroles... Mais elle est de ces femmes qui ne savent pas qu'elles désirent. Et toi, tu es de ces hommes qui ne savent pas ou ne veulent pas savoir qu'ils sont désirés. Tu n'aurais eu qu'à la cueillir. Mais tu n'as rien fait. Tu es impardonnable. Aujourd'hui, il est trop tard. Le cœur de la reine est froid. Comme le tien, qui l'a toujours été. »

Bartolomé blaguait, évidemment. Ses paroles frappèrent néanmoins durement Christophe qui savait bien, lui, que son cœur était vraiment froid, glacé jusqu'au tréfonds.

7

Mendez ne put s'empêcher de pouffer de rire quand Las Casas lui demanda de l'accompagner à l'auberge du Loup Blanc.

« Toi, Bartolomé de las Casas, fieffé dévot, au Loup Blanc ! J'aurai vraiment tout vu ! »

Le Loup Blanc se trouvait à deux ou trois milles en aval de Séville, entre le Guadalquivir et la route qui menait à San-lúcar, en longeant le fleuve jusqu'à la mer. Il y avait là un vieux chantier maritime pratiquement désaffecté et une assez longue plage où l'on tirait autrefois les navires pour les caréner. Mais depuis quelques années, dans la fièvre des grandes découvertes, les ports et les plages de la mer Océane et de l'estuaire du Guadalquivir avaient drainé presque toute l'activité industrielle et commerciale et le chantier du Loup Blanc avait peu à peu cessé d'opérer. L'auberge était cependant restée le rendez-vous des marins à terre. On y buvait ferme, on s'y battait beaucoup. Il y avait des filles, de la musique, de la fumée de tabac, plein d'histoires de mer et de mort.

Lorsque Mendez, Las Casas et Oabo parurent en ce lieu, un soir d'hiver, transis, trempés jusqu'aux os, il y eut un long silence amusé. Tout le monde savait vaguement qui ils étaient tous les trois et on se demandait bien ce qui pouvait les amener au Loup Blanc par ce temps de chien.

« On peut vous aider ? »

Le gars était chauve, à moitié édenté, hilare, long et maigre comme un clou. Il s'assit lourdement à leur table sans attendre qu'on l'y invitât.

« Tu connais l'Amiral ? lui demanda Mendez.

– L'amiral Colomb ? Très bien. Très très bien. Mais il n'est pas ici. Pas ce soir. Enfin, je ne crois pas. »

Il se retourna vers la salle et cria à la cantonade.

« Est-ce que quelqu'un de vous, les gars, pourrait me dire si notre bon ami l'Amiral est passé par ici ce soir ? »

Tout le monde dans l'auberge pouffa de rire. Y compris Mendez et Las Casas. L'idée que l'amiral Colomb pût être un habitué d'un tel endroit et l'ami des sombres drilles qui s'y trouvaient était en effet fort saugrenue.

« Qu'est-ce que vous lui voulez à l'Amiral ? demanda l'Escogriffe chauve.

– C'est pas lui qu'on cherche, répondit Mendez. On veut rencontrer des gars qui ont voyagé avec lui, dans le temps. Il y en a ici ? »

L'homme ne répondit pas. Il ne riait plus. Mendez, désignant la salle du regard, posa à nouveau sa question.

« Il y en a ici, des gars qui ont voyagé avec l'amiral Colomb ?

– Je ne sais pas, moi, faudrait voir.

– Voir quoi ? demanda Mendez.

– Ce que vous leur voulez.

– On veut juste parler.

– Alors allez-y, on vous écoute.

– Comment il était avec vous, l'Amiral ? » demanda maladroitement Las Casas, qui jusque-là s'était tu.

Mais de l'autre bout de la taverne, on cria quelque chose au grand escogriffe édenté qui se leva et alla rejoindre ses amis. Ils parlaient tout bas avec animation, jetant de temps en temps un coup d'œil furtif et méchant en direction des nouveaux venus. Mendez appela l'aubergiste et leur fit porter à boire.

Dix minutes plus tard, trois hommes, dont l'Escogriffe, venaient finalement s'asseoir à leur table. Et d'autres peu à peu se joignirent à eux. D'abord à voix basse, et gentiment, ils se mirent à parler de l'Amiral, tour à tour agressifs et affectueux, tournant Colomb en dérision ou lui portant une admiration sans bornes. Mendez payait encore à boire et tisonnait habilement la conversation. Les gars se firent un malin plaisir de raconter tout ce qu'ils savaient. Et même un peu plus.

« Il nous a marqués pour la vie, c'est tout à fait vrai, disait l'Escogriffe édenté. Personne ici vous dira le contraire. Mais aujourd'hui, votre Grand Amiral est dans la misère, comme nous. Et on peut pas dire que ça nous fait beaucoup de peine. Qu'il vienne pas se plaindre que la vie et le Roi et la Reine ont été injustes avec lui. Injuste, c'est lui qui l'a été avec nous, ses hommes. Il nous a trompés, il nous a volés et leurrés, tant et aussi longtemps qu'il a voulu. Pour lui, les hommes, ça compte pas, c'est des bêtes. Il s'en sert. Et quand il en a plus besoin, il les jette. Et les hommes disent "Merci, Amiral", "Ça nous a fait plaisir, Amiral". On faisait toujours tout ce qu'il voulait, même si on était contre, même si on trouvait ça inutile et dangereux, même si plusieurs avaient beaucoup plus d'expérience que lui. On lui donnait toujours raison. Pourquoi? On l'a jamais su. Mais c'était comme ça. L'amiral Colomb, c'est le genre d'homme à qui tout le monde donne toujours raison. Même quand il a tort. »

Et tous acquiesçaient et buvaient et riaient.

« J'étais là, moi, quand il a fait tuer Muxica », jeta tout à coup d'une voix forte un petit vieux tout maigre et nerveux vers qui toutes les têtes se tournèrent. Mais il s'était tu lui aussi, et faisait mine d'être plongé dans une profonde rêverie. Il fallut que quelqu'un le prie : « Et alors, Miguel, vas-y, raconte », pour qu'il daigne sortir de sa torpeur.

« C'était effrayant, je vous dis, quand l'Amiral a fait tuer Muxica. On voulait pas le croire, nous. C'était la première fois que l'amiral Colomb condamnait un Chrétien à mort. Muxica, quand il a compris qu'il obtiendrait pas sa grâce, a demandé un prêtre pour se confesser. L'Amiral pouvait pas refuser. Il a envoyé chercher le prêtre qui se trouvait chez les Indiens, plus haut sur la rivière Ozama. Quand le prêtre est arrivé, il faisait presque nuit, et Muxica a dit qu'il arrivait pas à se souvenir de ses péchés, parce qu'il avait trop peur de la mort. L'Amiral s'est impatienté. Il a ordonné qu'on le jette du haut des remparts. Il a dit qu'il aurait tout le temps de se repentir pendant sa chute. »

Miguel se tut, quelqu'un lui tendit à boire, il but lentement et attendit qu'on dise: « Et alors, Miguel? », pour reprendre son récit:

« Alors, on était tous là à regarder les soldats traîner ce pauvre Muxica qui se débattait de toutes ses forces. Moi, je vous dis, jusqu'à mon dernier souffle, j'entendrai ses cris de mort pendant qu'il tombait du haut des remparts. Et le bruit de son corps qui s'est disloqué sur les rochers du rivage.

» Vous avez vu déjà les remparts de Santo Domingo? Ils sont plus hauts que ceux de Grenade. Et c'est plein de tranchants et de pics. On est descendus chercher Muxica. Il était pas encore mort, mais il avait tous les membres brisés, toute la peau du dos arrachée, le crâne ouvert, et du sang plein la bouche. Il nous regardait. Avec des râles et des hoquets. Il voulait qu'on l'achève, mais personne s'est décidé à le faire. On le regardait en silence. Il a mis plus d'une heure à mourir. »

La lourde pluie d'hiver tambourinait sur le toit d'ardoise de l'auberge du Loup Blanc. Les hommes s'étaient rapprochés du feu. On buvait du vin chaud à la cannelle, ce qui ramollit merveilleusement le corps, mais tient l'esprit en éveil. Las Casas et Mendez, tout ouïe. Oabo passablement saoul invectivant en arawak le patron de l'auberge qui tardait à le servir, et se préparant des petits rouleaux de feuilles de tabac dont il aspirait la fumée par le nez, à la manière de son pays. Et tout cela, le vin, le tabac, la conversation, le feu de l'âtre, le portait à rire aux larmes. De temps en temps, il se levait et exécutait quelques pas de danse très lents. Puis il s'immobilisait tout à fait dans une pose extravagante qu'il gardait un long moment, jusqu'à ce que le fou rire le reprenne. Las Casas, fâché, tentant vainement de le faire taire. Les marins, un peu saouls eux aussi, continuant de parler, parler, parler…

« Vous connaissez l'histoire de Triana? demanda Miguel, le petit vieux, que le succès du récit de la mort de Muxica

94

avait enhardi. Dites-moi pas que vous savez pas qui est Rodrigo de Triana ! »

Lorsqu'il comprit, à l'air ahuri de Mendez et de Las Casas qu'ils ignoraient qui était Triana, son visage s'illumina, il fit signe à l'aubergiste de remplir son verre, se recueillit un moment et s'embarqua résolument dans un autre récit.

« Muxica était du premier voyage, le vrai, le seul voyage de découverte qu'il y aura jamais eu dans toute l'histoire du monde. On savait pas où on allait. Personne, je vous dis. À part l'Amiral, qui évidemment faisait semblant. Cet homme-là fait toujours semblant qu'il sait tout, qu'il a tout lu, tout vu, tout compris. Mais jamais, dans toute l'histoire du monde, des hommes étaient allés si loin des hommes. Trente jours sur la mer. Avec toujours un bon vent arrière qui nous poussait jour et nuit vers l'ouest, de plus en plus loin de chez nous. On se demandait bien comment on allait remonter tout ce vent au retour !

» Trente jours de vent arrière, quand on vire de bord, ça peut facilement faire trois cents jours de vent debout. Qu'est-ce qu'on mange pendant ces trois cents jours-là, quand on n'a plus de vivres ? Je vous demande. Les rats ? Les cordages ? Les voiles ? Et après ? On mange le pont peut-être ? Puis la coque et la quille ? Et puis on boit la mer, si on a soif ? Bon ! Mais après ? Qu'est-ce qu'on mange, je vous demande, et qu'est-ce qu'on boit pendant les deux cents jours qui restent ? »

Il fit une pause, le temps de boire un coup et s'assurer que tous étaient suspendus à ses lèvres.

« Le 9 octobre, un plein mois après qu'on a vu disparaître derrière nous les montagnes en feu qui se trouvent près de Tenerife sur les îles Canaries, on est allés voir l'Amiral après la prière du soir et on lui a parlé dans le blanc des yeux. Il nous a écoutés en faisant son espèce de sourire tout miel. Pendant qu'on lui parlait, il hochait doucement la tête avec l'air de dire qu'on était vraiment qu'une bande d'ignares et de peureux, mais qu'il nous comprenait. L'amiral Colomb comprend toujours tout, je vous dis. Même la peur et la bêtise des autres.

» Quelques jours plus tôt, vers le 1er octobre à peu près, la nuit venait de tomber quand quelqu'un de la *Niña* avait crié: « Regardez les Gardes. » Tout le monde avait regardé vers le nord et on avait tout de suite remarqué qu'il y avait un grand changement dans le ciel. Les Gardes n'étaient plus au même endroit. Pour la première fois depuis que le monde est monde, l'étoile immobile, qui cloue le ciel au nord, s'était déplacée. Plus tard les pilotes nous ont dit que depuis quelques jours toutes les aiguilles aimantées étaient devenues folles. Personne aimait ça, je vous dis. Les gars se disaient qu'on était probablement rendus au bout de la terre et qu'on avait commencé à tomber ou à glisser vers le grand vide et qu'on pourrait plus jamais remonter. Et en plus on avait pas de prêtre à bord. On se confessait les uns aux autres et on faisait à la Vierge toutes sortes de promesses intenables.

» L'Amiral est venu sur le pont avec son quadrant et sa boussole et ses grands airs. Il a regardé tout ça un moment. Et il nous a dit: "Inquiétez-vous pas, les gars, tout est normal." Mais c'était pas normal, je vous dis. La mer était changée. Le ciel aussi. On avait jamais vu ça, personne. Même pas lui, je vous dis. Mais il faisait comme d'habitude celui qui a tout vu, qui savait que ça devait arriver. Il est allé dormir. Ou faire semblant de dormir. Et nous, on est restés toute la nuit sur le pont à regarder ce ciel pas normal, avec notre peur au ventre… Passez-moi à boire, quelqu'un. »

Pendant qu'il buvait, un tout jeune homme s'empara du récit:

« Les hommes avaient peur d'avoir passé la limite après laquelle il n'y aurait peut-être plus jamais de limite nulle part; plus de terre, plus de mer, plus rien…

— De quoi tu te mêles, le Piojo, coupa l'Escogriffe édenté. Tu vas quand même pas nous faire accroire que t'étais là.

— Mon père y était.

— Il y est encore et il en reviendra jamais. C'est pas une raison pour parler de ce que tu connais pas. Laisse faire le grand monde, veux-tu? »

Et se tournant vers le vieux Miguel, l'Escogriffe, d'un large geste de la main, lui fit signe de poursuivre.

« Quand il voulait nous rassurer, l'Amiral venait nous parler, reprit Miguel. Il nous regardait droit dans les yeux, l'un après l'autre. Et on disait: "Oui, Amiral, bien sûr, vous avez raison." Ou il nous faisait des promesses. "Vous serez riches, les gars. Vous serez couverts de gloire. Là-bas où nous allons, il y a de l'or et des pierres précieuses. Vous aurez des esclaves, des îles…" Un jour, il nous a promis que le premier qui apercevrait la terre aurait une chemise de soie, en plus de la rente à vie de 10 000 maravédis qu'avait promise la reine Isabelle. On avait pas moins peur. Mais on se taisait.

» Le 9 octobre, pour la première fois, ça s'est passé autrement. Ce jour-là, l'Amiral a été bien obligé de comprendre qu'on irait jusqu'au bout. Il a pas pu faire autrement que de sentir qu'on était en train de lui préparer une vraie mutinerie en bonne et due forme. Notre peur était plus forte que lui, je vous dis. Notre faiblesse était plus puissante que sa force. Tout le monde voulait rentrer. Martin Alonzo Pinzón, le capitaine de la *Pinta*, qui avait lui aussi des problèmes avec ses hommes, est venu sur le navire-amiral, la *Santa Maria*. Il a conseillé à Colomb de faire pendre les meneurs. Plusieurs d'entre nous l'ont entendu. Pinzón était un très bon marin, presque aussi bon que l'Amiral, mais il avait pas de tête sur les épaules, Pinzón, il comprenait jamais rien à ce qui se passait. Si Colomb l'avait écouté, on les jetait tous les deux par-dessus bord, je vous dis, quitte à être tous pendus au retour. Colomb a été plus raisonnable et plus habile; il nous a demandé trois jours. Si dans trois jours on voyait pas la terre, on rentrait.

» Trois jours après, figurez-vous, on voyait la terre. Évidemment! Colomb aura eu raison sur toute la ligne, je vous dis. C'était dans la nuit du 12 octobre, vers deux heures. Tout le monde sait ça, aujourd'hui. Ce que vous savez pas, c'est que Rodrigo de Triana qui était sur la *Pinta*, le navire de Pinzón, a été le premier à voir la plage qui brillait sous la lune. Il a crié si fort qu'on l'a entendu malgré le froufrou du vent dans les voiles basses jusque sur la *Santa Maria* et sur la *Niña*. Le lendemain matin, avant qu'on descende à terre, l'Amiral a remis à Triana une belle chemise de soie rouge. Et

Triana a pu passer pour un dieu plus important que nous autres auprès des Indiens.

» Mais la rente de 10 000 maravédis de la reine Isabelle, il en a jamais rien vu, je vous dis. L'Amiral l'a gardée pour lui. Il a dit au retour qu'il avait vu la terre longtemps avant le cri de Rodrigo. Et il a gardé la rente pour lui.

– Même pas, dit le petit jeune homme que l'Escogriffe avait fait taire un peu plus tôt. C'est une fille de Cordoue qui la touche, Beatriz de Haraña. Mon père la connaissait bien. Avec la rente de Rodrigo, l'Amiral lui paye le fils qu'elle lui a donné, Fernando, le petit rouquin qui était page à la Cour, et qui est maintenant toujours avec lui. Mais elle, il ne la voit plus jamais.

– Parce qu'elle n'appartient pas à une famille de sang noble et que ça pourrait lui nuire dans la haute société. L'Amiral a beaucoup de savoir-vivre, conclut le vieux Miguel. Il pense toujours à ce genre de choses-là.

– Et Rodrigo de Triana ? demanda Mendez.

– Rodrigo de Triana est pas mieux que mort, je vous dis, si jamais il remet les pieds en Espagne. Dès qu'il a compris que l'Amiral lui donnerait pas la rente de 10 000 maravédis à laquelle il avait droit, pour avoir été le premier homme à voir la terre des Indes, il est allé vivre chez les Maures. Il a abjuré la foi chrétienne, ce qui lui donne droit au bûcher de l'Inquisition. Et il paraît qu'il a parlé aux marchands arabes des routes maritimes vers les Indes, ce qui lui vaut une bonne corde pour le pendre; même si les Maures sont pas équipés actuellement pour entreprendre de grands voyages d'expédition, on sait jamais. Chose certaine, on reverra pas Triana dans cette vie.

– Peut-être pas dans l'autre non plus, ajouta en riant l'Escogriffe. »

Oabo avait disparu. Mendez, un peu saoul lui aussi, commençait à lorgner du côté des servantes de l'auberge. Las Casas cependant restait tout à son sujet, il écoutait minutieusement les gars qui, après avoir déversé sur l'Amiral des torrents de fiel et d'injures, s'étaient peu à peu pris de sympathie pour lui, au fur et à mesure que l'ivresse les gagnait. Le vieux Miguel, dont l'élocution commençait à fléchir quelque peu, s'était mis à philosopher.

« Cet homme-là est pas comme nous, tu sais, disait-il à Las Casas. Il est possédé, lui. Il souffre, je te dis. Il a en lui une étrange passion qui le ronge, comme une maladie. Il croit qu'on peut changer le monde et la vie. Il croit que Dieu l'a chargé d'une grande mission. Mais personne le comprend. C'est un homme très solitaire, au fond.

» Il faut dire que lorsqu'il est pas en mer, Colomb, il a pas toute sa tête à lui. Il y en a qui ont le mal de mer, même des vieux marins comme moi. Lui, on dirait qu'il a le mal de terre. Dès qu'il met le pied à terre, tu l'as vu, il est dépaysé, il est perdu. Il a mal partout. On dirait qu'il a des vertiges et des nausées. À terre, il fait rien que des erreurs et des malheurs. Regarde-le marcher. Il est tout raide. Il titube. On dirait qu'il a bu. Mais en mer, c'est un autre homme. Je te le dis.

» En mer, il est chez lui, il est solide. Y a rien de plus beau pour un marin que de voir naviguer Christophe Colomb. C'est un artiste, un génie. Je te le dis. Ceux d'entre nous qui ont traversé avec lui la fameuse tempête du retour, en quatre-vingt-treize, pourront jamais dire le contraire. Pas vrai, Gil ? Est-ce que j'ai raison, Gil, quand je dis que la tempête de quatre-vingt-treize, on avait jamais rien vu de pareil ? »

L'homme à qui s'adressait le vieux Miguel n'avait pas proféré un mot de la soirée. Il était resté à l'écart, buvant, écoutant, souriant parfois aux propos de ses compagnons. Il était très grand, une montagne de muscles qui se mouvait avec lenteur. Même assis, il semblait dominer la salle par sa puissante stature. Il hocha longuement la tête, puis commença à parler, d'une voix très grave et lente, très chaude, qui imposa le silence tout autour.

« C'est vrai. Ce n'était pas une tempête ordinaire, celle dont tu parles, Miguel. En fait, c'étaient deux tempêtes qui nous ont coincés, au beau milieu de la mer Océane. Une, glacée, qui tombait du nord; l'autre qui venait de l'ouest et nous collait au cul avec ses vents chauds et ses tonnerres foudroyants armés d'éclairs qui déchiraient le ciel en tous sens. Chacune brandissait des lames monstrueuses qui hachaient la mer et y taillaient des vagues hautes comme les tours de Grenade et posaient à leur sommet des remparts infranchissables.

» Pendant tout cet hiver-là, les côtes du Portugal avaient dégusté tempête après tempête. Et pendant deux mois, la navigation avait été pratiquement interrompue sur toute la Méditerranée. Il paraît même que l'eau avait gelé dur dans les port de Gênes et de Lisbonne, de la Corogne, de Nantes, ce qui ne s'était jamais vu de mémoire d'homme. Pas à ce point-là. Ce n'était pas un hiver ordinaire.

» Mais nous, on ne savait rien de cela. On avait passé tout l'hiver de l'autre côté de la mer Océane. Et là-bas, il avait toujours fait merveilleusement beau et doux. C'était le bonheur. Honnêtement, c'était le bonheur...

» Vous avez probablement vu la lettre sur ce premier voyage que l'Amiral a écrite à l'intention de l'Intendant général Luis de Santangel et dont de nombreuses copies ont circulé à travers toute l'Europe peu après notre retour. Tout ce qu'il dit dans cette lettre est vrai: "la température clémente", "les arbres remplis de fleurs et d'oiseaux", "les fleuves chargés d'or", "les sierras toutes vertes", "les hommes aimables et dociles", et "les filles toutes nues et faciles", tout cela est rigoureusement vrai. Ces tempêtes qui nous ont frappés au retour étaient les premiers vrais coups durs qu'on rencontrait en six mois.

» Il y avait bien eu le naufrage de la *Santa Maria*. Mais ce fut en fin de compte un incident de parcours pas très grave. Personne n'était mort. Personne même n'avait été blessé ou n'était tombé sérieusement malade au cours de ces six mois. Nous avions laissé 39 hommes à la Navidad, que nous étions confiants de retrouver sains et saufs quelques mois plus tard...

» C'est la tempête du nord qui nous est d'abord tombée dessus. On avait aperçu ses éclairs très loin au nord-nord-est, tout de suite après le coucher de soleil et le *Salve Regina*. Personne cependant ne s'inquiétait. On croyait qu'elle ne nous toucherait pas. C'était beaucoup trop loin, beaucoup trop bas sur l'horizon. Et quand on vient de vivre six mois de vie facile et douce, on finit par ne plus croire au malheur. Mais l'Amiral a regardé ce ciel bas et nous a dit: "Les gars, préparez-vous, cette tempête-là s'en vient droit sur nous." Et il avait raison. Comme tu dis, Miguel, personne au monde ne connaît le ciel et la mer comme l'amiral Colomb.

» Dans la nuit, la tempête a commencé à nous frotter sur bâbord avec ses grosses bourrasques froides. Quand le jour s'est levé, la mer faisait peur à voir, toute blanche d'écume. Le ciel était fermé, cireux. Et la deuxième tempête est arrivée. Les lames de l'une et de l'autre se heurtaient et se chevauchaient, créant de vertigineuses pyramides, entre lesquelles s'ouvraient des gouffres tout noirs où nous tombions et où parfois nous restions de longs moments enfermés, en panne absolue de vent, presque immobiles entre ces murailles mugissantes et vacillantes, montées d'éclairs et de brumes violettes. Puis les murailles, d'abord avec une infinie lenteur, s'écroulaient sur nous, la mer nous soulevait et nous étions de nouveau happés par les vents déchaînés et projetés dans les airs rugissants. Tous nos mâts ont été cassés, nos voiles déchirées, les gréements arrachés.

» Nous étions comme des enfants, ne sachant plus rien faire que pleurer sur notre sort. Pendant de longs moments, seul l'Amiral était à la manœuvre, tenant le gouvernail, amenant les voiles, arrimant les mâts et les gréements brisés. Il nous a peu à peu redonné courage. Si nous en sommes sortis, c'est, après Dieu, à lui que nous le devons.

» Il a ordonné qu'on établisse fort bas le hunier afin que les bâtiments se dégagent un peu. Plus tard, dans la journée, on a mis en fuite. Puis la *Pinta*, que commandait Martin Alonzo Pinzón et qui nous accompagnait depuis les Indes, est disparue.

» Des trois navires qui avaient quitté Palos sept mois plus tôt, il ne restait plus que notre pauvre *Niña*. La *Santa Maria* avait fait naufrage la nuit de Noël sur les récifs de cette grande île que l'Amiral avait nommée Hispaniola et que les Indiens appellent Bohio ou Haïti. Et la *Pinta* maintenant disparaissait dans la tempête. Si à notre tour nous devions aller vers le fond, jamais personne ne connaîtrait notre découverte des Indes. C'est ce qui peinait et désespérait l'Amiral. Chacun de nous ne pensait qu'à sauver sa peau. Mais il pensait, lui, à sa découverte. Il a pris un parchemin et y a écrit tout ce que nous avions fait et vu au cours de ce voyage. Il a enveloppé ce parchemin dans une toile cirée et l'a placé dans un baril de bois qu'il a fait jeter à la mer.

» Puis il a ordonné que l'on tire au sort pour savoir qui devrait se rendre en pèlerinage au sanctuaire de Sainte-Marie-de-Guadeloupe et offrir en hommage à la Madone un cierge de cinq livres. Il commanda que l'on prenne autant de pois chiches qu'il y avait d'hommes à bord, qu'on en marque un avec une croix, qu'on les mette dans un bonnet... Il fut le premier à tirer et il mit la main sur le pois marqué d'une croix. Un peu plus tard, on a tiré au sort pour un autre pèlerinage. Le sort encore une fois est tombé sur l'Amiral.

– En fait, le sort n'est pas vraiment tombé sur l'Amiral, intervint le vieux Miguel. Il a triché. C'est évident. Il était au fond de lui persuadé que le pèlerinage aurait beaucoup plus d'effet si c'était lui qui le faisait. Christophe Colomb a toujours su qu'il avait infiniment plus de valeur que nous tous aux yeux de Dieu et des saints.

– Il avait en cela très certainement raison, » affirma Gil le géant sur un ton qui n'admettait pas de réplique.

La nuit était déjà fort avancée. L'aubergiste tentait depuis déjà un bon moment de chasser ou de coucher son monde. Las Casas et Mendez retrouvèrent Oabo fin saoul et repu dans les bras d'une servante de l'auberge. Mendez l'aida à se rhabiller. Ils rentrèrent à Séville par le sentier pédestre qui longeait le Guadalquivir. Il ne pleuvait plus. Le jour allait bientôt se lever. Il ferait beau.

8

Mendez finit par obtenir de son patron Perez de Luna qu'il accorde un entretien à son ami Las Casas qui voulait mieux comprendre toute cette affaire du Serment sur Cuba.

« Nous le flatterons, disait Mendez. Il pérorera. Il nous dira tout. »

Perez de Luna commença par faire aux deux amis le long récit de ses aventures. L'écouter parler était déjà le flatter. On n'avait qu'à le laisser aller; il livrait un à un tous les secrets dont il était le dépositaire, les siens et ceux des autres, de ses clients. Il commença quand même par dire qu'il ne pouvait raconter les circonstances entourant la signature du Serment sur Cuba. Il invoqua le secret professionnel. Et le respect que malgré tout il devait toujours à « ce pauvre homme si durement éprouvé » qu'était l'amiral Christophe Colomb qui, au moment où se produisit « cet événement regrettable », n'avait « déjà plus toute sa tête à lui ».

Il parla un bon moment avec une touchante passion de son sujet préféré, c'est-à-dire de lui-même. De sa famille, « petite noblesse, mais très pure », de son père, grand capitaine de guerre qui était au siège de Baza et à la chute de Grenade, de ses brillantes études de théologie et de droit, de ses succès professionnels, de ses innombrables conquêtes amoureuses. Puis il commença à raconter ce grand et périlleux voyage qu'il fit aux Indes en qualité de premier notaire de la fameuse Grande Flotte de quatre-vingt-treize.

« Nous étions quinze cents hommes triés sur le volet. Tout le monde croyait encore à cette époque-là que les Indes étaient la terre promise où coulaient le lait, le miel et l'or. L'amiral Colomb était alors au faîte de sa gloire. Après son triomphal retour de mars 1493, tous les hidalgos d'Espagne désireux de faire fortune et de conquérir la gloire ne pensaient qu'à s'embarquer avec lui pour ces pays lointains. J'étais robuste, instruit, on me savait brave et ingénieux, je fus tout de suite appelé. »

Il fallut une bonne heure avant d'en arriver au récit du Serment sur Cuba. Mais Mendez savait que ça en valait amplement la peine. Maître Perez de Luna n'était pas peu infatué de sa personne physique et morale, mais c'était malgré tout un hidalgo intelligent et cultivé qui avait sur l'homme Colomb, dont il fut un observateur attentif et privilégié, une théorie passionnante.

Voyant le bel intérêt que Las Casas et Mendez portaient à son récit, il leur narra (« Ai-je besoin de réentendre tout cela ? » pensait Mendez) la longue traversée qui, comme tout le monde savait, avait été « tout à fait sans histoire ». Dix-sept voiles blanches sur une mer silencieuse et lisse, sous un bon vent ferme et doux.

Las Casas était néanmoins fasciné. À bord de trois des vaisseaux de cette grande flotte, véritables ménageries flottantes, se trouvaient les animaux de ce qui allait devenir la première ferme du Nouveau Monde, à Isabela, au nord de l'Hispaniola que les Sauvages là-bas appelaient encore Haïti.

« Chaque matin de cette traversée, je me souviens, c'était toujours une surprise et un ravissement que d'entendre chanter les coqs au beau milieu de la mer Océane et beugler les bœufs et hennir les chevaux qu'on avait embarqués. Quand nos arches de Noé se trouvaient dans le vent, on humait de bonnes odeurs de ferme.

» Je me souviens de la tête des Indiens quand nous avons débarqué les chevaux et les porcs, des animaux qu'ils n'avaient jamais vus et qui les ont terrorisés. Je ne sais plus qui a dit à ce moment-là, je crois que c'est Diego le jeune frère de l'Amiral: "Quand nous sommes partis pour les premiers voyages de découvertes, nous nous attendions à trouver partout des animaux fabuleux et des monstres qui nous étonneraient ou nous effraieraient. C'est tout le contraire qui se produit. Nos animaux domestiques les plus familiers sèment l'effroi chez les peuples des îles que nous découvrons. C'est chez nous que se trouvent les monstres que nous craignions. Nous les avions apprivoisés."

» Parlant de bête sauvage, laissez-moi vous raconter la belle aventure qu'a vécue Michel de Cueno dans l'une de ces îles. Michel était un riche hidalgo à ce point désireux de connaître les Indes qu'il avait payé, fort cher, paraît-il, pour faire avec nous ce voyage, car il n'était ni clerc, ni marin, ni soldat. Il n'avait à bord aucune fonction particulière. Il aidait cependant avec plaisir à la manœuvre. Il tenait un journal de mer fort amusant dans lequel il parlait de chacun de nous en termes toujours très ironiques. Il nous avait donné à tous des noms d'animaux, le Bouc, la Puce, la Mule, l'Ours ou le Lapin. Et le matin, après la prière, il nous lisait les petites fables qu'il avait construites pendant la nuit et dans lesquelles nous nous retrouvions...

– Quel animal était l'Amiral? demanda Las Casas.

– L'Amiral porte déjà un nom d'oiseau, comme vous savez sans doute. De Cueno l'appelait donc la Colombe, la Paloma ou le Pigeon voyageur. Mais très souvent, l'Amiral était absent de ces récits ou il n'y jouait qu'un rôle symbolique. De Cueno avait beaucoup de respect et d'amitié pour lui. Et je pense qu'il n'osait pas le tourner en ridicule comme il faisait avec tous les autres.

– Et vous, Perez de Luna?

– Moi, quoi?

– Quel animal étiez-vous dans les fables de Michel de Cueno?»

Le notaire, qui aurait pourtant dû voir venir la question, sembla tout à fait interloqué. Il rougit, sourit, regarda tour à tour Mendez et Las Casas, et répondit en bafouillant:

«Ah! moi, vous savez, j'ai toujours été soigneux, élégant, n'est-ce pas, vous voyez, même à bord, j'avais, comment dire, j'avais le souci d'être bien vêtu et proprement et Michel de Cueno pour se moquer, gentiment, bien amicalement, cela va de soi, m'avait représenté ni plus ni moins que comme un paon.

– Ni plus ni moins que comme un paon ! s'écria Mendez, feignant la plus grande surprise. Quelle drôle d'idée ! »

Perez de Luna voyait bien que son jeune associé se moquait de lui. Et que Las Casas, le sévère et sérieux Las Casas, était en train de s'étrangler. Il choisit de rire lui aussi. Et quand ils eurent bien ri tous les trois, que la vieille Consuelo, elle-même le rire aux lèvres, eut rempli leurs verres de blanc frais, le notaire put reprendre son récit.

« Cueno avait une voix magnifique, d'une souplesse et d'une agilité extraordinaires. Il avait apporté pour s'accompagner une jolie petite guitare comme en ont les femmes des Maures, mais à cause de l'humidité constante qui règne sous ces latitudes où nous étions, elle était totalement hors d'usage longtemps même avant que nous n'arrivions aux îles. Alors, Michel chantait seul, ce qui à mon avis était tout aussi beau. Des chansons en piémontais ou en toscan ou en je ne sais quel dialecte du nord de l'Italie, car il était comme l'Amiral originaire de la région de Gênes.

» Toujours est-il que ce brave Michel avait trouvé, lors d'une incursion en forêt sur l'une des premières îles où nous fîmes relâche, une très jolie jeune fille qu'il avait ramenée à bord, afin de prendre son plaisir avec elle. Mais la belle enfant ne l'entendait pas ainsi. Dès qu'il eut refermé derrière lui la porte de la cabine, elle s'est mise à le frapper de toutes ses forces et à hurler, mais à hurler si fort que tous les gars sur toutes les caravelles de la flotte, certaines se trouvant à plus d'un mille sous le vent, pouvaient l'entendre et qu'ils sont restés bouches bées, tous immobiles, les yeux rivés sur la cabine de la *Lechuza* d'où émanaient ces formidables cris. C'était effrayant. Et c'était magnifique. Des cris de sorcière, de fée, plus puissants, plus stridents que ceux de l'hirondelle de mer ou que le grand perroquet des Indes. Nous crûmes un moment que la vie de Cueno était en danger. Certains d'entre nous lui offrirent de l'aide. Il refusa. Il restait enfermé dans la cabine avec cette furie. Et nous étions tous là à attendre. Même l'Amiral ne savait que faire. Or une chose extraordinaire était en train de se produire.

» Jamais nous ne saurons ce qui s'est passé dans la cabine de la *Lechuza*. Mais au bout d'un moment, les cris cessèrent, ou plutôt ils se changèrent peu à peu en feulements, en hululements, en roucoulements, en soupirs qui nous troublèrent tous infiniment. Puis il y eut un long silence au bout duquel montèrent de la cabine deux voix étroitement emmêlées. Cueno et la petite Indienne chantaient. Cueno était en train de lui montrer un air de son pays.

» Quand il est sorti de la cabine, il était radieux, griffé, balafré, la lèvre et l'œil tuméfiés, mais il était radieux. Radieux parce qu'il avait trouvé son plaisir avec la petite, mais surtout à cause de cette voix formidable qu'elle avait et à laquelle il pouvait si gentiment accoupler la sienne.

» La petite est restée avec nous pendant plusieurs semaines. Michel lui enseigna une foule de chants. C'était un véritable enchantement que de les entendre. Elle avait une voix qui pouvait être grave par moments, puis très aiguë. Pendant des jours, ils ont chanté. Puis elle s'est enfuie, quelque temps plus tard, une nuit que nous étions à l'ancre. Le pauvre Michel de Cueno pleurait. »

Il y eut ensuite la rencontre de féroces cannibales dans cette île par ailleurs charmante que l'Amiral avait nommé Guadeloupe et «où l'un des nôtres fut tué dans une embuscade ». Il y eut aussi la découverte du massacre de La Navidad, l'établissement à Isabela « dont je fus nommé premier notaire public officiel », les premières guerres ouvertes avec les Indiens, les maladies mortelles, les mutineries... Patience ! Mendez savait qu'au fur et à mesure que progressait son récit, maître de Luna oublierait sa petite personne. Et qu'ils auraient droit à cette incroyable histoire du Serment sur Cuba et du fantastique voyage d'exploration qui l'avait précédé.

« À la mi-avril 1494, commença finalement le notaire de Luna, l'Amiral décida d'abandonner la jeune colonie, bien qu'elle fût dans le plus affreux marasme, sous la responsabilité de son frère Diego qui allait une fois de plus faire la preuve qu'il pouvait empirer le pire. Trois petites caravelles furent armées, la *San Juan*, la *Cardera* et la fidèle et vaillante *Niña* dont l'Amiral, comme vous le savez sans doute, était copropriétaire et qu'il a toujours considérée comme la plus agile nef qui soit.

» Quelques jours avant le départ, il réunit ses hommes de confiance et nous fit part de son projet. Lors de son premier voyage, il avait touché la côte septentrionale de Cuba et l'avait longée en direction du Levant jusqu'à son extrémité où il y a deux bosses remarquables qu'il avait nommées l'Alpha et l'Omega, pour bien marquer, disait-il, qu'il se trouvait, en ce point du monde, à la fin de l'Occident et au commencement de l'Orient. Il voulait maintenant longer la côte méridionale de cette péninsule de Cuba, afin de s'assurer qu'elle était bien rattachée à la terre ferme. Il ferait ainsi la preuve qu'il avait réellement touché les Indes et non pas une île comme prétendaient plusieurs de ses amis, le cartographe Juan de la Cosa, Michel de Cueno, moi-même et beaucoup d'autres, tous gens fort éclairés.

» Nous partîmes d'Isabela sous la pluie battante. Pas de joie dans ce départ. Nous étions tous fatigués et inquiets. Tout avait mal tourné à Isabela. Seul le docteur Chanca, qui est un véritable homme de science, semblait au comble du bonheur. Chaque jour, il découvrait en effet de nouvelles maladies, des infections et des virus jamais observés qui lui posaient des défis qu'il trouvait exaltants. Il prenait des notes, auscultait, tâtait, confessait longuement ses malades, expérimentait sur eux des médications dont lui avaient parlé les Indiens, fumigations, infusions, perfusions. Il disait que rien n'est plus stimulant pour un homme de l'Art que les situations désespérées. «Le désespoir, c'est la liberté», voilà ce qu'il disait. Plus de la moitié des hommes étaient gravement atteints des fièvres quartes. Tous étaient mal vêtus, mal nourris, mal armés, mal traités aussi. Cela, l'Amiral ne l'avouera jamais. Mais allez voir le père Buil, parlez à Hojeda, à Margarit, à Roldan, si jamais vous allez là-bas... Vous comprendrez pourquoi tout a si mal tourné aux Indes.

» Si l'amiral Colomb avait eu plus de respect pour les gentilshommes castillans qui l'accompagnaient, la nouvelle colonie aurait sans doute pu se développer dans l'harmonie, malgré les terribles maladies, la pluie, les insectes, les Indiens. Mais l'Amiral connaissait mal l'âme espagnole. Il a heurté violemment des susceptibilités profondes en forçant les hidalgos à accomplir des tâches grossières et peu valorisantes. Il a eu tort. On ne demande pas à un hidalgo de tailler des pierres ou de nourrir les bêtes. En qualité de premier notaire de la flotte, j'étais exempté de ces travaux, mais j'ai vu des jeunes hommes fort bien nés forcés d'exécuter, sous peine d'emprisonnement, des travaux d'excavation, de maçonnerie, de jardinage... Ce fut perçu comme un grave attentat contre la haute société espagnole et ses valeurs fondamentales. L'amiral Colomb a semé la discorde au sein de la colonie. Les hidalgos avaient le droit sinon le devoir de se révolter contre son autorité...

» Quelques semaines avant notre départ d'Isabela, le capitaine de Torres était rentré en Espagne à la tête de 12 des 17 caravelles de la Grande Flotte. Il était porteur d'un mémorandum dans lequel l'Amiral demandait aux Rois catholiques de la droguerie et des médicaments pour les malades, des chaussures, des chemises et des armes, 200 cuirasses, des espingards et des arbalètes, des approvisionnements, dont 50 pipes de mélasse de l'île de Madère, qu'il considérait comme le meilleur aliment du monde, et le plus sain qui soit.

» Je me souviens de tout cela très bien, parce que c'est moi qui en qualité de premier notaire de la Grande Flotte des Indes fut chargé de rédiger ce mémoire. L'Amiral demandait aussi des orpailleurs, des mineurs, des maçons, des jardiniers, des hommes frais pour achever de bâtir la ville et de construire des routes, une jetée, un canal de dérivation. Il tint à ce qu'on mentionne que d'importantes découvertes d'épices et d'or avaient été faites par ses lieutenants Hojeda et Gorvalan qu'il avait envoyés à l'intérieur des terres en Hispaniola, dans une contrée que l'Amiral associait à Cipango, cette grande île à l'est de la Chine dont parlait Polo.

» Il me semblait qu'il exagérait beaucoup l'importance de ces découvertes, de même que l'amabilité et la serviabilité des Indiens, la clémence du climat, la fertilité des sols... La réalité selon moi était tout autre. Mais je suis notaire. Je dois noter ce que pensent et ce que disent les hommes, même lorsqu'ils sont dans l'erreur. Je dois donner à leur perception de la réalité et à leurs volontés un caractère officiel et authentique. Par moments, il me semblait cependant que je notais des rêves, des chimères... Je ne suis pas loin de croire que la plupart des actes faits à cette époque sous seing notarié, actes dont on peut aujourd'hui trouver copies à la Maison des Indes, reflètent une idée des Indes que se faisait l'Amiral beaucoup plus que la réalité. Mais il ne m'appartenait pas de juger ou d'évaluer sa perception des choses. J'étais notaire. Et je notais.

» Confiant que Torres s'acquitterait de sa mission et qu'il ne tarderait pas à venir au secours de la colonie avec des médicaments et des vivres, l'Amiral avait donc décidé d'aller explorer. Vous savez comment est cet homme. Chaque fois que ça tourne mal, il part, il prend la mer... Il laissait derrière lui un fiasco, je vous l'ai dit, un désastre épouvantable. Mais pas une fois à ma connaissance au cours des six mois que dura ce voyage d'exploration, il ne s'inquiéta de savoir ce qui se passait dans la petite colonie d'Isabela. Il était en mer comme en rêve, c'est-à-dire qu'il ne se souciait plus de la réalité, qu'il ne la connaissait plus.

» Le vent, quoique considérablement alourdi par la pluie, nous fut favorable. Puis le soleil parut brusquement et la température devint fort clémente dès que nous eûmes perdu de vue Isabela. Pendant quelques heures, nous oubliâmes les râlements et la puanteur des malades du bon docteur Chanca. Longeant la côte septentrionale de l'Hispaniola en direction du Couchant, nous pûmes admirer l'un des plus beaux paysages qui soit au monde, des plages très profondes, toutes blanches, et au loin derrière elles, de hautes montagnes que les pluies avaient rendues très vertes. L'Amiral reconnaissait chaque baie, chaque cap de cette côte. Il les avait lui-même nommés lors de son premier voyage. Sozua, Puerto Plata, Monte Cristi.

» Trois ou quatre jours plus tard cependant, nous retombions dans l'horreur en retrouvant sur la côte les sinistres décombres de Puerto Navidad où, quelques mois plus tôt, nous avions découvert les restes calcinés du fortin dans lequel, lors de son premier voyage, l'Amiral avait dû abandonner 39 de ses hommes, à la suite du naufrage de la *Santa Maria* qu'il commandait. Quelques heures plus tard, nous tirâmes au large afin d'éviter les écueils sur lesquels dans la nuit de la naissance de Notre Seigneur Jésus, quelques semaines après la grande Découverte, s'était lamentablement échouée le navire-amiral.

» "Ce nouveau monde a un an à peine, me disait alors Michel de Cueno, mais déjà son histoire est chargée de drames effroyables. Il y a beaucoup trop de morts."

» Nous avons calculé, lui et moi: 40 des 90 hommes du premier voyage étaient morts: les 39 restés à la Navidad et Martin Alonzo Pinzón, le capitaine de la *Pinta*, qui a rendu l'âme quelques jours après le grand retour de mars quatre-vingt-treize, terrassé par ce mal étrange qui se répand de nos jours en Europe et qu'il aurait contracté, chuchotent les mauvaises langues, lors du commerce trivial qu'il entretint tout au long de ce voyage avec des petites Indiennes... Et des quelque quinze cents hommes embarqués sur la Grande Flotte, en septembre 1493, plusieurs centaines selon nous, la moitié peut-être, ne reverraient fort probablement jamais l'Europe.

» Un soir, nous relâchâmes au môle Saint-Nicolas, dans une grande baie bien protégée, à la pointe occidentale de cette grande île, l'Hispaniola. L'Amiral, qui avait encore de bons yeux à cette époque, nous indiqua dans le couchant les deux bosses de l'Alpha et de l'Omega à la proue de la terre de Cuba. Il faisait ce soir-là un temps magnifique. Je me souviens, Michel de Cueno nous a chanté de jolies chansons de son pays. Le lendemain, nous touchâmes Cuba dont nous longeâmes les jours suivants la côte méridionale jusqu'à un imposant promontoire au haut duquel l'amiral fit planter une croix et qu'il nomma Cabo de la Cruz.

» Des Indiens nous avaient parlé d'une grande île qui se trouvait plus au sud et qu'ils nommaient Janaïque ou

111

Jameque ou Jamaïque. L'Amiral crut qu'il s'agissait de la Babeque dont on lui avait dit lors son premier voyage qu'elle était très riche en or et en pierres précieuses. L'Amiral était et est toujours incapable d'entendre un nom de lieu sans chercher à l'associer à l'un ou l'autre de ceux que cite Polo dans son *Devisement du Monde*. Nous fîmes donc route vers cette île que nous atteignîmes au soir du 5 mai, comme tombait le vent très violent qui pendant deux jours nous avait gentiment malmenés.

» Jamais je n'oublierai la puissante et troublante beauté de cette île émergeant de la mer que rosissait le couchant. Jamais non plus je n'oublierai le visage radieux de l'Amiral debout à la proue du navire. Longuement, je l'observai à son insu. Il souriait. Et il m'a semblé un moment qu'il chantonnait doucement ces airs de son pays que lui avait rappelés son bon ami Michel de Cueno. Je suis certain que rien à ce moment-là ne pouvait l'atteindre, qu'il était parfaitement en paix avec le monde et avec lui-même, inaccessible et invulnérable.

» Et je fus tout à coup profondément ému par cette extraordinaire capacité d'émerveillement chez cet homme de plus de 40 ans d'âge qui avait si souvent vu des îles nouvelles émerger des mers et qui était encore totalement fasciné par ce spectacle. Il vit que je l'observais, s'approcha de moi et m'embrassa, comme si c'était à moi qu'il devait ce plaisir si grand qu'il éprouvait, et me dit qu'il nommait cette baie que nous observions Santa Gloria parce qu'il ne trouvait pas d'autres mots pour désigner cette glorieuse beauté. C'était en effet magnifique, d'étroites plages portant de hautes montagnes verdoyantes sur lesquelles à la tombée du jour nous vîmes çà et là scintiller d'innombrables feux. Et tout au long de la nuit, il y eut des lumières errantes dans la montagne…

» Au lever du jour, nous vîmes au fond de la baie où nous voulions entrer un grand nombre de canots, 60, peut-être 70, de très grands canots montés d'Indiens qui nous manifestèrent par signes et à grands cris beaucoup d'hostilité.

» Ces embarcations étaient les plus belles que nous ayons vues aux Indes, certaines longues de plus de 90 pieds, toutes richement décorées de couleurs vives de la proue à la poupe, les flancs finement gravés de figures et de signes... L'Amiral fit tonner la bombarde chargée à blanc, ce qui refroidit considérablement les Indiens. Et il leur envoya Diego Colón, le Taïno qu'il avait ramené de son premier voyage et fait baptiser à son nom en Castille. Celui-ci prit langue avec ces guerriers et réussit à les mettre en confiance. Un canot s'approcha du navire-amiral et on remit à ses occupants de vieux vêtements et de la pacotille.

» Le lendemain, nous fîmes voile vers l'ouest et relâchâmes dans une autre baie très large et profonde, tout aussi belle, que l'Amiral nomma Puerto Bueno. Là aussi, nous vîmes beaucoup d'Indiens. Ils portaient des sortes de chapeaux faits de plumes d'oiseaux et des corselets de feuilles de palmier. Lorsque l'indien Diego Colón tenta de s'approcher d'eux comme il avait fait avec ceux de Santa Gloria, ils lui lancèrent des pierres, de sorte qu'il dut rebrousser chemin. Mais nous devions faire de l'eau et du bois et nous avions des travaux de calfatage à effectuer. L'Amiral envoya donc des arbalétriers à terre afin qu'ils pacifient les Indiens. Ils en tuèrent un bon nombre. Et on lâcha sur les autres le gros Niño, un molosse sanguinaire, qui en mordit cruellement plusieurs et sema parmi eux encore plus d'effroi que nos bombardes et nos arbalètes.

» Le lendemain matin, une délégation de six Indiens chargés d'offrandes propitiatoires vint vers nous. Ils nous apportaient de fades galettes d'une pâte ligneuse qu'ils appellent yucca, des fruits trop mûrs, quelques poissons plus très frais. Mais l'Amiral accepta tout cela de bonne grâce, comprenant que les Indiens n'avaient pas eu depuis la veille beaucoup de temps pour la pêche et la cueillette. Mais il était profondément déçu. Il n'y avait visiblement pas d'or dans cette île. Nous restâmes trois jours à Puerto Bueno, le temps de calfater la *Cardera* qui faisait eau et, le 9 mai, nous étions en vue d'une autre baie magnifique, El Golfo de Buen Tiempo, où nous passâmes, si ma mémoire est bonne, quatre ou cinq jours.

» Un Indien qui habitait l'un des villages de cette baie venait tous les jours à la nage jusqu'à nos navires. Nous le laissions monter à bord. Il s'appelait Banaboa et il était d'une insatiable curiosité. Par le truchement de notre interprète, Diego Colón, l'esclave personnel de l'Amiral, il nous posa mille questions sur le maniement des voiles, des arbalètes et des bombardes, sur l'usage que nous faisions de tel outil, sur ce que nous mangions, etc. Nous dûmes lui faire visiter les cales, le faire grimper jusqu'en haut des mâts. Le jour de notre départ, il refusa de débarquer et courut se cacher à fond de cale. L'Amiral, qui avec raison croyait que cet Indien pouvait nous être précieux dans la suite de notre voyage, décida de le garder parmi nous.

» Les hommes avaient levé l'ancre et se préparaient à hisser les voiles, lorsqu'un petit canot se détacha de la rive et vint droit vers le navire-amiral avec une femme à son bord et des enfants en bas âge. Tous étaient en larmes et semblaient désespérés. Nous comprîmes qu'ils demandaient à Banaboa de ne pas partir. Celui-ci resta silencieux, mais ne cessa de regarder sa femme et ses enfants tout le temps que dura la manœuvre de départ. Le navire prit le vent et s'éloigna. La femme criait toujours et pleurait et pendant près d'une heure, jusqu'à ce que disparût le canot de notre vue, elle continua de pagayer dans notre direction. Michel de Cueno qui, comme beaucoup d'Italiens, est aussi sensible qu'une femme, pleurait à chaudes larmes. L'Indien était songeur et fut long à retrouver sa bonne humeur…

» Le lendemain midi, Michel de Cueno, qui avait les meilleurs yeux qui soient, aperçut, droit devant, la crête du Cabo de la Cruz où nous avions relâché quelques jours plus tôt. Avant le coucher du soleil, nous distinguions parfaitement la grande croix que nous y avions plantée. L'Amiral rentrait déçu de cette excursion en Jamaïque. Mais sur la côte cubaine, à quelques lieues du Cabo de la Cruz, une fort agréable surprise l'attendait.

» Nous longions la côte qui à partir de ce point monte brusquement vers le nord-est, formant l'immense golfe de Guacanayabo, avant de reprendre sa course vers le Cou-chant, où nous avions l'intention de la suivre, lorsque des Indiens nous firent de grands signes de la main et vinrent à nous, vieillards, femmes, enfants, tout un village à la nage. Amusé, l'Amiral fit mettre en panne. Ce que nous entendîmes alors nous bouleversa.

» Tous ces gens criaient en nageant: "Almirante ! almirante ! " Un matelot se tourna vers Diego Colón et lui demanda ce que voulait dire "almirante" en taïno. Celui-ci, qui semblait tout aussi étonné que nous, répondit que ça voulait dire "almirante", comme en castillan. Nous étions tous plantés là, bouches bées d'étonnement, à regarder ces Indiens qui nageaient tout autour de nos caravelles dont ils frappaient les flancs en riant ou en pleurant de joie.

» Une femme soudain se mit à crier "Almirante Colón ! Colón ! Almirante Colón". Et tous en chœur reprirent "Colón ! Colón ! Colón ! " de plus en plus fort, riant et criant de toutes leurs forces "Almirante Colón ! Colón ! Colón ! " C'était si étonnant, si poignant, que nous nous mîmes tous, entraînés par une force irrésistible, à hurler et à scander nous aussi le nom de l'Amiral, jusqu'à en couvrir la mer et la montagne, jusqu'à en remplir le ciel.

» Colomb était debout sur le château de poupe, immobile, d'abord frappé de stupeur. Puis il cria soudain très fort lui aussi "Almirante Cristóbal Colón, Virrey, Gobernador" et il leva très haut les mains pendant que montait vers lui l'immense clameur des Chrétiens et des Indiens.

» C'était fou et terrible. Bouleversant. On aurait dit un sacre.

» Plus tard, nous nous rendîmes au village de ces Indiens. Et grâce à Diego Colón et à Banaboa, nous finîmes par comprendre qu'ils avaient entendu parler des Chrétiens et de l'Almirante Colón par des Indiens de la côte septentrionale de Cuba que Colomb avait touchée un an et demi plus tôt, lors de son premier voyage de découverte. Ils nous firent une grande fête. Nous donnèrent le peu d'or qu'ils possédaient que nous acceptâmes avec plaisir. Nous offrirent des jeunes filles que nous dûmes refuser, l'Amiral ayant formellement interdit tout commerce de ce genre.

» Ce soir-là, quand fut venu le temps de rentrer à bord, on ne put trouver Banaboa. Il avait disparu. On ne le revit jamais.

» Nous poursuivîmes le lendemain notre route vers l'ouest et entrâmes bientôt dans un inextricable labyrinthe d'îles. Un mois de navigation et d'exploration sur une mer effroyablement compliquée, percée d'innombrables récifs, parcourue de capricieux courants et d'un bout à l'autre couverte de vents sans cesse changeants. Les hommes étaient toujours à la manœuvre. Cent fois par jour, il fallait larguer les voiles, amener les voiles, sonder, ramer, pomper. Souvent, il fallait sauter à l'eau pour hâler ou pousser les caravelles qui s'étaient enlisées sur les hauts-fonds ou menaçaient de se briser contre les récifs et les bancs de coraux.

» Parfois, la mer était blanche et opaque comme du lait, c'était *La Mar Blanca*. Puis elle redevenait si limpide qu'on voyait tout ce qui se passait au fond avec une sidérante netteté; on voyait les oursins, les conques, les étoiles de mer, les coraux, des myriades de poissons roses, bleus, jaunes, noirs… C'était *Le Jardin de la Reine*, toujours au sud de cette interminable péninsule de Cuba. C'était magnifique. Des milliers d'îles en fleurs, de grands oiseaux roses emmanchés d'un long cou et montés sur de fines échasses, d'autres tout blancs qui volaient la nuit d'un vol lourd et lent, très bas, silencieux. Je me souviens d'une nuit de pleine lune… Mais tout ça manquait furieusement d'eau douce. Et d'ombre aussi. Et après trois mois, tant de beauté avait fini par nous lasser. Plusieurs d'entre nous ne pensaient qu'à rentrer à Isabela.

» Un jour, au cours d'une incursion de reconnaissance à l'intérieur des terres, des marins crurent apercevoir des hommes vêtus de longues robes blanches, comme en portent les prêtres. Ils tentèrent en vain de s'en approcher. Mais les inconnus disparurent sous le couvert de la forêt, très dense à cet endroit.

» L'Amiral, lorsqu'on lui fit le récit de cette rencontre, fut tout de suite persuadé qu'il s'agissait du prêtre Jean. Je ne sais quel crédit vous accordez à cette histoire qui semble selon moi tenir beaucoup de la légende et de la fiction poétique. Ce prêtre Jean, dont le vénitien Marco Polo aurait vaguement entendu parler lors de ses voyages en Chine, il y a plus de 200 ans, régnerait sur un royaume chrétien, quelque part au-delà de l'Arménie et de la Perse. Mais le voyageur portugais Covilham, certainement l'Européen qui de nos jours connaît le mieux l'Asie, prétend que ce royaume se trouve beaucoup plus près de notre vieille Europe, en Abyssinie, derrière l'Égypte des Pharaons.

» Quoi qu'il en soit, l'Amiral fut extrêmement excité par le récit de ses hommes. Le lendemain et les jours suivants, il les renvoya à la recherche de son prêtre Jean. Ils ne virent personne. Mais auraient-ils trouvé et ramené ce prêtre Jean lui-même que l'Amiral n'aurait pas été plus persuadé qu'il se trouvait chez lui. Il croyait tenir hors de tout doute une preuve supplémentaire que nous nous trouvions bel et bien sur le continent asiatique.

» Il ne cessait de parler du Grand Khan dont le pays fabuleux se trouvait selon lui juste à côté, là, tout près de nous. "Nous brûlons. Je sens que nous brûlons comme nous n'avons jamais brûlé", répétait-il.

» De Cueno un soir me parla de ses inquiétudes. Comme moi et comme plusieurs autres gentilshommes de l'expédition, il avait remarqué que l'Amiral était de plus en plus incohérent et erratique dans ses propos. Il commençait à vous parler, puis il se taisait soudainement. Il passait sans cesse d'un état de prostration et d'abattement extrême à de grandes envolées lyriques terriblement exaltées, ses mains tremblaient, il donnait aux hommes des ordres contradictoires, tantôt il les embrassait affectueusement et les félicitait pour ils ne savaient trop quoi, tantôt sans autre raison il les engueulait durement, plus jamais il ne dormait.

» Un jour, il nous réunit et nous annonça qu'il avait décidé de conclure que Cuba était non pas une île, comme croyait toujours la Cosa, mais une longue péninsule appartenant à l'Asie. Nous avions longé cette côte sur plus de 750 milles et nous la voyions maintenant s'incurver de nouveau vers le midi, ce qui confirmait l'Amiral dans son idée qu'il s'agissait bien de la terre ferme. Et afin qu'il n'y eut plus de doute, il nous fit débarquer tous et m'ordonna à moi, Fernando Perez de Luna, notaire de la ville d'Isabela, d'enregistrer les serments de tous les membres d'équipage et des passagers qui solennellement, même Juan de la Cosa et Michel de Cueno, Diego Tristan, Francisco Roldan, durent jurer devant Dieu que cette terre était bien la terre ferme. C'était en juin 1494, le 12 plus précisément, vers l'heure du midi. Une journée de gros soleil, de grand vent et, si vous voulez mon avis, de pure démence…

« Je n'ai jamais tout à fait compris ce qui se passait dans la tête de l'Amiral lorsqu'il me demanda d'enregistrer cet acte étrange, poursuivit le notaire de Luna. Je sais seulement que pour lui il n'y avait plus besoin dès lors de poursuivre l'exploration de cette côte. On savait désormais hors de tout doute, puisque c'était écrit noir sur blanc, que Cuba appartenait à la terre ferme. Ce n'était donc pas une île. Et il ne saurait plus jamais être question que c'en fût une.

» Je découvris ce jour-là quel étrange homme était l'amiral Colomb. Le geste qu'il posait était profondément barbare et rétrograde. Mais en même temps, c'était un acte de foi très profonde dans le pouvoir de l'écrit et certainement l'une des plus audacieuses tentatives qui aient jamais été faites pour changer le monde et la vie.

» Cet homme considérait d'une certaine façon qu'il pouvait déterminer la réalité par un acte notarié, qu'en rendant officiels certains faits il leur donnait réalité, qu'il agissait sur la création même, directement; qu'écrire, c'était créer vraiment. Et que par ce document que nous signâmes, Cuba se trouvait rattachée à la terre ferme d'Asie.

» Je savais assez de théologie pour comprendre qu'il jouait là un jeu dangereux. J'étais terriblement inquiet. Au bout de sa folie, l'amiral Colomb posait un geste d'un orgueil démesuré, il se prenait pour l'égal de Dieu. Par ces mots que j'écrivis sous sa dictée, il allait contre l'ordre divin. Et cela, Dieu, unique Créateur, seule source de vie, ne pouvait certainement pas l'accepter. C'est la peur au ventre que je rédigeai ce document. Et les hommes le signèrent tous dans un silence de fin du monde.

» Tenez. Voici ce document.

– Je croyais qu'il avait été perdu, dit Las Casas.

– Il le sera très bientôt, répondit le notaire. »

Mendez prit les feuillets manuscrits des mains du notaire. Ils portaient les noms des quelque 60 membres d'équipage, pilotes, clercs, cartographes, simples mousses, qui avaient affirmé sous la foi du serment qu'ils se trouvaient bel et bien sur le continent asiatique et qu'ils croyaient qu'on pouvait y venir à pied sec, depuis l'Espagne. Et ils juraient tous qu'ils se trouvaient sur la terre ferme...

« à peine de dix mille maravédis pour quiconque dirait par la suite le contraire de ce qu'à présent il dit, et à chaque fois en quelque sorte que ce fût; à peine aussi d'avoir la langue coupée, et, pour les mousses ou gens de cette sorte, qu'en pareil cas leur soit donné cent coups de garcette et qu'on leur coupe la langue ».

La plupart avaient marqué d'une croix leur nom qu'avait tracé maître de Luna de son élégante écriture. Mais on voyait clairement la signature de Michel de Cueno, de Bartolomé Fieschi et de beaucoup d'autres, parmi lesquels Juan de la Cosa, celui-là même qui aujourd'hui dessinait et publiait à Séville un portulan représentant Cuba comme une île. La terre ferme que prétendait avoir découverte Colomb, il la plaçait beaucoup plus à l'ouest et il ne la reliait pas au continent asiatique. À peine d'avoir la langue coupée.

9

Malgré l'éclatant soleil qui depuis près d'un mois régnait sur la Castille, malgré les avertissements et les admonestations du docteur Chanca, de son frère Bartolomé, du père Gorricio, et malgré les supplications de Fernando, l'Amiral se rendit seul à Cadix. Qu'y faire, à part s'y briser le cœur ? Il n'aurait su le dire vraiment. Mais il ne pouvait pas ne pas y aller. Depuis des semaines, il se disait : « Je n'irai pas, je n'irai pas, je n'irai pas », mais il savait pertinemment que, le moment venu, il irait sans hésiter.

Le 3 février, dans le petit matin frisquet et pluvieux, il était planté sur l'immense plage de la Costa de la Luz, le cœur serré, grelottant sous sa longue pèlerine de laine noire. Pas tout à fait seul au monde cependant. Il y avait un chien, un jeune braque nerveux et musclé, qui lui tournait autour, un chien perdu, le chien de personne. Les chiens l'avaient toujours beaucoup aimé.

Il avait mal aux yeux et aux os. Comme tous les matins, depuis des années. Il marchait un peu sur l'étroite plage ; c'était pire. Il s'asseyait un moment, frottait ses yeux, étendait ses jambes ; c'était pire que pire. Il regardait les lumières pâlissantes de Cadix, de l'autre côté de la baie, tout au bout de la longue île du Lion. Il écoutait attentivement les vagues bruits et les cris que lui apportait le vent parcimonieux. Il attendait.

Cadix n'avait pas dormi de la nuit. Une ville ne dort pas beaucoup quand elle a dans son port 32 vaisseaux qui appareillent. Toute la nuit, sur les quais, il y avait eu une monumentale cohue.

Il n'avait pas beaucoup dormi lui non plus. Un homme dort mal quand tous ses rêves se sont écroulés. Il était sur la plage longtemps avant le jour. Jamais, lui qui pourtant était allé déjà à tous les bouts du monde connu et même plus loin, jusqu'en Guinée, à Thulé, au Cathay, à Cipango, jamais il ne s'était senti si loin des hommes, si lamentablement, si violemment seul. Mais pour tout l'or des Indes il n'aurait jamais voulu manquer ce départ qui le déchirait, le tuait.

Il faisait grand jour quand enfin il entendit les tambours et les trompettes et qu'apparut, majestueuse, nonchalamment enveloppée dans ses voiles lumineuses qui ondoyaient dans le faible vent, la grande flotte de Nicolas de Ovando, le nouveau gouverneur des Indes, son remplaçant, son ennemi, l'usurpateur.

C'était la plus importante flotte jamais réunie pour aller là-bas, la mieux armée, la mieux équipée, 2 500 hommes, marins, soldats, mineurs, fermiers, maçons, moines, hommes de science et de loi, quelques femmes aussi, jeunes et fortes, tout ce qu'il fallait pour faire un monde, pour réaliser son rêve à lui, sans lui.

En moins d'une heure, les premières caravelles étaient à sa hauteur. Il les regardait passer, debout dans la fine bruine de février. Il fit taire et coucher le chien. Et il réveilla cette voix fidèle tapie tout au fond de lui, là où il faisait encore nuit noire et terriblement froid, cette voix qui toujours l'accompagnait et souvent le guidait, qui savait si bien lui parler, le consoler. Il la laissa hurler.

« Maudite mer Océane, maudits flots, maudits vents, qui portez les navires de cet usurpateur. »

Sa colère aurait pu dévorer le ciel, la mer, ces élégantes caravelles qui une à une montaient dans le lit du vent pour se glisser dans les tranquilles courants de la côte. Certaines venaient si près de la rive où il se tenait qu'il pouvait entendre le sourd et doux ronron du vent se frottant contre la grande voile.

« Et toi, le vrai découvreur de ce Nouveau Monde, seul et unique révélateur du globe, toi qui as remis entre les mains des Rois catholiques les clés de la mer Océane et qui as lancé la Chrétienté dans cette extraordinaire aventure dont elle sortira grandie et transformée, tu restes à terre, la face cachée, plein de rage, de larmes, mouillé de la tête aux pieds. »

Personne, parmi les marins qui lui envoyaient la main, n'aurait pu reconnaître dans cette ombre, ce paysan, cet homme à terre là-bas sur la rive, le Grand Amiral de la mer Océane, Christophe Colomb.

« Tu n'es plus qu'une ombre dans le noir, un fantôme, voilà ce que tu es devenu. Ce jour qui se lève n'a pas besoin de toi. Le nouveau monde des Indes n'a plus besoin de Christophe Colomb. C'est toi désormais qui as besoin du Nouveau Monde pour exister, pour continuer d'être Christophe Colomb. »

Il avait cessé de pleuvoir. De lourdes brumes s'arrachaient des berges du golfe et, comme si la terre de Castille avait voulu encenser le gouverneur Ovando, enveloppaient la Grande Flotte avant de se dissiper dans le ciel andalou où paraissait enfin le glorieux soleil.

« Ici même, dans les rues de Séville et de Cordoue, en quatre-vingt-treize, on m'a porté en triomphe. C'était pendant la Semaine sainte, au retour de mon premier grand voyage. J'ai traversé toute l'Espagne pour aller rencontrer les Rois catholiques qui se trouvaient alors à Barcelone.

– Tu étais entouré du plus brillant cortège jamais vu. Tes Indiens marchaient devant toi, nus, parés d'or. Tes hommes venaient derrière, portant sur leurs épaules des perroquets géants qu'ils avaient rapportés des Indes et qui criaient si fort qu'ils couvraient le son des tambours et des trompettes et qu'on vous entendait venir de plusieurs lieues. Et sur ton passage, on jetait des fleurs et des mouchoirs de soie. Les femmes te tendaient leurs enfants pour que tu poses sur eux ton regard.

– Les femmes me regardaient. Elles voulaient me toucher elles aussi, me parler. J'étais monté sur un palefroi blanc. C'était étincelant, c'était du jamais vu, de l'inoubliable. De partout, les gens accouraient pour nous voir passer.

– À Barcelone, les Rois t'ont fait asseoir entre eux. Et tu leur as parlé des Indes, des routes et des chemins maritimes que tu avais suivis pour t'y rendre, des vents nouveaux que tu avais découverts, et des îles et des peuples dont tu avais pris possession en leur nom…

– Devant toute la Cour, la plus puissante cour de la Chrétienté, qui m'écoutait et me regardait en silence, le Roi et la Reine m'ont embrassé. J'étais l'un des leurs. J'étais vice-roi et gouverneur des Indes, le Grand Amiral de la Mer Océane.

– Tu étais Christophe Colomb.

– Aujourd'hui, je ne sais même plus qui je suis. Et on dirait bien que plus personne à Séville ne veut le savoir.

– Aujourd'hui, tu n'es plus qu'un pauvre fantôme qui parle tout seul dans la nuit, un amiral naufragé qui regarde partir les autres. »

Et parmi ces autres qui partaient se trouvait le meilleur ami de Colomb, le capitaine Antonio de Torres. Comment lui en vouloir ? Comment ne pas lui en vouloir ? Et aussi Bartolomé de Las Casas qui s'était lassé d'attendre… Mais celui-là, l'Amiral était content qu'il parte, témoin gênant et envahissant, trop curieux, exigeant, qui l'observait de son œil froid et pesait ses moindres faits et gestes. Il était parti sans avoir rendu les journaux de bord que Fernando lui avait prêtés. Comment ce garçon, si gentil et charitable, si attentif aux autres, avait-il pu faire cela ? Fernando était allé voir chez sa mère, une belle vieille dame très digne et peinée du départ de son fils unique adoré. Dans la petite chambre de Las Casas, il n'avait rien trouvé, qu'un bel ordre studieux, des livres bien rangés, quelques images pieuses. Rien non plus aux archives de la Maison des Indes, ni chez Perez de Luna. Personne nulle part ne savait où étaient passés les journaux de bord de l'amiral Colomb.

« Je ne suis pas étonné, avait alors dit l'Amiral. Tout ce que j'ai fait disparaît avec moi. On efface ma vie. »

* * *

Le soleil était déjà haut quand l'Amiral quitta les bords de la mer et rejoignit son cheval au pied du raide talus qui bordait la route de Sanlúcar où il comptait monter à bord d'une barge vers Séville. Il n'aimait pas les chevaux, qui lui donnaient mal aux reins quand ils galopaient et l'endormaient immanquablement quand ils allaient au pas. Mais il n'avait pas le choix. C'était trop loin et il était trop vieux pour aller à pied.

Il se mit donc en selle et rabattit son capuchon sur sa tête. Et bientôt, bercé par le pas lourd et mou de sa monture, pauvre bête maigre et chétive, le Grand Amiral de la mer Océane somnolait. Sa pelisse de laine en séchant s'allégeait. La douleur dans ses os s'en allait tout doucement. Il était bien, tout enveloppé de chaleur humide et odorante, sa tête dodelinant mollement sur sa poitrine. Il faisait des rêves très tendres où il y avait des femmes et des enfants, des rires et des chansons en italien...

Quand il se réveilla, son cheval s'était arrêté en pleine lumière à quelques pas des restes d'un gros olivier passé au feu, vraisemblablement foudroyé, cassé, mort depuis très longtemps. Le chien était couché dans la poussière. Il semblait endormi. Ou mort lui aussi, peut-être. Rien nulle part ne bougeait. On aurait dit même que rien n'avait bougé depuis mille ans. Pendant un long moment, l'Amiral se demanda où il était, et depuis quand il y était, et ce qu'il faisait sur cette route blanche et déserte, monté sur ce vieux cheval immobile, avec ce lourd capuchon sur la tête qui lui cachait tout le ciel et l'horizon. Était-ce l'éternité déjà ? Était-il déjà sorti de la vie ? Changé en pierre, en statue équestre placée au bord de cette route qui semblait mener nulle part ?

« Et les passants, si jamais il y en avait, ne sauraient pas qui je suis ! Ils verraient la statue d'un cavalier endormi sur un vieux cheval, sans arme, sans bagage, sans visage !

— Tu peux remettre tout cela en branle, lui dit la Voix. Allez, zou !

— Mais je ne sais pas si j'en ai envie, murmurait l'homme de pierre. Et il est trop tard, non ? Je suis beaucoup trop vieux pour tout recommencer encore une fois. Et je suis bien ici. C'est chaud. Je me repose.

– Ce n'est pas l'heure de te reposer. Pas encore.

– Ah! Tais-toi. Écoute. Il y a des chansons en italien. »

Il dormit encore un peu. Et quand il se réveilla, mille ans plus tard, tout était encore immobile, rien n'avait bougé sur la route, pas même le soleil.

« Mais non, tu n'es pas trop vieux, disait la Voix. Et Abraham et Sarah, lorsqu'elle a enfanté, ils étaient trop vieux peut-être ? Homme de peu de foi que tu es! Allez, il n'est pas trop tard. »

Alors une joie inquiète commença à monter en lui. Il retrouvait peu à peu, tout doucement, la belle sérénité de ceux qui n'ont plus rien à perdre. Sans lever la tête, il regarda le chien, le cheval, le chemin. Il dit:

« Allez, hue! »

Et soudainement tout recommença. Le chien se leva, aboya, vint tourner autour du vieux cheval qui secoua la tête, s'ébroua et reprit sa marche. Un oiseau s'échappa des rets de ronces couvrant le tronc noirci du vieil olivier. Un nuage passa suivi d'un petit vent bas qui vint se tortiller sur la route où il souleva un fin nuage de poussière, crépitante lumière d'or…

« Allez, hue! » cria encore l'Amiral.

Et son âme dansait, dansait, dansait, comme chaque fois que sa vie recommençait.

« Ils ne m'auront pas, dit-il à sa Voix. Je sais ce qu'il me reste à faire. Tu verras. »

* * *

Le Grand Amiral de la mer Océane se préparait à poser un geste terriblement inconsidéré. Pendant qu'il remontait le Guadalquivir, simple passager sur un navire sucrier en provenance de Madère, il écrivit à l'homme le plus puissant de la Chrétienté, au pape Alexandre VI, afin qu'il intervienne en sa faveur auprès des Rois catholiques et l'appuie, contre eux, dans ses nouvelles entreprises: parachèvement des grandes Croisades et de la Reconquête, délivrance de Jésuralem, retour au Paradis terrestre, etc.

Il espérait que le Pape comprendrait qu'il y avait là de quoi les faire tous les deux immensément riches et puissants. « Je viendrai près de Votre Sainteté. Je lui apporterai mon *Livre des Prophéties*. Vous saurez tout. »

Alexandre VI était en effet, de tous les princes d'Europe, le plus en mesure de comprendre la grandeur de son projet et d'en favoriser la réalisation. Ces deux hommes, l'Amiral et le Pape, étaient faits pour s'entendre. Ils avaient beaucoup de choses en commun: une ambition dévorante, la prétention d'avoir marqué leur époque de façon déterminante et d'y avoir établi une puissante et inamovible dynastie.

Colomb, italien de naissance, était espagnol d'adoption. Alexandre VI, né Rodrigo Borgia, était espagnol de naissance et vivait en Italie. Ils avaient tous deux, Borgia et Colomb, connu leurs plus belles heures de gloire à peu près en même temps. En 1492, Christophe Colomb découvrait la route des Indes et Rodrigo Borgia devenait Alexandre VI, 212e pape depuis saint Pierre. La même année, il nommait son fils César, 16 ans, cardinal, et jetait les bases de son puissant empire italien. Colomb, lui, recevait l'assurance que son fils Diego, 14 ans, serait gouverneur et vice-roi des Indes, et il jetait les bases de son formidable empire indien. L'un s'était maintenu au pouvoir; l'autre pas.

L'année suivante, Borgia et Colomb avaient établi ensemble le nouveau partage du monde. Ce fut en effet à la lumière des instructions de l'Amiral que le Pape avait rédigé les bulles *Inter Caetera* soumettant les conquêtes futures à l'évangélisation des indigènes et délimitant, selon un méridien situé à 370 lieues à l'ouest des îles du Cap-Vert, les zones d'influences espagnole et portugaise. Colomb était alors l'un des hommes les plus écoutés, les plus recherchés de toute la Chrétienté, l'un des plus puissants, après Alexandre VI.

« Satan a dérangé tout cela, écrivait l'Amiral au Pape, en février 1502. Par sa puissance, il a mis les choses en tel état que ni l'une ni l'autre promesses que j'ai faites ne se réaliseront si Notre Seigneur n'intervient. Le gouvernement de toutes ces terres m'avait été donné à perpétuité: maintenant, dans la fureur, j'en ai été destitué. Il se voit bien clairement que c'est par la malice de l'Ennemi qu'une si sainte entreprise n'a pu venir au jour. »

Il raconta qu'il avait proposé à Ferdinand d'Aragon et à Isabelle de Castille de lever à ses frais une armée de 100 000 hommes pour aller délivrer la maison de Jérusalem. Et que ceux-ci avaient refusé de le soutenir et d'encourager une entreprise dont le but premier était de permettre à la sainte Église d'étendre son empire et d'anéantir les Infidèles, ennemis du vrai Dieu. Isabelle et Ferdinand avaient ainsi failli à leur devoir de Rois catholiques, titre que le pape Alexandre VI leur avait lui-même conféré, en 1494, après qu'ils eussent chassé d'Espagne les Maures et les Juifs. Ils avaient de plus refusé de considérer le grand projet que leur avait proposé l'Amiral dans son *Livre des Prophéties* dont ils avaient eu copie depuis déjà plusieurs mois.

Cette lettre formidablement présomptueuse était une très grave condamnation de la conduite des Rois catholiques qu'il dénonçait au Pape comme de véritables suppôts du Malin, se posant, lui, Christophe Colomb, comme l'homme de Dieu.

Le père Gorricio fut horrifié. Il tenta vainement de raisonner l'Amiral. Torquemada, le Grand Inquisiteur, était mort, mais les crimes de lèse-majesté restaient passibles de la peine capitale. L'Amiral fut inébranlable. Depuis vingt ans, il était à genoux devant les Rois catholiques. Il les flattait bassement, les suppliait, quémandait faveurs et subsides. C'était assez. Il ne pouvait plus rien attendre d'eux. Il ne leur devait plus rien.

Mais Rodrigo Borgia était très vieux et malade. Peut-être bien qu'il comprit la nature extraordinaire du projet que voulait lui proposer Colomb et que seul un homme de Dieu, un pape, avec l'autorité morale et la fortune dont il disposait, pouvait mener à bien. Mais il était trop tard. Déjà ! Alexandre VI ne répondit pas à l'Amiral. La vie est tellement courte !

* * *

À la mi-mars, l'Amiral réunit ses proches collaborateurs dans la grande salle capitulaire du monastère de Las Cuevas. Il y avait là son frère Bartolomé, le joyeux Bartolomé Fieschi, dit Flisco, qui rentrait tout replet d'un voyage à Gênes où il avait vu sa famille, et Diego Tristan et le gros Terreros. Ensemble, les cinq hommes allaient décider en quelques minutes et à l'unanimité de la composition et de la répartition des équipages.

Flisco commanderait la *Vizcaína*, la plus petite des quatre caravelles. Il aurait à son bord neuf mousses et un page, deux gentilshommes génois qui ne parlaient à peu près pas castillan, un chapelain, le père Alejandro, très gentil, rieur, très connaissant des choses de la mer, et huit matelots expérimentés, dont Pedro de Ledesma qui était du troisième voyage avec l'Amiral, un homme fort et inquiétant, secret, bien musclé, capable de nager pendant des heures, Ledesma qui était l'ami des haïssables frères Porras.

La *Bermuda*, on n'avait pas le choix, serait officiellement sous le commandement de Francisco Porras que la Maison des Indes avait nommé vérificateur général de la flotte, avec mission de surveiller les faits et gestes des frères Colomb et de faire à la Couronne un rapport détaillé de toutes les activités commerciales auxquelles ils se livreraient au cours de ce voyage. Porras était, de l'avis de Bartolomé, un crétin prétentieux et fat, qui tirait gloire et autorité du fait que ses trois sœurs couchaient avec le trésorier royal Alonso de Morales et peut-être avec le roi Ferdinand. Il prendrait à son bord son frère, Diego Porras. Et aussi, qu'il le veuille ou non, Bartolomé Colomb, qui l'aurait à l'œil et qui en fait commanderait le navire.

L'Amiral avait tenu à ce que Ledesma et les frères Porras ne voyagent pas sur le même navire. Lors de sa première expédition, il avait laissé Juan de la Cosa, pas le cartographe mais l'autre, le Galicien, prendre avec lui ses amis et ses parents. Ils avaient formé ensemble une véritable force parallèle qui, à plusieurs reprises, avait failli créer de graves désordres et compromettre l'expédition. Cette fois, pas question de donner à qui que ce soit l'occasion de fomenter un complot. Les frères Porras seraient étroitement surveillés. Afin de parer à toute velléité de révolte, l'Amiral avait bien réparti ses hommes les plus fiables, des Génois, hommes sûrs, indéfectibles, de manière à ce qu'ils assurent une espèce de police secrète au sein de la flotte.

À bord de la *Bermuda* se trouveraient 11 matelots et un maître d'équipage, six hildagos sans fonction précise, dont Diego Mendez, 12 mousses, un tonnelier, un calfat, un menuisier et un artilleur sourd comme un pot, borgne, tout petit et frisé, italien du nord, comme l'Amiral.

Pedro de Terreros, le plus expérimenté et le mieux payé (4 000 maravédis par mois, soit quatre fois le salaire d'un matelot), était capitaine de la *Gallega*. Neuf matelots, 14 mousses, quelques gentilshommes désœuvrés et fortunés, navigueraient avec lui.

L'Amiral et son fils Fernando allaient voyager à bord de la nouvelle *Santa Maria* que tout le monde appelait déjà la *Capitana* et dont Diego Tristan avait été nommé capitaine, l'Amiral considérant qu'il était trop vieux désormais et qu'il avait de trop mauvais yeux pour assumer cette fonction. À bord se trouveraient 14 matelots, 20 mousses, un tonnelier, un calfat (avec son étoupe goudronnée), un charpentier (avec ses outils), deux artilleurs (avec leur poudre et leurs boulets) et deux beaux trompettes avec leurs belles trompettes, l'une au timbre grave, l'autre au timbre aigu, qui allaient résonner magnifiquement quand enfin on aurait atteint le pays du Grand Khan et qu'on prendrait possession des terres nouvelles au nom des Rois catholiques...

En tout, avec les frères Colomb et les gentilshommes dilettantes, on était près de 140 hommes. Ce serait le plus jeune équipage qui aurait jamais traversé la mer Océane. Moyenne d'âge inférieure à 18 ans. Plusieurs des mousses n'avaient pas 15 ans, certains n'avaient pas de barbe au menton, et encore leurs voix de fillette. Ils deviendraient des hommes au cours de ce voyage.

« Ça va pleurer là-dedans, mes aïeux ! »

Mais Bartolomé Colomb était content. Il avait finalement ce qu'il cherchait, une belle petite flotte, bien équipée, quatre caravelles très légères, plus très jeunes, à part la *Capitana*, mais facilement maniables, parfaites pour l'exploration fine, le genre d'embarcation qu'il avait toujours aimé. On pourrait se frotter aux côtes, monter très haut sur les fleuves, trouver enfin le Passage à travers cette fameuse péninsule. Et entrer au Paradis...

10

Dans la nuit du 3 avril 1502, sous le commandement de l'adelantado Bartolomé Colomb, les quatre petites caravelles, lèges et presque à sec de toile, se glissent une à une dans le lit du Guadalquivir et se laissent emporter vers la mer. Un agréable petit voyage de quelques jours qui requiert une attention constante de la part des pilotes, le chenal étant peu profond, très sinueux et plus ou moins bien balisé; mais la manœuvre n'est jamais très exigeante, ni très compliquée. Quelques matelots y suffisent. Le gros de l'équipage, de même que les quelques fonctionnaires qui prennent part à l'expédition, s'embarqueront dans un mois, à Cadix, quand les hommes de métier, déjà à bord et à l'œuvre, auront fini de calfater et d'armer les navires.

L'aube est parfaite, très parfumée, avec ici et là des chants de rossignols et des sonnailles de troupeaux au loin. Bientôt, on distingue des petits villages tout blancs dans les collines. Et de minuscules paysans qui tranquillement, comme tous les jours que le bon Dieu amène, depuis des siècles et des siècles, s'en vont travailler aux champs. Ils s'arrêtent un moment. Ils regardent passer la petite escadre sur le fleuve impassible. Ils se disent entre eux qu'il faut être fou pour s'embarquer sur ces frêles vaisseaux qui dans quelques jours appareilleront pour nulle part d'où ils ne reviendront peut-être jamais. Ou en tout petits morceaux épars et innommables broyés par la mer, et jetés par elle sur des côtes inconnues ou engloutis, dévorés par d'horribles gouffres. Il faut être fou pour partir si loin, alors qu'on peut être si facilement heureux ici, bien au chaud et au sec, sur cette bonne vieille terre maternelle, généreuse et docile.

Mais tout à l'heure, reprenant le travail ingrat, chacun se prendra à rêver, à envier un peu ces hommes de la mer et du vent, ces fous libres et oisifs, qui ne font jamais que passer, qui s'arrachent sans peine aux ennuyeux labeurs de la terre et qui là-bas où ils vont, au-delà de la mer infinie, nageront dans l'or et auront des femmes à profusion et des esclaves et beaucoup de temps pour rêver, pour regarder couler la vie tout doucement. Ils découvriront des trésors et des îles. Leur vie sera changée... Ici, à terre, tout est resté si épouvantablement pareil depuis des siècles et des siècles. L'oliveraie, le champ de blé, la vigne. La bonne femme et les enfants. Les cochons, les poulets, l'âne et le chien. Le dur soleil en été, la grosse pluie en hiver. Petite vie ! Tout petit, trop petit monde ! Jamais changé. Que du domestique et du connu, du déjà vu, du toujours su ! Pourquoi suis-je resté ici tout ce temps ? Pourquoi ne partirais-je point moi aussi ? Me voilà déjà au milieu de ma vie. Vais-je jusqu'à la fin continuer à poser dans ce vide les mêmes gestes au même endroit au même moment ? Et toujours tout recommencer d'un bout à l'autre de ma pauvre petite vie, sans que jamais nulle part rien n'ait été changé ?

À bord des caravelles, les hommes de la mer et du vent ne pensent à rien. On pense peu sur un navire. Ils regardent couler la vie tout doucement. Ils regardent distraitement l'onde lasse du Guadalquivir qui chemine dans la terre silencieuse où tout semble si propre, si bien ordonné, si confortable et si simple... Ils tiennent leurs barques dans le courant mou du grand fleuve qui, à l'approche de la mer Océane, s'engage dans un réseau compliqué de fastidieux méandres et se charge de lourdes alluvions, comme s'il voulait freiner ses eaux, comme s'il ne voulait plus quitter tout de suite la chaleureuse et douillette terre andalouse.

Ah ! que partir est long ! Quelle lourdeur et quelle lenteur ! Et toute cette poignante douceur de la terre au petit matin, ces parfums, ces souvenirs qui chavirent le cœur !

À Puebla Vieja, dans l'estuaire du fleuve, il y a une longue plage profonde et ferme où il faudra mettre à sec et procéder au carénage des caravelles. Travail fastidieux, long, long ! Des jours et des jours entiers à gratter les œuvres vives des nefs échouées, à garnir un à un tous les joints, à boucher les moindres interstices des bordages et de la coque avec de la grosse filasse goudronnée à l'odeur âcre et forte. Et des jours et des jours à tout recommencer de la poupe à la proue et de la quille au plat-bord, le lourd ciseau dans une main, le lourd marteau dans l'autre, la tête vide, vide. Et gratte et frotte, pousse, frappe et recommence encore et encore…

Dans mille ans, quand tout sera fini et que les carènes seront parfaitement lisses, polies et impénétrables, on mettra les nefs à l'eau et on descendra pour de bon vers la grande mer. On passera devant Sanlúcar de Barrameda et on débouchera dans le majestueux golfe de Cadix, merveille de la mer Océane aux vagues de cristal. Et on longera, ému, la Costa de la Luz, ses longues plages à babord, le vent du large à tribord et le haut soleil d'avril partout, plein le ciel et la mer. Et la ville de Cadix apparaîtra droit devant, immensément blanche dans la lumière violente et crue, posée telle une figure de proue à la fine pointe de la longue île du Lion qui protège la grande baie des lourdes vagues de la mer.

Bartolomé prendra contact avec ses fournisseurs. Leur donnera cinq jours, pas une heure de plus, pas une minute de plus, pour livrer les fournitures et les vivres qu'il a commandés. Il faudra tout vérifier, s'apercevoir que le vin est piqué, que la farine est sale et moisie, que la viande pue, que les poules et les cabris qu'on lui a livrés sont malades et chétifs. Il retrouvera le marchand de vin, le frappera à coups de poings, à coups de pieds, le traitera de sale juif ; le marchand saignera, pleurera, dira qu'il va tout arranger, que c'est une erreur… Même jeu avec le meunier, avec le boucher, avec tout le monde. Quand on part, on ne peut se fier à personne.

Début mai, quand l'Amiral et son fils Fernando et le gros de l'équipage monteront à bord, il y aura encore plein de choses à faire. Mais on n'est pas pour attendre que tout soit prêt. On n'en finirait jamais de partir. Le 9 au matin, après avoir assisté à la messe et reçu la sainte communion, on lèvera les voiles et on foncera vers le large, vers le sud-ouest. Enfin !

Mais le vent monte du sud-ouest, très chaud, très raide. À midi, la flottille devra mettre en fuite et se réfugier à La Caleta, derrière l'île du Lion. Et attendre encore. Le 11 enfin, le vent tourne au nord. À la tombée du jour, la belle Cadix qu'enflamme superbement le couchant sombre sous l'horizon dans un sublime épanouissement. Le 11 enfin, adieu, mes aïeux ! Les quatre petites caravelles s'en vont danser sur la haute mer.

Mais non ! Mais non ! On n'est pas encore tout à fait parti. Ah ! que c'est long, partir !

* * *

À Cadix, l'Amiral avait entendu dire que la garnison portugaise d'Arzila, qui se trouve sur la côte océane du Maroc, un peu au sud de Tanger, avait été attaquée par les Maures qui l'occupaient encore. Il y a toujours des rumeurs de ce genre qui circulent dans les ports. L'Amiral d'habitude n'y croit pas. Il s'est pourtant emparé de celle-ci dès qu'il l'a vu paraître et lui a tout de suite accordé beaucoup de crédit.

Il a fait savoir que, plutôt que de cingler vers les îles Canaries, comme il en avait d'abord l'intention, puis de se lancer ensuite sur la mer Océane vers les Indes, il allait se porter au secours de ces Portugais d'Arzila qui, prétendait-il, étaient en grand péril. Il voulait de toute évidence marquer la solidarité de tous les Européens face à l'Islam et affirmer officiellement le caractère avant tout chrétien de sa mission. Et il a agi en sorte que ce geste qu'il posait à ses frais, risques et périls, soit connu des Rois catholiques, afin qu'ils sachent à quel point il était sérieux et conséquent dans son entreprise de découverte et de libération et qu'il lui soient reconnaissants de se porter au secours des loyaux sujets de leur gendre bien-aimé, le roi Manuel 1er du Portugal.

Au cours des semaines qui avaient précédé le départ, pendant que Bartolomé s'occupait de préparer la flotte, l'Amiral était sorti de la réclusion dans laquelle il s'était tenu depuis près d'un an et il avait rencontré beaucoup de gens, à Séville, Cordoue, Cadix, Sanlúcar, et à tous, ecclésiastiques, marchands, gens de mer, financiers et fonctionnaires, il avait parlé longuement de son idée de faire le tour complet du monde en naviguant toujours vers l'Ouest et de son intention de délivrer Jérusalem au passage. Ses fils pendant ce temps faisaient également état du projet de leur père auprès des pages et des précepteurs qu'ils connaissaient à la Cour, de sorte qu'il n'y eut bientôt pas une famille de la noblesse espagnole qui ne fût au courant que l'amiral Christophe Colomb avait repris le grand œuvre des Croisés et qu'il se proposait de réaliser le plus grand, le plus audacieux, le plus ambitieux projet de toute l'histoire de l'humanité, et qu'il allait lever une immense armée et anéantir les Infidèles et libérer la Maison de David et rouvrir les portes du Paradis terrestre qu'il avait découvert trois ans plus tôt, et parachever ainsi l'œuvre du Créateur, rien de moins.

Il tenait comme toujours à faire connaître ses projets afin qu'on ne puisse lui en voler l'idée et qu'on sache que ses découvertes n'étaient pas dues au hasard, mais qu'elles lui avaient été indiquées par des voix intérieures. À personne cependant, il ne disait mot de la façon dont il allait réaliser ces étonnants projets, ni des routes maritimes et terrestres qu'il allait prendre pour atteindre Jérusalem et en revenir. Ce qu'il voulait en fait, c'était créer de l'intérêt autour de son entreprise et qu'on ne l'oublie pas, qu'on ne l'oublie jamais, ni dans ce monde, ni dans l'autre.

* * *

Les Maures n'étaient plus à Arzila. Mais l'Amiral rencontra là-bas, touchantes et troublantes retrouvailles, plusieurs parents de sa défunte femme, Felipa de Perestrello e Moniz, la mère de son fils Diego. Il pleura, rit, embrassa longuement toutes ces bonnes gens qui lui rappelaient un si heureux temps de sa vie, il parla beaucoup, avec une chaleur et une bonne humeur qu'on ne lui connaissait plus, que les plus jeunes ne lui avaient jamais vues.

Depuis deux générations au moins, les Moniz et les Perestrello, auxquels il était apparenté, avaient vécu dans le sillage des grands explorateurs portugais. Ils étaient toujours parmi les premiers à s'établir sur les terres nouvellement découvertes, aux frontières de l'inconnu, loin du vieux monde, de ses habitudes, de ses cultures étriquées et surannées. Ce n'étaient pas de bons marins, ni des marchands avides et habiles, ni des chercheurs d'or, encore moins des militaires, mais d'audacieux et infatigables entrepreneurs agricoles. À Madère d'abord, puis autour de ces postes de traite et de ces comptoirs qu'avaient fondés les Portugais sur les côtes occidentales de l'Afrique et tout au long du chemin tout neuf qui par l'est menait aux Grandes Indes que venait de découvrir Vasco de Gama, ils avaient tenté diverses expériences de culture et d'élevage.

À la fin des années 1470, Christophe Colomb, nouveau marié, s'était établi à Funchal, la petite et dynamique capitale de Madère, habitée depuis plus de cinquante ans par ces colons portugais et des marchands italiens qui contrôlaient une part importante de l'industrie et du commerce européens du sucre. En attendant que l'occasion lui soit donnée de réaliser ses rêves, il avait commandé des navires sucriers livrant d'importantes cargaisons aux ports italiens et portugais. C'était facile et agréable, payant aussi. Époque heureuse et très douce, comme le sucre justement, et à laquelle il avait toujours repensé avec une troublante nostalgie. Le sucre, c'était le bon temps, sa jeunesse, l'insouciance et l'amour. C'était le bonheur, qu'on ne reconnaît jamais que longtemps après qu'il soit passé, quand il n'en reste plus rien, presque rien, qu'un souvenir qui chavire le cœur, qu'un parfum presque insaisissable, celui du sucre, des fleurs vieilles, de la mer et de l'amour en allé…

Vingt et quelques années plus tard, à Arzila, le vieil homme retrouvait certains des compagnons de cette belle époque de sa vie. Pour eux, il était devenu un grand homme, célèbre, riche et puissant, un amiral, le Grand Amiral de la mer Océane. Parce qu'il les aimait bien et qu'il aurait aimé que ce fût vrai, il leur laissait croire qu'il était heureux. Il prenait des nouvelles de la famille et des amis, de Madère, de Lisbonne.

On lui parla de Barthélemy Dias, le découvreur du cap de Bonne-Espérance et de la route des Indes, disparu deux ans plus tôt au large de l'Afrique, dans une formidable tempête où toute la flotte avait péri. Et l'Amiral a dit qu'il était triste. Mais au fond, il était content. Et en même temps, triste et déçu d'être content. Il avait été jadis terriblement jaloux de cet homme, Dias, son grand rival, qui toute sa vie comme lui avait cherché la route des Indes, jaloux de sa grandeur et de sa gloire, de ses idées, de son courage et même, mais comment expliquer cela ? jaloux de ses défaites, de ses erreurs. Et maintenant encore, qu'est-ce que c'était que cette espèce de lent remous qu'il sentait au fond de sa gorge en écoutant le récit de cette disparition ? Cette eau noire et glacée qui soudain recouvrait son âme ? Comme s'il était jaloux de la mort même de Dias !

Il avait cette déchirante impression que Dias encore une fois l'avait devancé, qu'il avait percé avant lui les plus graves secrets de l'univers, qu'il avait réalisé avant lui le plus grand, le plus terrible, le seul vrai voyage... Toute cette nuit, dans son lit, cherchant le sommeil, il pensera à lui, cet homme envié, admiré, haï.

Il revoit ce jour maudit, inoubliable, en 1485, à Lisbonne, où il avait présenté au roi Jean du Portugal la carte du monde qu'il avait dessinée avec son frère Bartolomé. Ils avaient placé l'extrémité des Indes à gauche de leur carte, au large de l'Europe, de façon à démontrer hors de tout doute qu'il était plus court de s'y rendre en traversant d'est en ouest la mer Océane qu'en contournant l'immense Afrique, comme les capitaines portugais se proposaient de faire. C'était évident. Ça sautait aux yeux. Le roi comprendrait, il abandonnerait ses projets africains, il n'hésiterait pas à financer le projet de la route de l'Ouest.

Mais le roi s'était présenté dans la salle des Archives en compagnie de ses deux plus grands capitaines, le vieux Diogo Cam et le jeune Barthélemy Dias. Il avait laissé errer un long regard rêveur sur l'œuvre des frères Colomb. Il avait effleuré du bout des doigts toute cette partie de la côte africaine que le vieux Cam avait explorée, depuis les colonnes d'Hercule jusqu'à l'embouchure du fleuve Congo, au-delà duquel on se butait alors à l'inconnu. Il avait eu un sourire amusé, très léger. Il avait balayé de la main ces régions incertaines, au bas de la carte, là où les frères Colomb avaient imaginé une infranchissable mer de glaces et représenté des monstres marins ailés crachant des vents méchants et turbulents. Puis, sans un regard aux cartographes, le roi Jean s'était tourné vers le jeune Dias et lui avait demandé s'il croyait possible d'aller par l'est rejoindre les Indes à travers cette mer de glace. Dias avait répondu qu'il en était absolument persuadé, qu'on pouvait franchir cette mer et qu'il le ferait, si on lui donnait trois vaisseaux. Le Roi et son capitaine s'étaient éloignés, bras dessus, bras dessous, sans même demander qui avait dressé cette carte. Les frères Colomb étaient restés tout seuls derrière la longue table, sur laquelle ils voyaient à l'envers le monde qu'ils avaient dessiné...

Vingt et quelques années plus tard, ce soir de mai 1502, dans son lit, à Arzila, le vieux Colomb ressent toujours cette cuisante humiliation, il sent encore monter en lui la rage impuissante qui l'avait saisi ce jour-là, et son désarroi quand, en décembre 1488, Dias était rentré du fin fond de l'inconnu, ayant fait la preuve que la mer de glace des frères Colomb était navigable et qu'une route des Indes par l'Est était possible. On s'était gaussé plus que jamais des frères Colomb et de leur projet.

Bartolomé était alors en Angleterre et Christophe en Espagne, chacun cherchant de son côté à intéresser à leur projet les princes de ces royaumes en expansion. Ils n'avaient donc pas vu les deux petites caravelles de Dias fatiguées, brisées, superbes, remonter le Tage et venir s'amarrer sous les remparts de la vieille ville. Mais pendant des semaines, à Londres et à Séville aussi bien qu'à Lisbonne, on n'avait parlé que de Barthélemy Dias et de son exploit.

Et le vieil amiral se tourne et se retourne dans son lit. Il a chaud, il a soif. Il entend le petit vent dans les feuilles sèches des grands eucalyptus. Il se raconte, pour s'endormir, ce jour heureux de sa douce vengeance sur Dias et Jean II, en mars 1493, toujours dans ces confortables eaux du port de Lisbonne. Il rentrait alors de son premier voyage aux Indes, où il venait de faire des découvertes infiniment plus importantes et plus étonnantes que toutes celles réalisées par Dias et par tous les capitaines portugais. Sa caravelle, la *Niña*, était en fort mauvais état, voiles déchirées, mats et plats-bords cassés, gouvernail arraché. Les hommes étaient épuisés, plusieurs blessés. Mais de tout cela se dégageait une force incomparable, il s'en souvient, il n'a rien oublié, c'était radieux, triomphant, magnifique. De partout, les gens de la côte accouraient, étonnés qu'un si petit navire ait échappé aux terribles tempêtes qui pendant 14 jours avaient battu les côtes de toute l'Europe.

Dans la matinée, portée par la marée, la *Niña* avait remonté le Tage jusqu'au bassin de Lisbonne, et s'était ancrée près d'un formidable bâtiment de guerre dont le commandant ne fut pas le moindrement ému par la prouesse que venait de réaliser Colomb et le piteux état dans lequel se trouvaient son équipage et son navire. Il avait envoyé un canot sous les ordres de nul autre que Barthélemy Dias, qui avait sommé Colomb de venir en personne présenter son rapport aux officiers du roi du Portugal. Colomb avait répondu qu'il était Grand Amiral de la mer Océane et par la grâce de Dieu vice-roi des Indes, qu'il n'avait de compte à rendre à personne d'autre qu'aux Rois d'Espagne, et que c'était l'habitude des amiraux de Castille de mourir plutôt que de se livrer ou de livrer des hommes à eux. Après d'âcres pourparlers, Dias avait dû céder et retourner bredouille à bord de son navire de guerre qui aurait pu, en moins de temps qu'il n'en faut pour le dire, broyer la petite *Niña* et envoyer par le fond la preuve que l'Espagne avait découvert la route des Indes. La tentation était grande. Trois coups de canon, et le Portugal redevenait maître absolu de la mer Océane et de l'Afrique et des Indes et de toutes les routes maritimes hors de la Méditerranée...

Mais la *Niña* avait soulevé un tel émoi sur la côte, depuis Cascais jusqu'à Belém, et fait accourir de si grandes foules, qu'on ne pouvait plus l'éliminer. Déjà sans doute des courriers rapides étaient partis en secret vers les frontières et, dans quelques heures, les Rois d'Espagne sauraient que leurs royaumes venaient de s'agrandir et de s'enrichir. On ne pouvait plus tuer Colomb et ses hommes. Plus tard, ce même jour, des ordres avaient été donnés pour qu'on accueille dignement le Découvreur de la route des Indes. On n'avait plus le choix. Il y avait eu une grande cérémonie avec trompettes, tambours et fifres. Deux jours plus tard, le roi du Portugal, Jean II, avait reçu Colomb et l'avait congratulé, il lui avait fait une fête à laquelle se trouvaient conviés les Grands du Portugal. Dias n'était pas là. Dias n'avait plus les faveurs du Roi. Et maintenant, Dias est mort. Le plus célèbre capitaine de la Chrétienté désormais est Vasco de Gama que Jean II a nommé Grand Amiral des Indes et dont les gens d'Arzila ont parlé avec respect et admiration. Ils ont dit qu'il avait vraiment touché les Indes et signé là-bas des accords avec les khans.

L'Amiral souriait et disait qu'il était content pour Gama, mais au fond de lui, tout était amer et triste, et tout s'effritait. Vasco de Gama n'a que 32 ans. Et il est déjà dans toute la Chrétienté un homme immense et respecté, entré vivant dans la légende, et jeune, fort, avec encore tout un avenir devant lui. Pourtant, il n'a fait que suivre le chemin presque tout tracé par Dias et tous ces explorateurs portugais qui ont entrepris d'aller aux Indes sans jamais s'éloigner des côtes, en contournant le monde, alors qu'il est infiniment plus simple de traverser la mer Océane et d'aller aux Indes directement, de joindre les deux bouts du monde par le plus court chemin, plutôt que d'en faire le tour. Mais il faut avoir la foi, il faut savoir aussi que le monde est beaucoup plus petit qu'on ne pense, que la mer Océane est étroite et qu'on peut facilement la traverser.

Il s'endort enfin, le vieil amiral. Le voilà qui marche pieds nus sur l'eau d'une mer très calme avec le soleil dans son dos. Le vent aussi est dans son dos. Il marche sans aucun effort et sans fatigue et depuis fort longtemps. Il est seul dans l'immensité de la mer parfaitement vide et calme, comme le ciel très bleu. Il marche, il marche. Et soudain, il aperçoit devant lui des traces de pas, ses propres pas qui marquent la mer et le précèdent. Il regarde derrière lui, il n'y a plus rien. Ainsi, au fur et à mesure qu'il avance dans ses pas, il en efface les empreintes. Une grosse tempête s'est levée avec beaucoup de pluie et de vent. Il continue de suivre ses pas. Les vagues que soulève la tempête se couchent devant lui et se relèvent après son passage. Il marche, il marche, sans aucun effort sur cette mer démontée. À aucun moment il ne perd la trace de ses pas… Puis il se réveille très lentement. Pendant un long moment, il se demande où il est, à quel moment de sa vie il se trouve. Il lui semble qu'il est très jeune. Puis il entend le vent dans les eucalyptus et le léger ronflement de Fernando, son fils, qui dort près de lui; il se retrouve, chez ses amis d'Arzila, sur la côte africaine, en mai 1501, en route pour les Indes. La nuit a fraîchi. L'Amiral est rassuré, détendu. Il sait qu'il aura raison, un jour.

Quand, en suivant la route de l'Ouest, il aura rencontré le Grand Khan, l'entreprise de Gama sera tournée en dérision par toute la Chrétienté. Pourquoi en effet prendre trois mois pour se rendre là où l'on peut aller en trois semaines ? Le plus court chemin vers le pays du Grand Khan appartiendra aux Espagnols. À eux, les épices et l'or et les perles et les secrets de l'autre monde. Le Portugal devra se contenter des minables comptoirs qu'il a établis sur les côtes africaines. L'Amiral n'a pas peur de Gama. La gloire qui lui échoit aujourd'hui lui fait mal. Mais il sait qu'elle est fondée sur un malentendu qu'il va bientôt dissiper. Plus inquiétante est la découverte de Cabral dont lui ont parlé ses vieux amis d'Arzila.

Pedro Alvarez Cabral, parti pour les Indes, trois ans plus tôt, avait été dérouté par une tempête qui l'avait cueilli au large des côtes de l'Afrique et entraîné très loin vers le sud-ouest, où il a découvert, par pur hasard, au-delà de la mer Océane, une très grande terre qu'il a appelée Terra de Santa Cruz. Il en a pris possession au nom du roi du Portugal, mais n'y a pas trouvé grand-chose d'intéressant, à part d'immenses forêts de brésils. Il a planté une croix et est reparti tout de suite, a retraversé la mer Océane et repris au cap de Bonne-Espérance la route portugaise des Indes. Pauvre imbécile ! Dangereux imbécile !

* * *

Le lendemain matin, sur le sable de la plage d'Arzila, face à la mer Océane, pour la millième fois de leur vie, les frères Colomb redessinent ensemble leur carte du monde et tentent d'y situer cette Terra de Santa Cruz. D'abord la mer Méditerranée qui, comme son nom l'indique, est au centre de la terre. Au nord, il y a la bonne vieille Europe. Au sud, cette grosse masse dont une partie importante se trouve sous l'équateur, c'est l'Afrique qu'on peut aujourd'hui contourner. À droite de la Méditerranée, du côté du soleil levant, c'est la Terre Sainte, Jérusalem, puis l'Asie avec, tout au bout, les Grandes Indes. Vers le couchant se trouvent les colonnes d'Hercule, Gibraltar et Ceuta. En franchissant ce détroit, on sort dans la mer Océane qui couvre tout le reste du globe et entoure donc toutes ces terres qui, en fait, Europe, Afrique, Asie, ne forment qu'une seule et même grande masse, elle-même entourant la Méditerranée et couvrant, c'est le prophète Esdras qui le dit, six des sept parties du globe. D'un bout à l'autre de cette masse, du cap Saint-Vincent, qui est au Portugal, jusqu'au cap Catigara à l'autre bout de l'Asie, on peut compter 315 degrés de la sphère terrestre. Il ne reste donc plus que 45 petits degrés à franchir, moins de 3 000 milles.

Cette mappemonde, les frères Colomb la redessinent sans cesse, depuis trente ans, y apportant chaque fois quelques précisions, y voyant chaque fois surgir de nouvelles énigmes. Elle a beaucoup évolué depuis le temps où ils en traçaient les contours formidablement imprécis sur les plages grises et rêches de la mer ligurienne près de Gênes. Depuis ce temps, pour comprendre, ils ont sans relâche étudié, cherché, pensé, ils ont lu énormément, Bartolomé surtout, qui un jour a découvert *Le Livre des Merveilles du Monde* de Marco Polo qu'ils dévorèrent tous les deux avidement. Bartolomé relisant, le cœur battant, ce long chapitre dans lequel Polo parle des peuples qui prêtent leurs jeunes filles aux voyageurs afin qu'ils les rendent femmes, et faisant le projet d'aller là-bas. Christophe, fasciné par ce puissant personnage qui domine tout le récit de Polo, le Grand Khan, et voulant le rencontrer et connaissant par cœur les passages où il était question de lui et de Cipango, de ces villes dont les rues sont pavées d'or et de diamants...

Dès lors, les deux frères furent à jamais associés dans ce grand projet de percer les secrets des routes du monde. L'un cherchant le pouvoir, l'autre le plaisir. L'un cherchant un homme; l'autre, toutes les femmes.

Ainsi, pour savoir et pour avoir, ils étaient devenus, dans les années 1480, des dessinateurs cartographes très recherchés à travers toute l'Europe. Ils avaient dessiné pour des armateurs génois, vénitiens, portugais surtout, anglais, français. Au début, ils n'indiquaient sur leurs cartes que les lieux connus, dont la position avait été dûment vérifiée par les navigateurs marchands. Puis, au fur et à mesure que s'élargissait le domaine du monde connu, ils ajoutaient à ces cartes de base les renseignements que rapportaient les explorateurs et les marchands qui rentraient du bout du monde. C'était toujours à refaire, car le monde était chaque jour différent. Jamais le métier de cartographe n'avait été aussi passionnant. Plus jamais il ne le serait.

Plus tard, les frères Colomb s'étaient mis à devancer les explorateurs, en créant des cartes hypothétiques, c'est-à-dire en imaginant des formes à l'inconnu, en cartographiant, à partir d'indices cueillis dans les livres anciens ou ramassés sur les plages de la mer Océane, ces régions du monde où jamais personne n'était encore allé. Peu à peu, tout cela s'était précisé, était devenu cohérent, logique et harmonieux. Ainsi, longtemps avant de partir eux-mêmes dans des voyages de découvertes, ils avaient fixé sur leurs cartes et dans leurs têtes une certaine image du monde entier. Et cette image, ils ne la montrent plus jamais à personne. C'est leur secret, leur avoir le plus précieux. Ils ne la dessinent plus que sur le sable, parce que le monde, en cette année 1502, est encore trop changeant pour qu'on en immobilise les formes sur le papier; mais surtout parce qu'ils ne veulent plus laisser voir ce qu'ils savent par n'importe qui...

La Terra de Santa Cruz que cet idiot de Cabral a découverte doit se trouver quelque part ici, à gauche, sous les Grandes Indes. Elle est peut-être même rattachée à ces terres qui se trouvent juste à l'ouest du Paradis terrestre et que Vespucci qui prétend y être allé a appelé Venezuela, parce que ça lui rappelait vaguement sa Venise natale. Dans ce cas, pour atteindre les Indes de Polo par la route de l'ouest, il faudrait contourner toute cette masse qui semble être une immense péninsule, peut-être aussi grande que l'Afrique et s'étendant comme elle très loin dans la mer australe, peut-être même beaucoup plus loin que le cap de Bonne-Espérance. Mais il doit y avoir un passage plus au nord, quelque part entre l'Hispaniola et le Venezuela, dans ces parages même que Vespucci et Hojeda ont eu la permission d'aller explorer et où ils se trouvent peut-être encore à l'heure actuelle.

Il y a des perles là-bas, beaucoup de perles très belles, dans le golfe de Paria et tout autour de l'île Margarita. Mais ce n'est pas cela qui inquiète Colomb. Hojeda et Vespucci peuvent ramasser toutes les perles qu'ils trouvent, ça ne lui fait ni froid ni chaud. Ce qui l'inquiète, c'est que si l'idée leur vient de pousser à l'ouest, ils peuvent facilement trouver le passage vers les Indes et déboucher rapidement aux pays du Grand Khan. Ils peuvent aussi, comme Cabral, être happés par une tempête ou entraînés par un courant vers l'embouchure des grands fleuves qui pénètrent au cœur des Indes. Ils y sont peut-être déjà, en train de signer des traités ou de charger leurs navires d'or et d'épices ou d'aimer ces femmes merveilleuses dont rêve Bartolomé. Si jamais ça se trouve, les frères Colomb auraient fait tout cela pour rien. Pire ! Pour que d'autres en profitent. Et l'Amiral aurait beau dire qu'il y avait pensé le premier, qu'il savait qu'il y avait là un passage menant aux Indes, qu'il avait déjà découvert tout ça dans sa tête, qu'il avait dessiné tout ça sur le sable d'Arzila et de la

Costa de la Luz et de l'Hispaniola et de Paria, on ne le croirait pas, on dirait encore qu'il est fou...

Il sait que jamais, tant qu'il ne sera pas rendu là-bas et qu'il n'aura pas trouvé ce passage, qu'il n'aura pas touché de ses mains et vu de ses yeux le Grand Khan, il ne pourra se débarrasser de cette insoutenable angoisse de n'être pas le premier arrivé. D'autres, n'importe quel autre de ces navigateurs sans génie qui sans lui n'aurait jamais eu l'idée ni l'audace de se lancer sur la mer Océane, qui n'ont rien compris, rien deviné, rien conclu, seront peut-être là avant lui, par pur hasard, comme Cabral est allé vers ces forêts de brésils. Et en découvrant le dernier tronçon de la route des Indes, ils le feront disparaître à jamais, lui, Christophe Colomb; ils rayeront son nom de l'histoire. Peut-être même que c'est déjà fait, qu'il n'existe déjà plus et n'existera plus jamais. Et tout s'effondre encore une fois dans l'âme de l'Amiral. Il est défait, encore. Mais il sait que ça ne durera pas. Il attend. Il sait que la Force reviendra et la Certitude. Il sait qu'il sera tout à l'heure, sans qu'il puisse s'expliquer comment, de nouveau passionné, exalté, persuadé que son entreprise ne peut être vouée à l'échec. Qu'il n'y a pas de hasard en cela, pas d'accident. La grande différence entre lui et tous ces autres navigateurs qui à sa suite se sont lancés à la conquête du monde, c'est qu'il possède, lui, une Vision, il a une Voix qui le guide et le force. Il sait qu'il est appelé, lui, Cristophe Colomb. Il se sait et se sent responsable du monde. Et la Voix lui a dit que cette Vision qu'il a doit se réaliser.

Au mitan de cette mappemonde qu'il a dressée avec son frère Bartolomé sur la plage d'Arzila, il y a encore une étroite bande d'imprécision, un vide par où s'immisce tout l'inconnu du monde, quelques petits degrés du globe terrestre dont on ne sait encore rien. Ou si peu. C'est pour combler ce vide intolérable, cet interstice au point de contact de l'Orient et de l'Occident, cette brèche par où s'engouffre l'Inconnu dans le monde, que depuis 30 ans Christophe Colomb sans cesse redessine avec son frère cette mappemonde, et qu'il voyage et risque sa vie, pour calfater le monde et le rendre parfaitement étanche et viable, afin qu'il puisse finir en beauté et que les méchants aillent en enfer et les bons au ciel et lui, Christophe Colomb, très haut dans ce ciel, très visible, recherché par tous, lui, plus grand là-haut que ne le sont sur terre les Grands d'Espagne, lui, parmi les Grands du Paradis, avec Moïse et David et Isaïe, et tous les autres, dans les siècles des siècles.

Le soir tombe sur la mer Océane. Bartolomé avec ses pieds brouille la carte qu'ils ont dessinée dans le sable. Demain, on part. Encore.

Deuxième partie

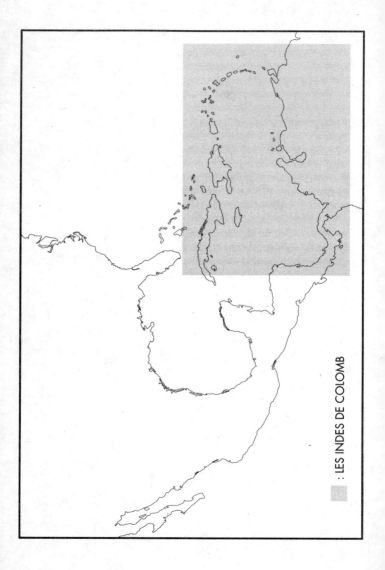

: LES INDES DE COLOMB

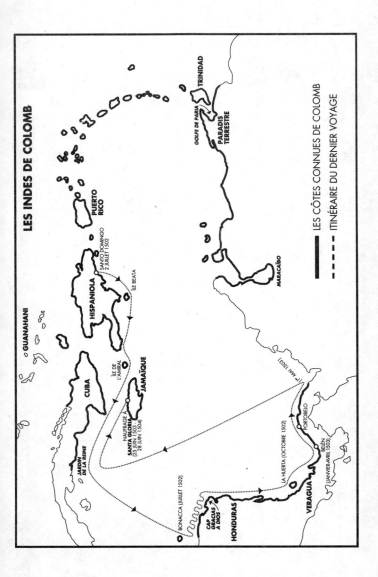

LES INDES DE COLOMB

GUANAHANI

CUBA

JARDIN DE LA REINE

HISPANIOLA

PUERTO RICO

SANTO DOMINGO
2 JUILLET 1502

ÎLE BEATA

ÎLE DE L'AMIRAL

JAMAÏQUE

NAUFRAGE À
SANTA GLORIA
(25 JUIN 1503 -
28 JUIN 1504)

BONACCA (JUILLET 1502)

CAP GRACIAS A DIOS

HONDURAS

LA HUERTA (OCTOBRE 1502)

VERAGUA

BELÉN
(JANVIER-AVRIL 1503)

PORTOBELLO

(1er MAI 1503)

TRINIDAD

GOLFE DE PARIA

PARADIS TERRESTRE

MARACAÏBO

——— LES CÔTES CONNUES DE COLOMB

- - - - ITINÉRAIRE DU DERNIER VOYAGE

1

La fascination de la mer, insatiable avaleuse de lumière, gouffre amer, la mer, ventre froid, fanatique convulsionnaire, inaltérable, infatigable cracheuse de lumière, toujours indifférente et partout et toujours souverainement différente, la mer, idole maniaque et contemplative, superficielle et impénétrable, démesurément, désespérément vide, qui seule se comble et s'habite tout entière et se cache en elle-même, veuve satisfaite, dans ses propres ombres, avec ses monstres sacrés et bienaimés et ses incroyables trésors et ses grandes échoueries sous la lune, la fascination de la mer, de la mer géniale et dégueulasse, personne n'y échappe, jamais. C'est impossible. Même les vieux amiraux revenus de tout, blasés, eux-mêmes gouffres amers, leur gorge se noue d'émotion quand ils la voient, toute nue au gros soleil, sans terre nulle part sur elle, sublime; et ils appellent leur mère quand elle se fâche. La mer, c'est le dernier mot, c'est le grand prétexte, la seule découverte, c'est tout ce qui n'est pas la terre, et c'est plus gros qu'elle, plus grand, c'est la mer.

Fernando fut ébloui. Il ne dit rien pendant des jours. Il ne fit rien, que regarder, jour et nuit, la mer et le ciel. On ne lui demanda rien. Pas plus qu'aux autres mousses. Pendant des jours, on les laissa regarder la mer, qui était fort belle et très calme, avec des vagues longues et lentes, presque imperceptibles, vagues, la mer qui ne faisait rien, elle non plus. Il y avait beaucoup de soleil, un bon vent arrière qui chuintait tout le temps dans les voiles, mollissait un peu la nuit et roidissait le jour.

Et on s'enfonçait chaque jour davantage dans le bleu total et indélébile, le bleu irrémédiable, le bleu océan, le bleu sans retour, qui peu à peu pénétrait toute l'âme et y établissait son sidéral et impérieux silence.

Une nuit, un doux bruissement se plaqua contre la coque, un léger friselis se faufila sous la lune à perte de vue: les Sargasses. C'est tout jaune, comme une toison d'or sur la mer. On dirait quelque grand fauve couché là, endormi, et on lui glisse lentement sur le dos... Et des profondeurs de l'âme et des profondeurs de la mer visqueuse et glauque, montent les vieilles peurs infaillibles, les monstres maudits, la nuit surtout, avec leurs tentacules mous, leurs morves phosphorescentes et leurs piquants, leurs antennes qui bougent et cherchent, leurs yeux partout, globuleux, et leurs cartilages translucides et froids...

* * *

« Zou ! les mousses ! Au travail. Assez regardé, assez rêvé, penchés sur les abysses. Assez joué les figures de proue. Allez maintenant. Hissez les voiles. Faites vos nœuds. Lavez le pont. Mettez de l'ordre partout, partout... Toi, qu'est-ce que tu vois sur la mer, droit devant ?

– Rien

– Regarde encore.

– Je vois une île là-bas, peut-être, très loin.

– C'est tout ?

– Il y a une plage et des arbres.

– Quelques maisons, non ?

– Des maisons, oui, je pense.

– Et de la fumée ?

– Très noire, oui, une grosse fumée noire.

– Et derrière, au milieu de l'île, tu vois une montagne ?

– Si, bien sûr, je vois une haute montagne. Mais comment peux-tu voir tout cela, toi, en faisant dos ?

– Cette île-là, je ne lui fais pas dos, elle est partout sur la mer, quand on la traverse pour la première fois. Il faut que tu apprennes à ne pas la voir. Regarde encore et cherche bien, longtemps, encore et encore, jusqu'à ce que tu ne trouves plus rien… Et un jour, tu finiras peut-être par voir une île apparaître sur l'horizon, une vraie île.

– C'est comment ?

– Le plus souvent, il y a une plage et des arbres.

– Des maisons ?

– Parfois, oui, il y a des maisons. Et parfois aussi de la fumée…

– Et une montagne au milieu ?

– Souvent, oui.

– Mais alors, quelle est la différence entre une île qui existe et une île qui n'existe pas ?

– Celle qui existe, tu peux t'en approcher, l'autre pas. De loin, c'est la seule différence. Mais si tu sais bien regarder, une vraie île, même vue de très loin, ça ne tremble jamais, c'est comme une déchirure mate dans l'immense scintillement de la mer et du ciel. C'est le contraire exactement de ces mirages qu'on voit dans les déserts et qui sont comme des éclats lumineux et tremblants dans la grande matité. Une île, c'est du solide, du réel. C'est ce qu'on cherche. »

* * *

Plus de la moitié des quelque 40 hommes qui montent la *Capitana* ont moins de 16 ans; certains sont encore équipés de leur peau douce et de leur voix fluette de fillette. Ils ont tous de très bons yeux évidemment, yeux dont l'Amiral et le capitaine Diego Tristan se servent abondamment pour scruter l'horizon. Mais les petits mousses parfois, le soir, tout bas, s'en servent pour pleurer un brin, quand reviennent les vieilles peurs et les monstres. Ils dorment sous le pont, recroquevillés, embrassés, entassés les uns contre les autres sous la maigre couette goudronnée, comme des petites bêtes tièdes et innocentes. Ils prennent deux par deux des veilles de quatre heures, pour laisser dormir les autres, pour surveiller la mer devant, aider le pilote à rester éveillé, retourner chaque demi-heure l'ampoulette, l'horloge de sable qui sert à mesurer le temps des veilles, et tenir allumée la lanterne qui se balance à la poupe de la *Capitana* et sur laquelle se guident les autres navires. Le jour, ils rangent les couettes et nettoient le pont, pompent l'eau des cales, réparent les voiles, les cordages, les ralingues, cousent, filent, nouent, graissent les poulies, pêchent, pétrissent la farine à biscuit avec de l'eau de mer allongée d'un peu d'eau douce, préparent et servent les repas : pois chiches, porc salé, ail, raisins secs, quelques noix, un gobelet de vin, du riz parfois, du poisson séché très souvent, sardines ou anchois, du poisson frais quand on en pêche, du poulet grillé le dimanche, du fromage, et du biscuit, beaucoup de biscuit, insipide et lourd, le fidèle biscuit des marins.

Quand la mer est calme, le pont propre et les ventres bien pleins, les mousses ne font rien, ils regardent la mer, ce qui est la meilleure façon d'apprendre le métier. Certains ont des tâches particulières. Ainsi, il y a deux trompettes à bord de la *Capitana*, des jumeaux identiques, beaux et blonds, originaires du nord de l'Espagne, l'un timide (mais lequel est-ce ?), l'autre effronté (c'est parfois le même, non ?). De temps en temps, presque toujours au moment où l'on s'y attend le moins, ils embouchent leurs trompettes, l'une au timbre grave, l'autre aiguë, et ils lancent dans le ciel lisse et bleu une petite mélodie qu'ils semblent avoir chaque fois réinventée, car elle n'est jamais pareille. Mais c'est toujours profondément bouleversant, comme un appel, une promesse, une certitude, comme un moment d'éternité. C'est tragique aussi, ineffable et déchirant. Et en même temps, ça remplit toute l'âme de force et de joie. Sur chaque caravelle, les gars écoutent dans un profond silence qui dure même après que ce soit terminé. C'est comme si la musique plongeait tout l'équipage dans une sorte de torpeur enivrante ou dans un rêve où chacun descend très loin tout au fond de lui, là où c'est pur et doux. Et alors, son âme danse, danse, danse... Tout le monde aime bien les jumeaux, même l'effronté, parce qu'on ne sait pas trop lequel c'est.

L'Amiral, qui au début s'inquiétait du désordre que pouvait causer ces initiatives, portes ouvertes à l'improvisation, toujours dangereuse en mer, s'est vite rendu compte que ces airs de trompettes exaltent et stimulent ses hommes et, sans encourager ouvertement les jumeaux, il les laisse faire. Lui-même, quand il les entend, interrompt sa lecture ou sa méditation et écoute, médusé, charmé. Les jumeaux disent qu'ils ont préparé un air pour lorsqu'on aura découvert le passage vers les Indes, un grand air triomphant et exaltant, une sorte de marche au rythme très accusé… Et une autre mélodie plus grandiose encore, majestueuse, très lente, pour impressionner le Grand Khan quand enfin on arrivera chez lui.

Ils sonnent également, au signal de l'Amiral, les heures importantes de la journée. Ils accompagnent parfois les prières. La mer rend pieux. Chaque heure du jour, on prie. L'aube est saluée par un court appel de trompettes. Puis le plus jeune mousse, celui qui à bord est chargé des plus basses et des plus simples œuvres, entonne cette antienne :

Bendita sea la luz	Bénie soit la lumière
y la Santa Veracruz	et la Sainte Croix
y el Señor de la Verdad	et le Seigneur de Vérité
Y la Santa Trinidad.	et la Sainte Trinité.
Bendita sea el alma,	Bénie soit l'âme
y el Señor que nos la manda.	et le Seigneur qui nous la baille.
Bendito sea el día	Béni soit le jour
y el Señor que nos lo envía.	et le Seigneur qui nous le donne.

À la tombée du jour, les quatre caravelles se rapprochent et on amène un moment les voiles. On se raconte les menus événements de la journée. Les capitaines font le point, comparent leurs lochs. Puis, les trompettes dessinent dans le soir la suave mélodie du *Salve Regina* que tous reprennent à gorges déployées. Sur la mer que rosit le couchant, 140 hommes parlent d'amour fou à une aimable vierge. Ils lui disent qu'elle est douce et belle, qu'ils soupirent après elle et n'ont de plus cher désir que celui d'aller la voir un jour. Puis, on murmure un Pater et un Ave Maria. Et les caravelles s'éloignent ensuite pour la nuit, afin d'éviter les heurts…

* * *

« Ô Dieu de ma louange, ne restez pas insensible.
Car une bouche impie et perfide s'est ouverte contre moi… »

C'est la voix fraîchement muée de Fernando. Fernando n'est pas un mousse comme les autres, lui non plus. D'abord, il est le fils de l'Amiral. Et il sait lire et écrire. Bien qu'il n'ait que 13 ans, il connaît plein de choses sur les Indes et sur la mer Océane. Soirs et matins, il fait la lecture de la Bible à son père, tous les deux enfermés dans la minuscule cabine qu'occupe l'Amiral sous le château arrière de la *Capitana*. Le vieil homme est étendu sur son lit étroit; le plus souvent, les yeux fermés, immobile. Il a lui-même choisi le passage qu'il veut entendre. Presque toujours, dans les Livres sapientiaux, dans les *Psaumes* ou l'*Ecclésiastique*. C'est plein de bruit et de fureur, de malédiction, de châtiment bien mérité pour les méchants, et point de rachat, point de pardon, jamais. Et pour les bons et les justes, il y a des paroles qui consolent, il y a surtout la promesse d'une vengeance prochaine, totale et définitive. Ah ! qu'elle sera douce à exercer, cette vengeance bénie du Tout-Puissant qui ne dit jamais: Assez !

« Continue, Fernando. »

Et Fernando reprend avec ferveur les paroles vengeresses. Il pense aux ennemis de son père, au roi Ferdinand qui ne reconnaît plus les privilèges par lui conférés, à celui qui l'a trahi, à l'usurpateur Ovando:

« Qu'il soit enveloppé de malédiction comme d'un manteau,
Qu'elle pénètre au-dedans de lui comme de l'eau,
Qu'elle s'insinue comme de l'huile dans sa carcasse…
Que ce soit le salaire de ceux qui m'accusent
Et qui ne disent de moi que du mal.
Mais, Seigneur, mon Dieu,
Sauvez-moi dans votre miséricorde.
Et qu'on reconnaisse là l'œuvre de votre main
Qu'on sache que c'est vous qui avez tout fait. »

Les saintes écritures agissent comme un baume sur le cœur amer du vieil Amiral qui, consolé, rassuré, parvient parfois à s'assoupir un moment quand Fernando a terminé sa lecture. Mais la nuit, il ne dort jamais. Il attend. Il ne parle à personne.

« Va, Fernando, souffle cette bougie et laisse-moi. »

Chaque soir, Fernando note dans son journal de mer les événements du jour, bandes d'oiseaux et bancs de poissons aperçus, direction et force des vents, humeurs de la mer, distance estimée parcourue, humeur des hommes. Tout cela tient généralement en quelques lignes. Presque toujours les mêmes, jour après jour. Les traversées heureuses sont sans histoire. Celle-ci, entre autres, manque furieusement d'action. On fait chaque jour plus de cent milles, facilement, sans heurt, sans panne, avec toujours le même vent arrière parfaitement régulier, pur et frais.

« Ne t'en fais pas trop, Fernando, dit le capitaine Tristan, qui en a vu d'autres. Ça viendra, les histoires. Ça viendra, tu verras. »

* * *

Le 15 juin, après 20 jours de navigation depuis l'escale à la Grande Canarie où l'on a fait du bois et de l'eau, on touche la Martinique, une vraie île avec plage, arbres, maisons, pas de fumée, mais une haute montagne au milieu d'une volubile masse de verdure.

On prendra ici trois jours de repos, comme toujours après une traversée. On s'est ancré dans une baie magnifique, très profonde et large, cerclée de plages de sable fin. Ah ! marcher, ah ! courir sur une plage déserte et sèche, quel bonheur après trois semaines en mer sur un petit navire bondé ! Et laver son corps dans de l'eau douce, ah ! Et se retrouver tout seul avec soi-même au bout de la plage ou sur le rocher là-bas ou même dans la forêt, pas trop loin cependant dans la forêt, on ne sait jamais, ces arbres peuvent être très dangereux, certains mordent ou brûlent, paraît-il, il y en a même qui lancent parfois des flèches empoisonnées, d'autres qui ont des ombres mauvaises qui tuent, il y a des serpents aussi, peut-être des dragons, il y a des Indiens mangeurs d'hommes... Prudence! Mais tout cela excite les mousses au plus haut point. Ils savourent leurs peurs. Un soir, ils ont fait un grand feu sur la plage. Les jumeaux ont joué de la trompette. On a dansé, chanté.

Seul l'Amiral est songeur et taciturne. On lui parle, il ne répond pas, il n'entend même pas, on dirait. C'est comme s'il n'était pas là. Il regarde dans le vide, ou très loin au-dedans de lui. Il a fait quelques pas sur la plage, il a nagé un peu dans la rivière, puis il est retourné à bord et s'est enfermé dans sa cabine, tout seul, tout triste. Même à Fernando, il ne parle plus. Il a tenu sur la plage une courte réunion avec ses quatre capitaines, son frère Bartolomé et Diego Mendez. Et il a sans doute exigé d'eux le secret absolu sur ses problèmes ou ses projets, car lorsqu'on leur demande ce qui se passe, ils répondent: « Pas de commentaire » ou « Vous verrez dans le temps comme dans le temps ». Mais ils ont la face longue tous les six et ils sont subitement devenus silencieux et taciturnes eux aussi. Qu'est-ce qui se passe? « Rien, il ne se passe rien. »

De confuses rumeurs circulent parmi les hommes. L'Amiral aurait un rendez-vous quelque part dans ces îles avec un capitaine portugais ou anglais; il veut trahir l'Espagne, il veut se venger de toutes les misères qu'on lui a fait subir là-bas et remettre à une autre puissance les terres et les îles des Indes qu'il a découvertes. Mais non, voyons, l'Amiral ne ferait jamais cela. La vérité est qu'il est très malade. Il ne peut faire le voyage avec nous. Il veut qu'on le laisse quelque part sur une île avec une petite garnison et qu'on le reprenne au retour. Ça non plus, ça ne tient pas, parce qu'il n'y aura jamais de retour par ici. On est parti pour faire le tour du monde. On reviendra par l'autre côté, par l'Orient. C'est vrai, l'Amiral l'a toujours dit, il veut aller droit vers le Couchant où il croit pouvoir trouver le passage des Indes...

Mais pas du tout, vous vous trompez, l'Amiral a dit qu'il voulait d'abord retourner dans les parages du Paradis terrestre qu'il a découvert lors de son dernier voyage, en 1498. Ça se trouve juste au sud d'ici, dans le golfe de Paria. Et vous savez que ce Paradis a la forme d'un sein de femme. C'est l'Amiral lui-même qui l'a dit dans une lettre à la Reine. Fernando a vu cette lettre. Demandez-lui, à Fernando.

Et les mousses parlent et bavent d'excitation. Et tous, ils rêvent de voir et de palper cet astronomique Sein et de nager dans les quatre grands fleuves qui selon l'Amiral en coulent, les quatre fleuves du Paradis terrestre, le Tigre, le Nil, le Gange et l'Euphrate…

Fernando est inquiet. Il n'aime pas ces impénétrables silences dans lesquels se laisse couler son père, ses regards absents et vides. Il note dans son journal de mer: « L'Amiral, mon père, n'a rien touché du fromage, du vin, des noix, que je lui avais apportés ce matin dans sa cabine qu'il n'a pas quittée depuis deux jours. Il n'avait visiblement pas encore dormi de toute la nuit. Je lui ai lu à deux reprises la prière du roi David qu'il aime tant: "Seigneur, soyez attentif à mes cris désolés." Mais il est resté prostré, sans réagir, comme si je n'avais pas été là. Puis il m'a dit qu'il voulait être seul et que, s'il avait besoin, il me ferait demander. Le capitaine Tristan m'a dit de respecter les volontés de l'Amiral. C'est ce que je ferai. »

* * *

On n'ira pas vers le couchant, ni vers le midi, ni vers le Sein paradisiaque. On se dirige droit au nord, vers la Dominique et la Guadeloupe. Pendant dix jours on suit toute la chaîne des îles découvertes lors des précédents voyages, jusqu'à Porto Rico, l'Amiral de plus en plus étrange et taciturne, les capitaines irascibles engueulant et frappant les mousses à propos de tout et de rien. Le temps pourtant est magnifique, ciel serein, mer calme, mais c'est comme si tout allait mal. Malgré le vent favorable, on réduit la voilure. Pourquoi ? Et toutes les nuits, on met à l'ancre. On flâne, on n'avance plus, on tourne en rond. Où va-t-on ?

Le 29 juin, la petite flotte de Christophe Colomb se trouve devant Santo Domingo, la ville interdite. Il n'a pas pu, n'a pas voulu résister à la tentation. Il s'est tendu un piège. Et s'y est pris, corps et âme. Pauvre Colomb !

« Qu'est-ce qui m'a pris ? Qu'est-ce que je suis venu faire ici ? Qu'est-ce que je veux au fond ? Mesurer ma déchéance ? Me faire dire encore une fois, afin que plus jamais je ne puisse en douter, que je suis fini et qu'on ne veut plus de moi dans toute cette histoire ? »

En fait, le vieil Amiral est venu ici chercher son âme.

* * *

Il y a une espèce de calme écœurant dans l'air. Une houle molle et pesante monte du sud-est et vient s'aplatir avec une formidable lenteur, sans fracas, sans écume, contre les abruptes falaises qui flanquent l'embouchure de la rivière Ozama et défendent avec une remarquable efficacité la magnifique rade de Santo Domingo. De temps en temps, des petits vents bas et courts passent en se tortillant sur la mer, pressés, chargés de sourds murmures et suivis de calmes étranges, de silences voraces. Très haut dans le ciel gris, on voit des squelettes de nuages qui s'étirent jusqu'à n'être plus que des filandres blanchâtres. Pas de soleil. Mais une chaleur effrayante. Vers le large, sur l'horizon livide et confus, des bandes de phoques et de dauphins batifolent. Ces signes ne trompent pas. Un gros orage s'en vient, un *uracan*, comme disent les Indiens. Avant même de sortir sur le pont, l'Amiral avait senti cela, dans ses os, dans ses muscles, au creux de sa poitrine, l'angoisse insoutenable, la fragilité de toutes choses, une présence terrible, oppressante, irrésistible.

« Qu'est-ce que je suis venu faire ici ? »

Il savait fort bien dès le tout début de cette aventure, très longtemps même avant le départ de Séville et bien qu'il n'en parlât jamais à qui que ce soit, il savait qu'il s'en allait tout droit à Santo Domingo et que rien ni personne ne pourrait hélas ! l'en empêcher. Et que c'était certainement la dernière chose à faire. Mais il se disait, tout en s'y rendant, qu'il n'y allait peut-être pas. Il parvenait même par moments à se convaincre qu'il espérait que Dieu lui donnerait, si telle était sa sainte volonté, la force ou la chance ou le malheur de ne pas s'y rendre. Mais Dieu n'avait-il pas fait de lui le seul et unique gouverneur de l'Hispaniola, le vice-roi des Indes, le Grand Amiral de la mer Océane ? Son devoir n'était-il pas d'aller là-bas mettre de l'ordre, rendre justice, assurer le développement et, comme il avait si bien dit dans sa lettre au pape Alexandre VI, assurer sur les Infidèles et les Impies la victoire de l'Éternel Dieu ?

Depuis des mois, il était obsédé, possédé, assiégé de toutes parts et à tout moment, même au plus profond de son sommeil, par cette idée qu'il devait rentrer à Santo Domingo. Il pensait sans cesse à ceux qui là-bas gouvernaient les Indes, ses Indes, à sa place, des incapables, des impies. Il voyait partout et tout le temps Ovando qui usurpait ses pouvoirs et ses titres, et Bobadilla qui l'avait mis aux arrêts et aux fers, et Roldan qui avait été à Isabela le chef des mutins et l'un des premiers artisans de sa déconfiture. Jamais de sa vie il ne pourrait oublier ces trois hommes. Ils l'avaient blessé, ils l'avaient marqué pour toujours. Longuement, minutieusement, Christophe Colomb avait, dans sa retraite sévillane, imaginé leurs erreurs et leurs fautes, sa revanche, sa vengeance. Il voyait Bobadilla confondu, enchaîné, humilié publiquement par les Rois catholiques, il voyait Ovando emprisonné pour concussion ou corruption, Roldan débarquant à Cadix ou à Séville, chargé de chaînes lui aussi, la foule l'accablant d'injures, et il était pendu, mieux, torturé et brûlé pour hérésie et lèse-majesté, car Roldan était un traître et un desperado, c'était évident, il a voulu se tailler ici en Hispaniola un royaume souverain, sans foi ni loi, il s'est allié aux Indiens idolâtres du Xaragua, il a vécu parmi eux, dans le stupre et la fornication, il a levé chez eux une armée contre le vice-roi des Indes, Christophe Colomb, c'est-à-dire contre l'Espagne et contre Dieu. Et Bobadilla, quand il est arrivé d'Espagne pour enquêter sur la situation en Hispaniola, s'est rangé tout de suite de son côté. Bobadilla lui aussi est un mauvais chrétien, un traître.

« Qu'il soit enveloppé de malédiction comme d'un manteau,
Qu'elle pénètre au-dedans de lui comme de l'eau,
Qu'elle s'insinue comme de l'huile en sa carcasse…

Et qu'on reconnaisse là, Seigneur, l'œuvre de votre main
Qu'on sache que c'est vous qui avez tout fait. »

* * *

Les quatre petites caravelles dansent sur la mer molle, devant la jolie baie de Santo Domingo, au fond de laquelle on peut apercevoir la grande flotte d'Ovando qu'on est en train d'appareiller pour le retour en Espagne, cette superbe flotte, la plus belle de la mer Océane, que l'amiral Colomb a vu partir de Cadix, un pluvieux et frisquet matin de l'hiver dernier, tout seul, comme une bête blessée, debout dans ses larmes, sur le rivage de la Costa de la Luz, pauvre ombre dans le noir, pauvre homme resté à terre, fantôme.

À part Fernando et le capitaine Tristan qui connaissent et, jusqu'à un certain point, comprennent les angoisses de l'Amiral, les hommes de la *Gallega* ne soupçonnent rien et ne s'inquiètent pas. Ils regardent la nouvelle capitale des Indes. C'est tout petit, une minuscule indentation dans l'immense vert qui recouvre toute l'Hispaniola; c'est un amas de pierres pâles, des remparts massifs et irréguliers, deux ou trois petites tours grossièrement crénelées; et un peu plus haut sur la rivière, il semble y avoir des huttes faites de branchages, des hommes et des femmes nus parés de plumes, les Indiens. Les mousses excités, émerveillés, veulent tout voir, débarquer au plus vite, et que l'aventure commence enfin.

L'Amiral est sorti sur le pont, nerveux et inquiet. Revoir ce lieu ravive en lui de profondes blessures. Et en crée de nouvelles. Qu'est-ce que c'est que ces murs, ces remparts, ces bâtiments, dont il n'a pas ordonné la construction ? Cette jetée sur la rivière ? Ces baraques et ces magasins qui encombrent la plage ? Qui sont ces hommes, là-bas, que font-ils chez lui ?

De troublants souvenirs montent du fond de sa mémoire, tous horriblement déchirants, même cette magnifique et heureuse journée de l'été 1494, il y a tellement, tellement longtemps, quand il avait vu ce lieu pour la première fois.

Juan de la Cosa, le doux Michel de Cueno, son ami, et le notaire Perez de Luna, Flisco et Terreros étaient là… C'était au retour d'un long et dur voyage sur la côte méridionale de Cuba. On était entré au petit matin dans la rivière avec les caravelles, et on était descendu sur cette petite plage étroite qu'on voit là-bas. Les mousses avaient tué pour le plaisir de grands oiseaux rouges et bleus. Et ils s'étaient fait des chapeaux de plumes comme en portent les Indiens. Ce fut une journée radieuse, inoubliable, la première fois qu'il voyait Santo Domingo.

La dernière fois, cinq ans plus tard, avait été infiniment moins heureuse. Un court moment, entre le cachot de la prison et la cale de la mauvaise et puante caravelle qui devait le ramener en Espagne avec ses frères Bartolomé et Diego, pieds et poings chargés de chaînes. Ils étaient sortis de la prison, ce bâtiment trapu qu'on dirait posé sur les remparts, juste au-dessus de la petite plage, et ils avaient emprunté le rude sentier, toujours là, mais visiblement abandonné, qui menait de la ville fortifiée vers le port. Puis ils étaient montés sur leur caravelle qui s'appelait, ça lui revient tout à coup, la *Gorda*, mais que certains avaient malicieusement surnommée la *Marrana Gorda*, ce qui voulait aussi bien dire la Grosse Truie que la Grosse Juive. L'Amiral, qui n'ignorait pas que ses ennemis répandaient qu'il était juif, y avait vu une cuisante injure. Juste avant de descendre à fond de cale dans le ventre de la *Gorda*, il s'était redressé et, comme font tous les prisonniers avant de rentrer dans leur cachot, il avait regardé un long moment le ciel bleu et net, les montagnes au loin, vertes, l'eau ocre de l'Ozama et, tournant et levant la tête, il avait balayé du regard la petite ville de Santo Domingo qu'il avait fondée avec son frère Bartolomé, la première, la seule ville d'Europe dans les Indes, dont il était ce jour-là chassé ignominieusement, lui, le créateur des Indes, le Révélateur du globe. Tous les hommes et les quelques femmes qui peuplaient alors Santo Domingo étaient penchés sur les remparts, là-haut, et regardaient dans un silence respectueux celui que beaucoup considéraient encore comme le légitime représentant des Rois catholiques.

Et soudain, il avait aperçu Francisco de Bobadilla, dans l'ombre ajourée, près de la tour de guet, là-bas. Leurs yeux s'étaient croisés un long moment. L'Amiral avait cru alors que Bobadilla lui avait fait un léger salut de la tête. Mais peut-être était-ce une ombre remuant sur son visage ou le vent qui avait soulevé ses cheveux qu'il portait longs. Ou rien, que l'imagination d'un homme blessé. Mais par la suite, pendant des années, l'Amiral devait revoir cette scène, l'étudier, la recomposer de mille et une façons, allant parfois jusqu'à croire que Bobadilla lui avait envoyé la main, que cet homme qui le détruisait, le destituait, l'enchaînait comme un vulgaire criminel, l'avait salué, avait reconnu en lui quelque chose de fort et de grand. Et à cause de ce regard et de ce salut, et bien qu'il ait toujours éprouvé pour Bobadilla une haine immense, il ressentait également une certaine sympathie pour lui, comme pour tous ceux qui lui infligeaient ce grand, ce sublime martyre qui, croyait-il, le grandissait aux yeux de Dieu et des hommes.

Il veut maintenant revoir Bobadilla. Il veut retrouver ce regard sombre et froid au fond duquel il a laissé une partie de son âme. Il sera avec lui très humble, afin qu'il sache que l'opprobre dont il l'a couvert ne l'a pas affecté. Il sera suave. Avec Roldan aussi. Et même avec Ovando. Il fera comme si tout cela ne l'intéressait plus du tout. Peut-être même qu'il plaindra un peu celui qui usurpe ses pouvoirs, sa dignité, son bien. Il dira que les tâches que doit remplir un gouverneur sont bien fastidieuses et ennuyeuses. Et qu'il est heureux d'être enfin débarrrassé de tout cela et de pouvoir enfin s'occuper à des choses sérieuses. Il leur parlera du projet qu'il a fait de libérer Jérusalem et de rentrer en Europe par l'Orient après avoir fait le tour du monde; et il laissera entendre en plus qu'il a d'autres grands projets. Ils l'envieront. Ce sera bon.

Ovando peut en principe lui refuser l'accès au port de Santo Domingo. Il a des instructions précises des Rois catholiques: ne pas laisser les Colomb relâcher ici, sous aucun prétexte, sauf au retour et s'ils sont en réel danger. Colomb cependant considère que les prétextes qu'il s'est trouvés, ou plutôt qui se sont naturellement imposés à lui, sont absolument irréfutables.

D'abord, il ne saurait être question qu'il relâche ici à son retour, puisqu'il n'y aura pas de retour. Et il doit le faire savoir à Ovando afin que, ne le voyant pas reparaître dans six mois ou dans un an, on ne se fasse pas d'inquiétude à son sujet.

Ensuite, la *Gallega* que commande Pedro de Terreros tient mal la mer. Trop lente, trop faible de franc-bord pour supporter la toile, elle devient difficilement maniable; dès qu'on sort du largue, elle donne de la gîte et embarque dangereusement. Ça pouvait toujours aller pour la traversée qui se faisait d'un bout à l'autre avec un bon vent arrière, mais ce sera tout autre chose quand commencera pour de bon l'exploration fine et la recherche du passage vers l'Orient. La *Gallega*, incapable de remonter le vent, retardera tout le monde. L'Amiral voudrait l'échanger contre une caravelle plus maniable et plus sûre. Il a de quoi payer. Une importante partie des richesses, de l'or surtout, que doit très bientôt ramener en Europe la grande flotte, lui appartient. Il ne discutera pas. Il paiera le prix, quel qu'il soit. Nulle part, dans aucun port de la Chrétienté et même chez les Maures, on ne lui refuserait ce droit d'acheter ou d'échanger un navire.

De plus, ses hommes aimeraient faire parvenir des nouvelles à leurs familles. Depuis deux heures, Fernando, les jumeaux, le capitaine Tristan et quelques autres écrivent, sous la dictée des mousses et des matelots illettrés, toutes sortes de touchantes sornettes, et envoient des pluies de baisers filiaux sur toute la Castille. « De votre fils bien-aimé qui a très hâte de vous revoir »... L'Amiral a promis de remettre ces lettres à son ami le capitaine Torres, commandant de la grande flotte qui de toute évidence s'apprête à partir avant la fin du jour, ce qui avec le temps qui s'annonce est une très grave erreur. Voilà le plus solide prétexte dont dispose l'Amiral pour entrer à Santo Domingo.

Les problèmes de la *Gallega* justifiaient qu'il vienne jusqu'ici. La tempête qui se prépare l'autorise maintenant à demander asile pour ses caravelles. Et par le fait même, il dissuadera Ovando de laisser partir la Grande Flotte. Ce pauvre Ovando n'a certainement jamais rien vu de tel. Il ne connaît pas les Indes. Il ne sait pas qu'il faut protéger les navires contre d'aussi violents orages, les haler le plus haut possible sur la rivière et les amarrer solidement, assujettir les mâts, carguer les voiles contre leurs vergues, tout serrer soigneusement, se cacher, se terrer, prier, attendre que le monstre passe. Et ramasser les morceaux. L'Amiral, fort de son expérience, ira diriger les opérations. Santo Domingo a besoin de lui. Il sera le sauveur magnanime. Il sera suave et humble, quand Ovando et Bobadilla viendront le remercier, il dira: « Ce n'est rien, c'était la moindre des choses, vraiment. » Ils l'admireront. Ce sera doux. Ils l'appelleront Amiral. Il les appellera « mes amis ». Ils seront contents, tous.

Il envoie donc à terre le patron de la *Gallega*, le gros Terreros, muni d'une longue lettre pour Nicolas de Ovando. Pourquoi ce gros ours de Terreros ? Il ne peut quand même pas envoyer Flisco, un Italien. Encore moins Bartolomé qui ferait un scandale. Ni Diego Mendez. Ni Porras qui se ferait un plaisir de le discréditer encore plus auprès d'Ovando... Ni Diego Tristan, qui ne veut rien savoir d'une telle mission.

Dans la lettre qu'il remet à Terreros, Colomb parle du danger imminent de l'ouragan. Il recommande de ne pas laisser partir la grand flotte et demande humblement la permission de relâcher à Santo Domingo afin que ses quatre petits navires soient protégés et que ses hommes puissent envoyer des nouvelles à leurs familles. En plus de cette lettre que lui a confiée l'Amiral, Terreros est chargé de deux missions secrètes. Le petit Fernando lui a demandé de prendre contact si possible avec Bartolomé de Las Casas afin de savoir s'il est toujours en possession des journaux de bord de son père. Et Bartolomé Colomb veut savoir où se trouve la princesse Anacoana, sa maîtresse.

* * *

Ovando fera attendre le gros Terreros pendant deux heures, en plein soleil. L'Amiral a longuement parlé à Terreros dont il connaît le tempérament bouillant. « Ne te fâche surtout pas, Pedro. Même s'il crache sur toi. Ne te fâche pas. » Terreros est fâché. Mais il se contient parfaitement. Il réussit même à ne pas avoir trop chaud. Il est debout, calle Isabela la Católica, la lettre de l'Amiral dans sa grosse main velue… Il observe d'un œil froid les changements réalisés depuis quatre ans dans la capitale des Indes. En gros, Bobadilla semble avoir respecté le plan de ville établi par Bartolomé. Mais on n'a pas achevé l'alcazar qu'avaient entrepris de construire les frères Colomb. On a plutôt continué de fortifier la place, déjà pratiquement inexpugnable. On a doublé les remparts. Et à côté de l'ancienne prison, un énorme chantier est en cours, bâtiments administratifs, siège du gouvernement sans doute, magasins royaux… Partout, des terrassiers, des maçons, des charpentiers, s'affairent. Santo Domingo a déjà un tout autre style que celui que lui avaient donné les Colomb. Rien de bien prestigieux ni de très flamboyant, comme ce qu'avait prévu Bartolomé, mais tout semble parfaitement fonctionnel et raisonnable, Terreros doit en convenir. Il y a de l'ordre ici, un ordre imposant et efficace. Il y a un plan, une autorité.

Terreros fait les cent pas, calle Isabela la Católica. Il n'ose glisser la lettre de l'Amiral dans son pourpoint trempé de sueur qui l'engonce et le grossit. Il regarde, au loin sur la mer, au-delà de la barre de sable qui ferme la rade, les quatre caravelles qui se balancent et vont et viennent comme lui et attendent. Il voit d'ici les voiles qui faseyent, molles, presque vides. Et dans le port en bas, la grande flotte toute prête, qui n'attend plus que le vent du soir. Et en lui-même, il rit un peu, le gros Terreros, en se disant qu'en fait de vent, ils seront tout à l'heure bien servis. Il sait lui aussi qu'un ouragan se prépare, qu'il est plus prêt même que ne l'est la grande flotte. Il sait ce que veut dire ouragan en arawak : colère de Dieu. Il a vu déjà, lui, la colère de Dieu tomber sur l'Hispaniola.

La première fois, c'était à quelques lieues d'ici, près de l'île de Saona, au retour de ce fameux voyage d'exploration que l'on avait fait en août 1494 sur la côte méridionale de Cuba. On s'était arrêtés un moment ici même, en ce lieu qui porte aujourd'hui le nom de Santo Domingo, en l'honneur du père de Bartolomé et Christophe Colomb. On s'était amusés, ce jour-là. On n'avait rien fait, pour une fois. Le lendemain matin, des hommes étaient partis à pieds vers Isabela, sur la côte nord. Ils se donnaient sept jours pour traverser l'île en suivant les sentiers qu'avaient tracés les Indiens. C'était le bon temps, avant la guerre totale et les massacres. On ne savait pas ce qui se passait là-bas, à Isabela. Et on se laissait croire que tout allait bien.

On avait donc repris la mer, après cette belle journée passée ici. Il faisait un temps comme aujourd'hui, aussi calme, aussi chaud qu'aujourd'hui. On avait vu, à quelques lieues dans l'Est, un monstre épouvantable surgir des profondeurs, gros comme une moyenne baleine, avec une sorte de carapace très dure comme en portent les tortues, la tête faite comme un baril, et des ailes courtes montées de dards longs comme le bras. L'Amiral avait dit qu'il y avait de l'orage dans l'air lorsque de semblables monstres nageaient en surface. Ces monstres aiment les mers agitées.

On était donc allés s'abriter derrière cette grande île, que l'Amiral avait donnée avec tous ses villages, à Michel de Cueno, son ami de cœur, un génois comme lui. Michel était un être adorable. Il avait des yeux extraordinairement puissants. Il savait mieux que quiconque lire le ciel et l'horizon, signaler la terre longtemps avant qu'on ne l'aperçoive, en regardant les nuages. C'était toujours lui qui le premier voyait les îles ou les récifs ou une voile au loin. C'est en son honneur que l'Amiral avait baptisé cette île la Saona, parce que Michel de Cueno est originaire d'une petite ville, près de Gênes, qui porte ce nom.

Toujours est-il qu'il y avait eu une vraie tempête, raide, courte, terrible. Mais on était bien protégés. Et après, il avait fait très beau. On avait trouvé des pans entiers de forêts jetés à la mer par l'ouragan et des animaux marins écrasés contre les rochers.

En octobre de l'année suivante, toujours pendant la saison chaude, un autre ouragan avait frappé la côte nord de l'Hispaniola où se trouvait encore la capitale des Indes, Isabela. Terreros était là et s'en souvient comme si c'était hier.

Presque toute la flotte, six navires, et la moitié de la ville avaient été détruites, même si on avait eu le temps de tout amarrer, non seulement les navires, mais aussi les maisons, les jetées, même les barricades qu'on avait étayées et renforcées. Le port d'Isabela était ouvert aux quatre vents qui s'y étaient engouffrés avec une ardeur inimaginable, soulevant l'eau de la mer en tourbillons si hauts qu'on n'en voyait pas les sommets... Des six navires en rade d'Isabela, seule la *Niña* avait tenu. Avec les débris, on avait construit une petite caravelle, la *India*, le premier navire, le seul jusqu'à maintenant, qu'on ait construit aux Indes.

Terreros sue. Il voit dans le chantier voisin quelques têtes qu'il reconnaît. On le salue timidement, à la dérobée. Il comprend qu'on a donné des ordres et interdit de lui parler. Alors il met sur son visage un sourire tout en douceur et il salue d'un clin d'œil ou d'un discret hochement de tête tous ceux qui le regardent. Le sourire est toujours là quand Ovando consent enfin à recevoir Terreros qui le salue fort civilement, lui donne quelques fraîches nouvelles d'Espagne et lui tend la lettre de l'Amiral.

Ovando est un bel homme, assez grand, 40 ans environ, moyen de taille, la barbe blonde avec des reflets roux, bien taillée. Un homme grave et autoritaire. On voit à sa mise qu'il est méticuleux, longs cheveux peignés, mains soignées. Au grand étonnement de Terreros, il s'excuse de l'avoir fait attendre. Mais avant même de lire la lettre, il dit que quelles que soient les raisons invoquées par le capitaine Colomb (jamais au cours de cette conversation Ovando ne dira l'Amiral), il ne saurait être question qu'il lui donne accès à la rade de Santo Domingo, à moins qu'il puisse faire la preuve que lui et ses hommes sont en réel danger de mort. Et, prenant à témoins Francisco de Bobadilla, Francisco Roldan et Antonio de Torres qui se trouvent alors près de lui, il rappelle à Terreros que ce sont les Rois catholiques qui en ont décidé ainsi, qui lui ont donné, à lui, Nicolas de Ovando, l'ordre de ne pas laisser entrer les frères Colomb en Hispaniola.

« Je ne fais qu'obéir à la volonté des Rois catholiques. Je suis un fonctionnaire. Je considère cet incident comme infiniment regrettable. En venant ici, le capitaine Colomb a commis une faute grave. Vous pouvez d'ailleurs le prévenir qu'un rapport sera fait en haut lieu et qu'il devra à son retour répondre de ses actes. »

Et alors il lit la lettre de l'Amiral à haute voix, en se gaussant. Bobadilla rit lui aussi. Ils disent: « Un ouragan? Qu'est-ce que c'est que ça? Pour qui se prend Colomb maintenant? Un prophète? Un devin? » Ovando rappelle qu'à Séville, l'hiver précédent, quelques semaines avant son départ pour Santo Domingo, le vieux Colomb lui a fait parvenir une sorte de traité de navigation et un manuel du parfait petit gouverneur qu'il avait lui même rédigé. C'était d'un ridicule consommé! Pitoyable! Ce pauvre Colomb voulait se donner de l'importance. Bobadilla et Roldan rient. Antonio de Torres ne rit pas. Il sait que Colomb a raison. Il voit bien lui aussi que quelque chose de terrible se prépare dans le ciel. Et Ovando veut qu'il parte avant la nuit. Les avertissements de Colomb ne feront que le maintenir dans son entêtement. Il eût mieux valu pour Torres que Colomb ne vienne pas à Santo Domingo.

À l'issue de cette réunion, le capitaine Torres accompagne Terreros vers la plage où l'attend la barque qui doit le ramener à la *Gallega*.

« Tu ne devrais pas partir, lui dit Terreros

— Je sais. Tu as parfaitement raison. Mais toute ma vie, je n'ai fait qu'obéir. Et je pense l'avoir bien fait. En mer, je suis après Dieu le maître absolu de mes actes. Mais ici, à Santo Domingo, c'est Ovando, représentant des Rois catholiques, qui décide.

— Dans ce cas, tu n'as qu'une seule chose à faire. Pars le plus tôt possible et espère de toutes tes forces que la tempête retardera encore de quelques heures, disons jusqu'à demain matin, et qu'elle te laisse le temps d'aller t'abriter derrière l'île Saona qui se trouve à une quinzaine de lieues dans l'est. Et si jamais ça commence avant que tu ne sois à l'abri, ne reste pas près des côtes. Monte le plus loin possible vers la haute mer. »

* * *

Terreros vint ranger sa barque près de la *Capitana* sur laquelle se trouvaient les trois autres capitaines, Tristan, Flisco et Bartolomé, en compagnie de l'Amiral et de son fils.

« Ovando vous refuse l'accès au port, Amiral. La Grande Flotte part ce soir, malgré la tempête. Torres est très inquiet. Il viendra vous saluer. Bartolomé de Las Casas, je ne l'ai point vu, Fernando. Il est, paraît-il, à l'intérieur de l'île avec les soldats chargés de pacifier. »

Puis il regarda Bartolomé et dit:

« Je suis navré, mon ami. Ta princesse Anacoana n'est plus à Santo Domingo. Elle a rejoint les rangs des rebelles avec son frère, le cacique Behechio. Roldan et Ovando m'ont dit qu'ils seront pris et exécutés. Ce n'est qu'une question de temps. Ils ont déjà fait pendre 50 notables indiens. Ils ont arrêté le cacique Guarionex qui part aujourd'hui avec Torres. Je ne sais rien d'autre. Ce pays m'écœure. J'attends vos ordres, Amiral. »

Et le gros Terreros s'en fut à bord de la *Gallega*, dans un silence de mort.

* * *

Quelques heures plus tard, à la tombée du jour, la superbe *Capitana* de Torres, dont la coque a été peinte d'un beau rouge ardent afin qu'elle soit visible de très loin sur la mer, est venue se ranger avec une parfaite élégance auprès de celle de Colomb. Les deux hommes se sont parlé un court moment. Ni l'un ni l'autre n'a fait allusion à la tempête imminente dont les lugubres armées étaient déjà massées sur l'horizon. C'était trop évident, et parfaitement inutile. Il n'y avait plus rien à faire ni rien à dire. Ils n'ont pas parlé non plus du refus d'Ovando de laisser entrer Christophe Colomb à Santo Domingo. Ils ont échangé des banalités gentilles et touchantes. Ils se sont fait de sobres adieux. Le capitaine Diego Tristan, qui se trouvait alors près de l'Amiral, l'a clairement entendu murmurer: « Torres, mon ami. Je sais qu'on ne se reverra jamais en cette vie. Et je sais que tu le sais toi aussi. »

Pendant que les deux flottes s'éloignaient l'une de l'autre, avec une extrême lenteur, car on était alors en pleine bonace, ce calme plat qui souvent précède les grosses tempêtes, Colomb cherchait des yeux parmi cette grande foule d'hommes debout sur les ponts des navires, son cher et honni Francisco de Bobadilla. Mais ses yeux malades ne distinguaient qu'une confuse et mouvante forêt de vagues silhouettes, de mâts, de vergues, de voiles vides et plissées qui semblaient pendre du ciel bas et mat que fendaient parfois d'un bout à l'autre de longs éclairs silencieux. Pas de Bobadilla nulle part, ni de Roldan. Ils devaient se trouver sur l'une de ces caravelles qui avaient déjà réussi à prendre la mer et attendaient le vent, là-haut, vers le large.

Colomb fut profondément déçu. Il se sentait plus que jamais trahi. Il avait terriblement besoin de revoir Bobadilla. Il aurait aimé que Bobadilla le voie, lui aussi. L'idée que son bourreau, le ravisseur de son âme, n'ait pas eu la curiosité de le revoir lui était proprement insupportable. Il avait cru jusque-là qu'il obsédait Bobadilla autant que celui-ci l'avait obsédé depuis près de deux ans. Il avait espéré que ce regard qu'il avait échangé avec lui, le matin de son embarquement, à l'automne de 1500, l'avait marqué et intrigué lui aussi. Il n'en était rien. Si Bobadilla avait voulu le voir, il n'avait qu'à demander au capitaine de la caravelle sur laquelle il était monté de s'approcher de la *Capitana* de Colomb.

À l'heure actuelle, il était probablement là-bas sur la mer trop calme, devisant de choses et d'autres avec ces hidalgos mous et pédants qui comme lui quittaient Santo Domingo, tout à la joie de retrouver les leurs dans la brillante société espagnole. Colomb ne faisait plus partie de cette vie. Plus encore que le refus d'Ovando, cette indifférence dans laquelle le tenaient ses ennemis le démoralisait. Ils faisaient pire que le tuer, ils ne lui donnaient plus vie. Ses projets ne les intéressaient pas, ni ses œuvres, ni sa personne, ni même cette âme qu'ils lui avaient ravie...

L'Amiral était resté figé, prostré, à la poupe de la *Capitana*, le cœur vide et froid. C'est alors qu'il fit une rencontre qui le bouleversa profondément et qu'il ne devait jamais oublier.

172

Les caravelles, en panne de vent, pouvaient difficilement manœuvrer et se trouvaient plus ou moins à la merci des faibles courants qui hantaient ces parages de la mer des Caraïbes. L'une d'elles vint frôler la *Capitana*. Et Colomb aperçut, debout à la poupe de ce navire, très près de lui, Guarionex, le grand cacique conquis, chargé de chaînes, terriblement amaigri, ses longs cheveux huileux tombant emmêlés sur ses épaules, son beau visage tragique, tuméfié, blessé, cruellement brûlé. Il regardait les côtes de son pays qu'il n'allait sans doute jamais revoir. L'Amiral le regardait, fasciné pour la première fois par cet homme qui pendant de longues années, et contrairement à beaucoup de ses congénères complaisants et pleutres, avait farouchement tenu tête aux envahisseurs espagnols. Et soudain, le regard de l'Amiral et celui du Cacique se nouèrent. Et le vieil homme découvrit alors une telle tristesse au fond du regard de l'Indien, un tel désarroi, une résignation si grande et si déterminée, qu'il fut profondément ému et remué. Il lui sembla qu'il y avait beaucoup de grandeur, de force, de noblesse, dans ce regard, dans ce visage, chez cet homme qui s'était battu jusqu'au bout pour rien, qu'on avait battu et torturé en vain, qui était resté pur et indompté, qui était devenu indifférent et inébranlable. « Guarionex, mon frère ! » se surprit à chuchoter l'Amiral. Comme lui, Guarionex était chassé de son pays, dépossédé, humilié et offensé; comme lui, Guarionex était un martyr, il souffrait lui aussi de l'injustice et de la cruauté incommensurables des hommes. Et les hommes autour de lui apparaissaient alors à Colomb comme d'horribles créatures malsaines. Seul Guarionex était grand.

Un petit coup de vent méchamment prometteur vint séparer les caravelles. Tout le temps qu'elles s'éloignèrent, Guarionex continua de regarder l'Amiral, absolument impassible, sans un geste, sans un mot, sans un signe, comme s'il ne le voyait pas ou comme s'il reconnaissait lui aussi un frère dans cet homme qu'il avait connu autrefois si arrogant, méchant et dur avec lui et son peuple. L'Amiral ne saura jamais ce qu'il y avait dans ce regard, pas plus qu'il n'avait su ce que contenait celui de Bobadilla. Mais il comprit, dès lors, que le regard du cacique Guarionex venait de supplanter à jamais dans son esprit celui de Francisco de Bobadilla. Il sentait qu'il avait tout à coup retrouvé son âme au fond de ce regard sauvage, comme si elle était passée de l'un à l'autre de ces regards, comme si les regards des hommes étaient des ouvertures, des passes donnant sur une sorte de mer intérieure, et qu'ils communiquaient entre eux selon des lois mystérieuses et changeantes. Et alors une grande et presque violente paix envahit le cœur de l'Amiral. Il se sentit heureux. Un moment.

Les hommes de la petite flottille par contre étaient terriblement démoralisés. Leurs capitaines craignaient non sans raison qu'ils manquent désormais de confiance en l'Amiral et cessent de croire en son entreprise. Qu'ils se disent qu'en cas de péril, ils ne seraient pas secourus. Et que les terres et les îles qu'ils allaient découvrir seraient prises d'autorité par le commandeur Ovando qui les en chasserait, comme il avait chassé Christophe Colomb de l'Hispaniola.

Celui-ci cependant savourait cette paix qui venait de fondre sur lui et qui lui venait de ce regard qu'il avait croisé, mais aussi de la certitude qu'il avait enfin atteint l'horreur totale et sans faille. Il n'osait se l'avouer, mais c'était cela précisément qu'il recherchait et dont il jouissait maintenant. Il aurait probablement été déçu qu'Ovando le laisse entrer dans le port de Santo Domingo. Parce qu'on lui en avait refusé l'accès, il était maintenant libre de geindre tout son saoul et de se lamenter sur son sort. Il pensait déjà à la lettre magnifiquement déchirante qu'il allait écrire dès que possible aux Rois catholiques pour leur raconter qu'il avait été traité comme un véritable criminel par Nicolas de Ovando. Déjà les mots et les phrases s'organisaient dans sa tête. Il allait demander à Fernando de lui lire le livre de Job. Il reprendrait dans sa lettre ces beaux accents navrés qui le touchaient tant. Fernando sous sa dictée écrirait:

« Quel mortel, sans en excepter Job, ne serait alors mort de désespoir ? Que pour mon salut, celui de mon fils, de mon frère et de mes amis me fussent par un tel temps interdits la terre et les ports que j'avais, moi.

par la volonté de Dieu, gagnés à l'Espagne au prix de sueurs de sang ! »

* * *

La Grande Flotte de Torres n'eut certainement pas le temps d'atteindre la haute mer. Ni même l'île Saona. La tempête dut lui tomber dessus vers le milieu de la nuit, quelques heures à peine après que les dernières caravelles eurent quitté Santo Domingo.

Le vent vint du nord. Pendant plusieurs heures, il s'enfla et gonfla la mer. Colomb heureusement connaissait bien la côte sud de l'Hispaniola qu'il avait plusieurs fois parcourue sur toute sa longueur. Avant la nuit, il avait ancré ses caravelles à l'embouchure du petit rio Jaina où elles se trouvaient bien protégées des vents du nord et de l'ouest. Ceux-ci cependant augmentèrent toute la nuit et tout le jour encore. Les quatre caravelles tinrent bon. Puis les câbles de l'ancre de la *Gallega* se brisèrent et elle fut emportée avec une violence inouïe. On entendit dans la nuit les hommes hurler de frayeur. Lorsque le jour se leva, au matin du 30 juin, on découvrit avec horreur que la *Vizcaína* et la *Bermuda* avaient été emportées elles aussi. Seule la *Capitana* avait résisté aux vents. On crut alors que les trois caravelles étaient irrémédiablement perdues.

On était convenu de se retrouver après la tempête dans un excellent petit port que l'Amiral connaissait, Puerto Escondido, tout au fond de la profonde baie d'Ocoa, toujours sur la côte méridionale de l'Hispaniola, quelques lieues à l'ouest de Santo Domingo. Dès que la mer fut un peu calmée, la *Capitana* s'y rendit, sans grand espoir cependant. On considérait comme un miracle de s'en être sorti. On priait déjà pour le salut des compagnons disparus. Mais la *Vizcaína*, que commandait Flisco, était déjà au rendez-vous. L'Amiral fit chanter un *Te Deum*. Plus tard dans la journée, on vit apparaître les deux autres vaisseaux. Les jumeaux sortirent leurs trompettes et jouèrent longtemps de beaux airs très joyeux, bien que la mer fût encore grosse et le ciel menaçant. Plusieurs hommes avaient été blessés sur chacune des caravelles. Mais aucun gravement. Pas d'avarie majeure non plus. Seule perte embêtante, la barque de la *Gallega* qui était à l'eau au moment où les câbles des ancres avaient été rompus et la caravelle emportée vers la haute mer.

L'Amiral réunit ses capitaines et ses pilotes. Il fit enquête auprès des hommes de la *Bermuda* qui tous lui dirent que Francisco Porras, capitaine en titre imposé aux Colomb par la Maison des Indes, ne pouvait assumer ses responsabilités et qu'il était inapte à commander un navire, sauf par temps calme et avec un faible vent arrière. Si la *Bermuda* était sortie indemne de la tempête, c'était, après Dieu, à Bartolomé Colomb qu'elle le devait. L'Amiral destitua Porras sur-le-champ et nomma Bartolomé à sa place. Porras fit une fois de plus la preuve de sa très grande imbécillité et protesta vivement, rappelant que l'amant de ses sœurs, Alonso de Morales, trésorier de Castille, avait le bras long et que l'Amiral n'avait pas le pouvoir de défaire ce qu'un haut fonctionnaire royal avait fait. Mais tous les hommes à ce moment-là, même son propre frère, Diego Porras, approuvèrent la décision de l'Amiral, car ils avaient craint terriblement pour leur vie.

L'Amiral fit dire à Porras que s'il n'était pas content et faisait mine de soulever les hommes contre lui, il le mettrait aux fers à fond de cale sans autre forme de procès. Et qu'il prendrait même un immense plaisir à le faire pendre ou jeter par-dessus bord, s'il lui en donnait la moindre occasion. Porras comprit et se tut. Même à l'heure de la prière. Il refusa désormais de prêter sa voix de ténor léger, qui était d'une justesse remarquable, au *Salve Regina* et au *Te Deum*. Il refusa également avec entêtement d'aider à la manœuvre de quelque façon que ce soit. Les hommes de la *Bermuda* finirent par ignorer sa présence. Sauf Pedro de Ledesma, le bel athlète costaud, qui continua de parler amicalement avec lui.

Bartolomé Colomb savait que cette histoire n'était pas finie. Francisco Porras attendait son heure et il vaudrait mieux alors frapper le premier. Comme toujours. C'était l'une des devises de Bartolomé: frappe le premier, frappe le dernier. Elle lui avait souvent été fort utile.

176

2

Quelques jours bien tranquilles dans la baie d'Ocoa pour réparer les dégâts et les blessures, et savourer la miraculeuse victoire sur l'ouragan.

Quelqu'un suggéra, dès qu'on se fut un peu remis de ses émotions, qu'une caravelle se rende à Santo Domingo, afin de prendre des nouvelles de la ville et de la Grande Flotte d'Antonio de Torres. L'Amiral s'opposa fermement à ce projet, disant qu'il fallait pour aller là-bas remonter le vent et un fort courant, que ça pouvait facilement prendre plus d'une semaine, voire un mois, et qu'on n'avait plus de temps à perdre. Il fallait partir une fois pour toutes.

Colomb fut lui-même assez étonné de son propre refus. Soulagé aussi. Ainsi, le sort d'Ovando, de Bobadilla, de Roldan, ne l'intéressait donc plus! Il était libre à nouveau! La vraie Vie était enfin de retour; la Force et la Foi, il les sentait qui le trempaient encore et lui redonnaient une détermination qu'il avait cru ne plus jamais connaître. Il sentait encore monter en lui cette Voix unique et immense, qui allait désormais l'éclairer et le guider sans jamais faillir sur le chemin de la pure Gloire. Il pouvait maintenant partir pour ce voyage sans retour au bout du monde dont il rêvait depuis si longtemps. Il pouvait enfin aller lever cette armée de 100 000 hommes qu'il avait promise au pape Alexandre, et prendre

Jérusalem dont il chasserait les Ottomans, avec autant de fureur et de force qu'avait déployées le roi David autrefois, il y avait 2 500 ans, quand il en avait chassé les Jébuséens. Ainsi serait assurée la victoire absolue de l'Occident sur l'Orient, de la Chrétienté sur les Musulmans et les Mamelouks et les Mongols et sur tous les Infidèles, même sur les Juifs. Même les Juifs, oui! Ils seraient exclus de cette gloire, de ce bonheur, de ce paradis. Il allait enfin, lui, Christophe Colomb, Grand Amiral de la mer Océane, réaliser par toute la terre l'avènement du Messie Jésus. Il deviendrait l'égal de ses héros les plus valeureux, Moïse et David; il serait comme eux, un proche collaborateur de l'Éternel Dieu, immortel lui aussi, étroitement associé à la création du monde, à la rédaction et à l'exécution de l'histoire. Il allait retrouver l'Arche d'Alliance dans laquelle les Hébreux depuis Moïse gardaient les tables de la Loi et ces textes sacrés écrits de la main même de Dieu au commencement du Monde et dans lesquels il est question de lui, de celui qui allait venir sur des vaisseaux de Tharsis, Christophe Colomb, prophète et martyr...

L'Amiral se plongeait dans la lecture des grands textes sacrés, comme on s'absorbe devant un miroir dans lequel on contemple sa propre image. Il se mirait dans la Bible. Il rêvait maintenant d'aller se contempler dans l'eau inaltérée des sources les plus originales et les plus pures dont étaient issus les grands fleuves du Paradis et les grands Cantiques de la Bible. Il avait désormais la certitude que, dans le déroulement de ses aventures, personne à part Dieu ne pourrait intervenir. Ni Ovando, ni Roldan, ni même le roi Ferdinand, ni la Reine, personne ne pourrait de quelque façon que ce soit contrecarrer ses plans. Il était libre enfin! Il exultait.

Une vive et belle exaltation régnait également parmi l'équipage, comme toujours, quand on est jeune, après un grave et violent danger dont on s'est tiré avec bonheur. On en voulait même encore. Du danger. Et du bonheur. Emmenez-en, des lames de fond grosses comme des montagnes d'Italie. Emmenez-en, des monstres hideux sortis des entrailles de la mer Océane et des vents fulgurants et foudroyants tombés du plus haut des cieux. Emmenez-en des ouragans.

Mais on était de nouveau en pleine bonace. Pas une bonace glauque et lourde comme celle qui avait précédé la tempête, mais une fraîche bonace de plein soleil dans un beau ciel tout bleu. Malgré tout ce qu'il avait dit, l'Amiral ne semblait pas pressé de partir. Car il ne voyait plus d'obstacle sur son chemin. Encore quelques jours bien tranquilles donc dans la baie d'Ocoa. Encore des chants le soir sur la plage. Encore nager dans l'eau si douce du rio. Et marcher longtemps sur les pierres tièdes et polies de la grève. Et manger des fruits, sentir des fleurs aux parfums enivrants, ramasser des coquillages, regarder, écouter les oiseaux de terre si chantants et si colorés.

L'Amiral dormait comme il n'avait pas dormi depuis des années. La nuit, dans sa cabine ou sur le pont de la *Capitana*. Le jour, dans la lumière tamisée des grands sous-bois. Un bon sommeil sans rêve, dont il émergeait toujours d'excellente humeur. Fernando, presque toujours auprès de lui, lisant dans la Bible des *Psaumes* et des *Cantiques* heureux ou notant des choses dans son journal de mer.

« Ce matin, nous avons sorti de l'eau, à l'embouchure du rio, un mammifère au corps en fuseau terminé par une épaisse nageoire toute droite et couverte de soies très douces. D'après le capitaine Tristan, qui prétend en avoir déjà vu, ce serait ce que les Arawak appellent un manati. C'est une bête tout à fait inoffensive dont le chant est une sorte de troublante lamentation très joliment modulée que les jumeaux se sont mis à imiter avec une remarquable justesse sur leurs trompettes, à la grande joie de tout l'équipage. »

« Ceux de la *Vizcaína* ont harponné une raie géante qui s'est enfuie, entraînant la barque dans sa course. Pendant près d'une heure, on l'a vue glisser sur l'eau, sans voile ni rame. Elle était presque à perte de vue lorsque la raie mourut. Nous la hissâmes à bord. Il y en eut pour tout le monde. C'est délicieux. »

* * *

L'Amiral fut bientôt rassasié de cette douce petite vie et des charmants paysages de la baie d'Ocoa. Pour que dure ce plaisir poignant et vague, presque douloureux, qu'il trouvait maintenant à toutes choses, il avait le sentiment qu'il ferait mieux de partir. De plus, Bartolomé s'était ouvert à lui de l'envie qui lui venait à tout moment d'aller à terre retrouver sa princesse indienne, la belle Anacoana, auprès de qui il avait autrefois coulé des jours heureux et qu'il savait aujourd'hui en grand danger.

On fit voile d'abord vers l'île Beata que l'Amiral connaissait bien. Il y avait relâché à quelques reprises, lors de ses précédents voyages. En août 1498, retour du Paradis terrestre, il y avait rencontré presque par hasard son frère Bartolomé qu'il n'avait pas vu depuis près de deux ans et demi, Bartolomé, fatigué, enragé, sortant, lui, de l'enfer et de la guerre qui depuis le départ de l'Amiral faisait rage sur toute l'Hispaniola.

Quatre ans plus tard, les Colomb jetaient l'ancre à nouveau dans la petite baie où avaient eu lieu ces retrouvailles. Ce n'est qu'une fois les voiles amenées qu'ils remarquèrent à quel point la Beata avait changé. La baie était déserte. Le gros village qui l'occupait autrefois avait été complètement rasé; l'île entière semblait inhabitée. C'était sinistre, triste.

La nuit pourtant était exquise. Le vent avait déposé çà et là ses lourds parfums avant de se laisser doucement tomber sur la mer étale au fond de laquelle brillait la lune pleine. On apercevait, à cinq ou six milles dans le nord, la masse sombre et luisante d'un puissant cap formant l'extrême sud de l'Hispaniola et auquel l'Amiral avait jadis donné un nom.

« Un fort joli nom, il me semble, Fernando. Mais quel nom ? Comment s'appelait donc ce cap ? »

Cette nuit, plus moyen de s'en souvenir. Ce n'est pas le San Miguel, qui est beaucoup plus à l'ouest, ni le San Nicolas, qui se trouve de l'autre côté, dans cette partie de l'île que les Indiens appellent Haïti et qui fait face à la grande terre de Cuba, ce n'est pas le San Rafaël non plus, qui est à l'est, dans l'Higuey, comme le Cap du Père et du Fils et le Cap de l'Amoureux…

Depuis dix ans, l'Amiral avait donné tellement de noms, à tellement d'îles, de fleuves, de caps et de pics, qu'il ne pouvait se souvenir de tous. C'était noté quelque part dans ses papiers. Mais où étaient ses papiers ? Quelques-uns au monastère franciscain de la Rabida, où il avait longtemps habité, d'autres chez les Chartreux de Séville, ou dans les archives de la Cour ou de la Maison des Indes ou à Salamanque ou à Cordoue, chez la mère de Fernando, ou ailleurs, nulle part probablement, beaucoup perdus à jamais, oubliés, comme ces journaux de bord des trois premiers voyages que Fernando avait prêtés à Bartolomé de Las Casas qui ne les lui a pas rendus.

« Quand nous rentrerons, tu t'occuperas de cela, Fernando. Tu rangeras tous mes papiers, mes cartes et mes portulans, qui sont éparpillés à travers toutes les Espagnes. Et tu raconteras ce que j'ai fait et ce que j'ai dit. Tu interrogeras les témoins. Et tu rapporteras tout ce qu'ils te diront bien fidèlement, même leurs mensonges et leurs calomnies et même mes erreurs, s'il le faut. Je veux qu'on sache toute ma vérité. Je veux aussi que tous ces lieux que j'ai découverts et explorés depuis dix ans gardent le nom que je leur ai donné. Ceci est extrêmement important pour moi, Fernando. Celui qui nomme un lieu se l'approprie, il le possède pour toujours ou pour aussi longtemps que le nom reste. Le nom d'un lieu, c'est son âme. Ne laisse jamais personne donner d'autres noms aux lieux que j'ai moi-même nommés. Je pense à Hojeda ou à Vespucci et à Juan de la Cosa et à tous ceux qui ont emprunté après moi les chemins maritimes que j'ai découverts et balisés. Ils peuvent cueillir sur ces chemins toutes les richesses qu'ils trouvent. Ça ne me fait ni froid ni chaud, je te le jure, Fernando, même si ces richesses en grande partie m'appartiennent. Mais que jamais, tu m'entends, que jamais ils ne sèment leurs noms le long de ces chemins. »

À part Fernando et son père, tout le monde dormait à bord des quatre petites caravelles qu'enveloppait l'onctueuse lumière de la lune. Même les mousses qui étaient de veille semblaient s'être assoupis. Et l'Amiral, qui d'ordinaire les aurait probablement fait fouetter sur-le-champ, les laissait dormir impunément. On entendait un ronflement ici et là et les sourds marmonnements que proféraient de temps en temps les dormeurs du fond de leur sommeil, parfois un bruissement confus ou un râle très bref venu de la forêt voisine ou un léger clapotis dans l'eau de la baie. Et dans la nuit pâle, la voix ferme et douce du Grand Amiral de la mer Océane.

« Je vais te dire, moi, qui était Francisco Roldan. Roldan était un traître. Il s'était rebellé contre nous et s'était réfugié avec ses hommes dans le Xaragua, chez le cacique indien Behechio dont il s'était fait un allié. Le Xaragua, c'est cette terre dont tu aperçois là-bas les contreforts, c'est toute la partie sud-ouest de l'Hispaniola, le plus riche des cinq royaumes indiens qui se trouvent dans cette île.

» Roldan était un traître, oui. Mais pour que quelqu'un te trahisse, il faut d'abord qu'il ait été ton fidèle ami. Roldan avait été mon ami. C'était un homme peu instruit et sans grand raffinement. Mais il était fort intelligent, vaillant et déterminé, un meneur d'hommes. Il savait convaincre, il savait négocier. Et j'avais résolu, dès notre arrivée en Hispaniola, de m'en faire un allié. À cause de ces qualités qu'il avait et que je viens de te dire, mais aussi parce qu'il était catalan et que les Catalans, sujets du roi Ferdinand, avaient cette fâcheuse habitude de se tenir entre eux, comme les Galiciens, et qu'ils étaient susceptibles, me semblait-il, de former une faction indépendante à l'écart des Castillans, sujets de notre reine Isabelle. Grâce à Roldan, je pouvais garder de bons contacts chez eux et m'assurer qu'une bonne intelligence régnait parmi tous mes hommes.

» Je l'avais donc nommé juge de paix, c'est-à-dire qu'il était chargé d'appliquer les lois et de rendre la justice dans toute l'Hispaniola qui comptait déjà plus d'un millier de Chrétiens et quelque 300 000 Indiens. Il était mon homme de confiance. Quand je suis allé en Castille, en 1496, leurs Altesses m'ayant demandé en qui ton oncle Bartolomé resté ici pouvait avoir confiance, j'ai nommé Roldan avant tout autre.

» Ensemble, nous avions fait lui et moi des projets et des rêves magnifiques. Il adorait parler de ce que pouvait devenir l'Hispaniola. Il imaginait des villes, des routes, des ports, une grande capitale, tout cela bien organisé, avec une armée, des marchés... Peu à peu cependant était née en lui cette idée dangereuse de faire de cette île un pays à nous. Je comprends que cette idée lui soit venue. Et qu'il ait été furieusement tenté de réaliser ce rêve. Je connais cette tentation, Fernando. Tous les découvreurs la connaissent. Et même les simples colons. L'homme qui défriche et cultive un champ peut difficilement se départir de l'idée qu'il ne lui appartient pas. Ainsi, Roldan n'a pas su résister à cette tentation de s'approprier ce pays qu'il avait entrepris de pacifier, de développer. Il l'avait parcouru de long en large. Et d'une certaine façon, mais garde cela pour toi, Fernando, mon petit, je le comprenais parfaitement. Je savais qu'il devait éprouver un très grand plaisir à faire des plans et des projets, comme s'il était le maître et le propriétaire absolu de ces lieux.

» Roldan a été à ma connaissance le premier Chrétien à adopter véritablement ce pays, le premier aussi à manifester clairement cette idée d'indépendance. Je ne dis pas qu'il a été le premier à se rebeller. Je t'ai parlé déjà du père Buil et de Pedro Margarit, catalans eux aussi, qui avant Roldan ont voulu ma perte. Mais eux, ce qui les choquait ici, c'était qu'on ne respectait pas la hiérarchie sociale espagnole, qu'on ne respectait pas les privilèges de la noblesse et des hidalgos. Ils voulaient que tout ici soit comme là-bas, c'est-à-dire que le peuple travaille jusqu'à en crever, mais que les hidalgos ne se souillent jamais les mains, sauf dans le sang de l'ennemi. Tu sais ce que je pense des institutions et des traditions espagnoles, Fernando. D'après moi, il n'y a rien sur terre de plus stérile.

» Roldan en tout cas n'en voulait rien savoir. Et il avait bien raison. Roldan était un aventurier, un homme du menu peuple. Il ne voulait surtout pas recréer ici la bonne société de Castille dans laquelle il n'avait jamais occupé une place intéressante. Il ne voulait pas de privilèges, il voulait la liberté absolue. Il ne voulait pas qu'on lui donne quoi que ce soit, il voulait tout prendre. Il n'était pas venu ici pour s'illustrer et mériter de la patrie; au contraire, il voulait qu'on l'oublie. Il ne demandait rien, en fait.

» Il considérait par contre que la vraie vie et sa vraie patrie étaient ici. Il s'était vite familiarisé avec le pays, avec la nature et ses habitants, il avait des amis chez les Indiens avec qui il faisait des fumigations, leurs femmes, m'a-t-on dit, dormaient avec lui, il parlait couramment leur langue, il vivait pratiquement comme eux. Peu à peu, il en était venu à nous considérer comme des intrus ici, dans ce pays, dans son pays, devrais-je dire. Et il a finalement pris les armes contre l'Espagne. Pour défendre sa patrie. C'était un crime impardonnable de lèse-majesté. Je le sais. Mais au fond de moi, Fernando, et tu es la seule personne à qui j'aurai jamais dit ces choses et tu ne les répéteras jamais à personne, au fond de moi, je comprenais son geste et je l'approuvais tout à fait. Tu admettras cependant que je ne pouvais pas laisser faire cela. Je savais que c'était un rêve impossible. Surtout, j'avais d'autres ambitions que j'ai toujours: trouver un passage vers les Grandes Indes et rejoindre le pays du Grand Khan, délivrer Jérusalem et bien d'autres choses encore… Et pour cela, j'avais et j'ai toujours besoin de l'appui des Rois catholiques. L'Hispaniola, c'est grand et c'est le pays que j'aime le plus au monde. Mais pour moi, ce n'est pas assez…

» Ainsi, d'une certaine façon, et je te dis ça, Fernando, parce qu'il fait nuit et que la lune est pleine et que je sais que tu ne le répéteras jamais à personne, d'une certaine façon, c'est moi qui à ce moment-là ai trahi mon ami Roldan. C'est moi qui me suis rebellé contre son désir d'indépendance et de liberté. C'est moi qui ai brisé son rêve et qui n'ai plus voulu de ce pays que nous parlions de faire ensemble, parce que je n'y croyais plus, qu'il ne me suffisait pas, que je n'y ai probablement jamais cru vraiment, sauf quand Roldan, tout feu tout flamme, m'en parlait et qu'il parvenait à évoquer ce royaume sans roi dont nous aurions été les premiers habitants, paisibles et comblés. Roldan était un passionné. Et il est toujours dangereux d'écouter un homme passionné. »

La forêt voisine était devenue tout à fait silencieuse. La lune allait bientôt se coucher, là-bas, dans l'ouest, chez le Grand Khan et l'Hispaniola sombrait lentement dans la plus opaque obscurité. Les mousses chargés d'entretenir les lampes de bord s'étaient définitivement endormis. Fernando ne voyait plus son père. Il crut même un moment qu'il s'était endormi. Mais le vieil homme reprit son récit.

«Quand je suis arrivé ici, à l'île Beata, en août 1498, et que je suis tombé sur Bartolomé, j'étais depuis de nombreux mois sans nouvelles de la colonie. J'ignorais alors que l'île était divisée et que deux gouvernements ennemis y étaient établis. Bartolomé m'a emmené marcher sur cette plage que tu voyais tout à l'heure briller sous la lune. Il m'a d'abord écouté raconter la découverte que je venais de faire du Paradis terrestre. Puis il m'a parlé de ce qui s'était passé en Hispaniola au cours des trente mois précédents.

» Il devait, pendant mon absence, déménager la capitale des Indes à Santo Domingo, le site d'Isabela s'étant révélé complètement inapte, trop venteux, insalubre, inculte. Bartolomé était donc venu jeter les bases de cette nouvelle capitale sur la côte sud d'Hispaniola, à l'embouchure de la rivière Ozama. Et, avant de rentrer à Isabela pour en organiser l'exode, il avait fait avec quelques-uns de ses hommes une petite incursion chez le cacique Behechio dont il connaissait par ouï-dire la magnificence et la prodigalité et qu'il croyait propriétaire de mines d'or qu'il voulait s'approprier. Ils avaient été séduits par les spectaculaires beautés du paysage xaraguayen. Sur les bords du lac Enriquillo, ils avaient rencontré les gens de Behechio qui les conduisirent dans un lieu idyllique où le cacique avait ses quartiers. Contrairement à ce qu'avait espéré Bartolomé, il n'y avait pas d'or, mais tout était d'une telle beauté et d'une si grande douceur qu'il se crut réellement au Paradis lui aussi. Il y resta trois ou quatre jours, au cours desquels il se lia d'amitié avec la princesse Anacoana, sœur de Behechio et veuve de Caonabo, cet intraitable cacique du nord dont je t'ai déjà parlé. Avec le consentement de Behechio, ton oncle s'était d'ailleurs fiancé à cette jeune femme qu'il se proposait d'épouser. J'avais découvert mon paradis dans le golfe de Paria; il avait trouvé le sien, ici, en Hispaniola. Nos séjours respectifs dans ces paradis devaient être de courte durée. Je ne devais jamais revoir le mien. Bartolomé avait déjà perdu le sien.

» Après avoir juré à la princesse Anacoana qu'il reviendrait la chercher dès qu'il serait installé dans la nouvelle capitale des Indes, Bartolomé était rentré à Isabela qu'il avait trouvée en pleine révolte. Roldan, en son absence, avait promis mers et mondes aux hommes qui voulaient bien se rallier à lui. Beaucoup, parmi les plus vaillants, l'avaient déjà fait. Roldan disait qu'il réglerait tout, que chaque Espagnol pourrait amasser autant d'or qu'il voudrait, qu'il aurait des esclaves, des terres, la liberté, l'impunité.

» Avec les hommes qui lui étaient restés fidèles, Bartolomé parvint cependant à repousser Roldan et les mutins, jusqu'à la forteresse de la Concepción de la Vega, qui se trouve au milieu de l'île. Roldan fit alors un pacte avec Guarionex, cacique du Magua, royaume du nord de l'Hispaniola, où se trouvait Isabela. Roldan savait que le père Buil, entre autres, était rentré en Espagne avec l'intention de présenter à la Maison des Indes un rapport très défavorable sur notre administration. Et il était persuadé que ton oncle et moi allions bientôt être destitués par les Rois catholiques. Or sur ces entrefaites, arriva d'Espagne une escadre commandée par Pedro Coronel, porteur de lettres royales nous confirmant, Bartolomé et moi, dans nos titres et privilèges. Une centaine d'hommes l'accompagnaient, mineurs et agriculteurs pour la plupart, mais que Bartolomé utilisa comme soldats, ce qui créa un certain mécontentement. Mais il n'avait pas le choix.

» Roldan, apprenant que j'étais toujours gouverneur et vice-roi et que mon frère, en mon absence, était maintenu dans ses fonctions d'adelantado par les Rois catholiques, s'était ouvertement révolté contre lui et avait fui avec ses 70 hommes dans le Xaragua. Il s'associa à Behechio que Bartolomé avait cru jusque-là son ami et son allié exclusif. D'où sa terrible et durable et bien compréhensible colère. Roldan s'était emparé de son paradis. Et de la femme qu'il aimait. Malgré le grand désir qu'il en avait, mon frère ne pouvait, avec le peu d'hommes expérimentés dont il disposait, marcher contre lui. Il organisa cependant une expédition punitive dans le royaume de Guarionex; il brûla de nombreux villages et réussit à s'emparer du cacique. Puis avec tout son monde, beaucoup de malades et de prisonniers, environ 400 soldats en armes, certains effectuant la traversée de l'île à pied, d'autres la contournant par voie de mer, Bartolomé vint s'établir à Santo Domingo. Quelques jours plus tard, il apercevait très loin au large trois caravelles filant vers l'ouest. Il partit à leur rencontre. Et c'est ainsi que nous nous sommes retrouvés, dans cette île Beata, ici même exactement, dans cette petite baie où nous nous trouvons cette nuit toi et moi…

» Il nous fallut près d'un mois pour remonter le vent vers Santo Domingo. Je ne veux pas diminuer la valeur de ton oncle que j'ai toujours tenu, comme tu le sais, en très hautes estime et amitié, mais c'était vraiment pitoyable. Deux ou trois cents huttes branlantes couvertes de chaume humide, souvent moisi, fourmillant de vermine. Pas de remparts, pas d'alcazar. Et quelque sept cents hommes, dont le quart au moins étaient invalides, souffrant de ces atroces maladies que l'on contracte ici dans l'eau et dans les fruits ou dans le commerce illicite que certains dépravés entretiennent avec les femmes indiennes. Ceux qui n'étaient pas malades étaient fort mécontents et ne travaillaient que sous la menace des armes.

» Bartolomé était dans une colère terrible. Il voulait reprendre de force son paradis et celle qu'il considérait à juste titre comme sa femme. Il m'a tout de suite proposé son plan d'attaque. Et pour la première fois de notre vie, nous avons eu, mon frère et moi, un grave désaccord. Il voulait tuer Roldan sans autre forme de procès. Moi, je voulais d'abord le rencontrer, ne fût-ce qu'une heure, le temps de lui dire que sa révolte était tout à fait compréhensible, mais parfaitement inutile et qu'elle ne pouvait le mener nulle part, qu'il y avait d'autres projets, d'autres rêves, que j'avais et auxquels j'aurais aimé l'associer. J'étais persuadé que Bartolomé et lui, qui avaient beaucoup en commun, un grand courage, de l'audace, auraient fait une équipe formidable. Mais ni l'un ni l'autre ne pouvaient m'entendre. Anacoana était entre eux.

» Et, ce qui n'a pas arrangé les choses, plusieurs de nos hommes d'équipages se joignirent aux mutins. Beaucoup d'entre eux étaient en Espagne des criminels condamnés à de très lourdes peines, plus enclins par nature à se ranger du côté des révoltés que de l'autorité. Avec cette petite armée d'hommes frais et déterminés et qui de surcroît n'avaient rien à perdre, Roldan marcha sur la forteresse de la Vega. Je n'avais à lui opposer qu'une poignée d'hommes démoralisés, plus ou moins en forme, et de plus ou moins bonne volonté. En octobre, j'envoyai une caravelle en Espagne avec une lettre aux Rois...

— J'ai une copie de cette lettre, dit Fernando, tout excité. Je la connais très bien. Elle est datée du 18 octobre 1498. Vous y racontez la découverte que vous veniez de faire du Paradis terrestre. Vous dites qu'il a la forme d'un sein de femme, et qu'il en coule des eaux très abondantes et très douces.

— Et je demandais des hommes pour venir à bout de Roldan que j'espérais contenir en attendant l'arrivée des renforts. Je demandais également des navires afin que, la rébellion éteinte, Bartolomé puisse aller commencer la colonisation du Paradis terrestre. Je ne voulais surtout pas d'une guerre ouverte avec les mutins. Malgré le grand désir de vengeance qu'avait Bartolomé qui me suppliait de marcher sur le Xaragua, je leur offris donc la paix, je leur fis une proposition de grâce et j'envoyai un sauf-conduit à Roldan.

— De cela aussi j'ai copie, dit Fernando. J'ai lu ces lettres que vous avez écrites à Roldan. Elles sont très affectueuses. Vous l'appelez "cher ami" et vous lui dites espérer que Notre Seigneur l'ait en sa sainte garde.

— J'avais en effet gardé beaucoup d'affection pour lui, même s'il avait manifesté à mon égard énormément d'arrogance et s'il avait semé la discorde entre mon frère et moi. Il finit d'ailleurs par accepter la paix que je lui proposais. Mais il me la fit payer terriblement cher. Il exigea d'abord d'être rétabli dans ses fonctions de juge de paix, puis que toutes plaintes portées contre lui et ses hommes soient retirées, et que ceux qui désiraient rester en Hispaniola aient des terres à eux concédées dans le Xaragua où ils échappaient totalement à mon autorité.

» Roldan aura ainsi changé fondamentalement la structure sociale de l'Hispaniola qui n'a déjà plus rien à voir avec celle de l'Espagne. Ici, des hommes sans noblesse peuvent être propriétaires de la terre et des gens, qu'ils sont totalement libres d'exploiter, la terre et les gens, comme ils l'entendent. C'était ce que désirait Roldan. Il a créé ici un nouveau monde, un système dans lequel chaque individu, quel qu'il soit, même le plus démuni et le plus humble des paysans de l'Andalousie, peut acquérir des terres et des Indiens. Je ne pense pas que les Rois catholiques qui ont donné leur accord pour que soit appliqué ce système aient vraiment mesuré l'ampleur des changements sociaux qu'il devait engendrer. Et je sais qu'il est trop tard pour revenir en arrière.

» Dès qu'il eut obtenu ce qu'il voulait, Roldan redevint mon allié. Il quitta même le Xaragua et vint s'établir lui aussi à Santo Domingo. Mais il avait donné aux hommes le goût de la révolte. Certains refusèrent de se rendre. Or croiras-tu, Fernando, que c'est Roldan lui-même qui, après avoir fait la paix avec moi, a entrepris de mâter cette révolte ? Il m'a livré les meneurs. Je les ai fait pendre. Il m'a même aidé à capturer Muxica, son lieutenant, son ami, qui avait refusé de se rendre. Et il était là, quand je l'ai fait exécuter. Muxica, qui était jeune et vigoureux et qui tenait à la vie, qui pleurait comme un enfant, le suppliait d'intervenir en sa faveur auprès de moi. Il n'en a rien fait.

» Et quand, il y a deux ans, à la fin de l'été 1499, Hojeda, de la Cosa et Vespucci, que Bartolomé avait surnommés le Trio infernal, sont arrivés en Hispaniola après être allés explorer, grâce à une carte qu'ils m'avaient volée, le golfe de Paria, où se trouve le Paradis terrestre, et toute la côte de cette grande terre qu'ils ont appelée Venezuela, et qu'ils ont atterri au Xaragua eux aussi et qu'ils ont voulu, Hojeda surtout, prendre la tête des mutins, et qu'ils se conduisaient ici comme en territoire par eux conquis, Roldan s'est interposé, il leur a fait la guerre et les a repoussés. Il s'est battu pour moi, parce que j'étais à ce moment-là le plus fort auprès des Rois catholiques. J'ai compris alors que le fier Roldan avait renoncé pour toujours à ses rêves d'autonomie, et qu'il n'était plus qu'un vulgaire suppôt du pouvoir.

» Plus tard, quand Bobadilla me reprochera la façon dont j'avais maté la révolte, Roldan, qui s'en était lui-même chargé, ne dira rien pour me défendre. Il me laissera tomber, comme il a laissé tomber tous les autres. Il a trahi un à un tous ses alliés. Le cacique Behechio, il l'a laissé tomber. Muxica, il me l'a livré. Et Guarionex, tu l'as vu, Fernando, le cacique enchaîné couvert de blessures sur cette caravelle devant Santo Domingo. Roldan était son allié autrefois. Il n'a rien fait pour l'aider. Roldan a trahi tout le monde, y compris lui-même, il a trahi son propre rêve. Je te le dis à toi, Fernando : il m'était infiniment plus sympathique en desperado et en révolté.

– Et Anacoana ?

– Anacoana quoi ?

– Elle et Bartolomé ? Ils se sont retrouvés ?

– Oui, ils se sont retrouvés, bien sûr. Mais ça, c'est une autre histoire, Fernando. Une autre fois, peut-être. Va dormir maintenant. Demain, nous partons pour les Grandes Indes. »

* * *

Le lendemain matin, l'Amiral fit fouetter les petits mousses qui avaient somnolé pendant leur veille. Pas trop fort, parce qu'ils étaient encore bien jeunes et qu'il n'y avait pas eu de mal, mais assez cependant pour qu'ils se souviennent et ne récidivent pas.

Le vent s'était levé, hésitant et irrégulier, troué, tout en spasmes et en tressaillements aberrants. On put quand même mettre le cap à l'ouest. Plus ou moins. L'idée de l'Amiral était au départ de reprendre l'exploration de cette côte, au sud de la mer des Caraïbes, qu'il avait vaguement examinée quatre ans plus tôt, au sortir du golfe de Paria où il avait trouvé le Paradis terrestre. Mais le détour qu'il avait fait par Santo Domingo à la recherche de son âme rendait maintenant la chose pratiquement impossible. Il était monté beaucoup trop au nord et s'était laissé porter beaucoup trop à l'ouest, plus de

100 lieues sous le vent, pour pouvoir reprendre l'exploration de cette côte là où il l'avait laissée, près de cette île, la Margarita, autour de laquelle il avait découvert de riches colonies d'huîtres perlières que dans son innocence il avait fait connaître en Espagne, de sorte que depuis deux ou trois ans, tous les marchands rapaces à qui les Rois catholiques voulaient bien accorder des permis d'exploration s'y précipitaient et y amassaient de prodigieuses richesses.

Certains cependant s'étaient donné la peine de mener un peu plus loin l'étude de ces pays neufs. Amerigo Vespucci, esprit curieux et cultivé, très méthodique, avait même poussé jusqu'à 500 milles à l'ouest de la Margarita, jusqu'à un très grand golfe au fond duquel, par une étroite manche, on avait accès à un lac immense, que les Indiens de ce pays appelaient le Maracaibo. Ces Indiens vivaient dans des maisonnettes construites sur l'eau, comme les gens de Venise, d'où ce nom de Venezuela que Vespucci a donné à leur pays. Mais Vespucci, s'il était brillant marin et armateur de grande expérience, ne connaissait pas grand-chose à la géographie. Ainsi, parce qu'il n'avait pas réussi à situer correctement ce golfe et ce lac de Maracaibo dans le *Livre des Merveilles du monde* de Marco Polo, il avait conclu bêtement qu'il s'agissait là d'une terre nouvelle qui n'avait rien à voir avec les pays du Grand Khan et dont jamais personne n'avait parlé, même pas dans la Bible. Colomb avait eu beau lui dire, lorsqu'ils s'étaient rencontrés à Santo Domingo, au cours de l'infernal été de 1499, qu'il professait là une dangereuse hérésie, Vespucci persistait dans son opinion.

Et depuis, en Espagne et un peu partout à travers l'Europe, il y avait beaucoup de gens qui comme lui pensaient vraiment que l'humanité se trouvait en face d'un nouveau monde, quelque chose d'absolument inattendu et de totalement inouï, une autre Création tirée on ne savait quand ni par qui ni comment ni pourquoi du pur Néant, un vrai mystère qui n'aurait pas, comme tous les autres, appartenu à l'au-delà, un mystère terrestre, donc éphémère et provisoire et tout à fait susceptible d'être élucidé. Et ceux qui croyaient cela considéraient Christophe Colomb comme un pauvre imbécile parce qu'il continuait de prétendre que ce qu'il avait trouvé à l'ouest de l'Europe faisait partie intégrante des Grandes Indes où était allé Marco Polo.

Cette idée d'un autre monde, si elle répugnait violemment aux théologiens, excitait au plus haut point les intellectuels et les artistes dont elle stimulait l'imagination. Colomb pensait que la vieille Europe était en train de perdre la raison. Elle avait tellement soif de savoir et de comprendre, qu'elle semblait en effet prête à avaler n'importe quoi, à boire jusqu'à la lie les légendes les plus étranges et les plus hétérodoxes que lui proposaient les aventuriers en mal de gloire, même à croire qu'il y avait deux Créations, peut-être même deux Créateurs, quelle horreur !

En Espagne, en Italie, en France, en Angleterre, au Portugal, dans les Flandres même et jusqu'en Hollande, une fièvre démente s'était emparée de tout le monde. Jamais, dans l'histoire des hommes, on ne s'était à ce point passionné pour les choses de la terre, jamais on n'avait autant négligé les affaires du paradis, comme si le paradis et l'éternité et la vraie Vie soudainement n'intéressaient plus personne. Christophe Colomb avait découvert le Paradis terrestre et il y en avait qui cherchaient encore à savoir comment la terre était faite. N'était-ce pas eux les pauvres imbéciles qui faisaient fausse route ? Ce qu'il fallait chercher selon Christophe Colomb, ce n'était pas la manière dont était fait ce monde provisoire sur le point de s'achever, mais comment, par quelle voie, on pouvait le quitter pour un monde meilleur; ce qui importait au fond ce n'était pas de trouver un passage vers les Indes, mais un passage vers l'au-delà, vers le paradis. C'était le but ultime de son expédition. Là seulement se trouvaient de véritables et respectables mystères. Là seulement se trouvait de l'inconnu irréductible et incorruptible. Et la grande et seule Aventure qui n'était pas de ce bas monde, mais d'un autre ordre. C'était ce que Christophe Colomb croyait dur comme fer, pas toujours cependant, par moments, le matin surtout, quand il faisait sa prière dans sa petite cabine obscure, sa bouche sèche, ses yeux brûlants, tous ses os encore tout endoloris de sommeil, ses muscles si raides qu'il craignait parfois de ne plus jamais pouvoir se redresser et de rester ainsi tout recroquevillé. « Seigneur, ayez pitié. »

Pour la très grande majorité des Européens, le but de cette course effrénée au cours de laquelle les marins européens traquaient l'inconnu jusque dans ces derniers retranchements, n'était plus seulement d'ouvrir des routes rapides vers les trésors des Indes, épices et or, et encore moins de trouver ce passage vers l'au-delà, mais d'abord et avant tout de révéler les formes exactes de la terre des hommes. Sur quoi vit-on ? Voilà la grande question que se posaient les Chrétiens en ce tournant de siècle. Où sommes-nous ? Ce n'étaient pas les marchands qui attendaient avec le plus d'impatience le retour des grands explorateurs des confins du monde, mais les cosmographes et les cartographes, les intellectuels. Celui qui gagnerait, ce serait le premier qui dirait avec preuves à l'appui comment était fait le monde. Voilà le véritable enjeu. Voilà ce que croyait Christophe Colomb, pas toujours, mais souvent, surtout quand tout allait bien, que la mer était calme et le vent favorable et que tout apparaissait d'une souveraine simplicité, ses os enfin déliés par le chaud soleil, ses muscles souples, Fernando et Tristan, Mendez et Bartolomé auprès de lui, faisant des plans.

Qu'y a-t-il le long de cette côte nord du Venezuela, à l'ouest du golfe de Maracaibo ? Qu'y a-t-il à l'autre bout de la côte sud de la longue terre de Cuba ? Pour Vespucci, sans l'ombre d'un doute, là se trouvait un nouveau monde. Pour Colomb, il ne pouvait s'agir que des Indes. Ces régions confuses dans lesquelles il errait depuis près de dix ans, toutes ces îles et ces terres qu'il avait découvertes autour de la mer des Caraïbes faisaient nécessairement partie des Indes, c'était la partie mystérieuse des Grandes Indes, que les Indiens eux-mêmes connaissaient mal et ne fréquentaient guère. Ainsi, chez le Grand Khan aussi, quand il y arriverait, Christophe Colomb serait un très grand homme, autant sinon plus que chez les Chrétiens, parce que là-bas aussi, il serait celui qui révélerait et dévoilerait des mystères, découvrirait, ouvrirait des chemins. Il aurait joint l'Occident à l'Orient. Il aurait fait de l'Europe un monde tout neuf, changé, totalement renouvelé. Idem pour les Indes.

On allait suivre pour commencer la côte du Xaragua en direction du Couchant, puis, parvenu au cap Saint-Michel, à la pointe occidentale de l'Hispaniola, on plongerait sous la Jamaïque, cette grande île peuplée de gens antipathiques que l'Amiral avait touchée à deux reprises lors de son second voyage, et on s'élancerait ensuite vers l'ouest à la conquête de l'Orient.

Mais les éléments étaient désespérément mous. De faibles courants portèrent les caravelles vers le sud pendant trois jours. Puis des vents débiles et erratiques les repoussèrent au nord de la Jamaïque, puis jusqu'en vue de la terre de Cuba, qu'il fallut longer encore une fois pendant des jours et des jours. Enfin, un bon matin, un vrai vent se mit à souffler du nord-est, un vent raide, ferme et frais, un grand vent solide et autoritaire, dans lequel on s'embarqua avec joie. De l'action enfin ! Et on mit le cap au sud-ouest. Le grand et apocalyptique voyage au bout du monde allait enfin commencer. Le pénible et merveilleux voyage sans retour.

Aucune des quatre caravelles ne devait en effet revoir les côtes de l'Hispaniola. Et les peines qu'avaient jusqu'ici subies ces cent quarante hommes et les peurs et les horreurs qu'ils avaient connues, étaient bien petites, presque rien, à côté de celles au-devant desquelles ils allaient si joyeusement, en ce radieux matin du 24 juillet 1502.

3

Après trois jours de course folle, les voiles jour et nuit tendues à se rompre, les fines caravelles rendues si légères qu'elles effleuraient à peine les crêtes lisses des hautes vagues, et les gars si exaltés qu'ils s'agrippaient aux vergues et aux haubans et criaient au vent d'aller plus vite encore, et parfois se frappaient les uns les autres et riaient et hurlaient vers le ciel à gorges déployées et, de temps en temps, les jumeaux sortant leurs trompettes folles et mêlant leur musique à celle du vent, même l'Amiral se trouvant alors pris d'un irrépressible fou rire et criant lui aussi au vent déchaîné d'aller plus vite, toujours plus vite, et d'emporter les quatre petites caravelles dans les airs, jusque chez le Grand Khan (quelle surprise il aura ce vieux fou en nous voyant tomber du ciel!), après trois jours de cette course folle, le vent mollit d'un coup. Calme plat, encore. Et il se mit à faire très chaud, très humide et lourd.

Un mousse grimpa au mât pour voir si l'on pouvait se baigner sans danger. Les marins craignaient en effet ces grands poissons, voraces amateurs de chair humaine, que les Portugais habitués des mers chaudes avaient appelés les requiems, par allusion à la mort rapide qu'ils donnaient. Le mousse ne vit pas de requiems, mais il aperçut au loin une île avec plage, avec très haute et très verte montagne en son milieu. On s'approcha lentement, pendant deux, presque trois jours. L'eau était si limpide qu'on voyait tout au fond, jusqu'à dix brasses et même plus. On voyait flâner les poissons roses et bleus, des fleurs et des fruits d'eau aux couleurs éclatantes et de gigantesques insectes qui se battaient entre eux. Et par moments aussi, de paisibles forêts de grands arbres d'un vert profond dont les cimes ondulaient mollement sous les vagues. Sur cette île, où ils abordèrent, la Bonacca, l'Amiral devait avoir un bien grand choc.

Bartolomé avec quelques hommes était allé à terre faire un brin d'exploration. Presque tout de suite, ils trouvèrent de l'or, ou plutôt ce qu'ils crurent être de l'or. Beaucoup. Plus que jamais ils n'en avaient vu. Ils ne voulaient pas rentrer à bord. Ils allaient, leurs yeux fous traînant par terre, retournant le moindre cailloux, fouillant le sable des cours d'eau. Et la moitié au moins de l'or qu'ils cueillaient, ils se le cachaient dans la bouche ou dans leurs chausses. Gestes furtifs, regards fuyants. Bartolomé voyait et laissait faire. Tout à l'heure, quand il faudrait retourner à bord, parce que la nuit viendrait, il leur ferait cracher tout cela. « Toi, Pedro, déshabille-toi, tout nu, là, sur le pont. Et toi aussi, Salvador. Allez, Luis, Rodrigo, Juan, tout nus, bande d'hypocrites, voleurs ! » Et il jetterait leur or à l'eau, parce que ce n'est pas de l'or, c'est de la pyrite de cuivre, c'est de l'or des fous, dur et cassant, méchant et inutile. « La prochaine fois, vous aurez chacun vingt coups de fouet. »

Il n'eut pas besoin d'administrer cette leçon à ses hommes. Ils rencontrèrent un groupe d'indigènes qui s'en chargèrent, une vingtaine d'hommes et de femmes, quelques enfants, pas farouches, mais figés, abasourdis, qui restèrent un long moment plantés au haut de la plage, bras ballants et bouches bées, à regarder les Chrétiens. Ceux-ci lentement s'approchèrent et leur montrèrent des perles et des pépites de vrai or, comme ils faisaient toujours lorsqu'ils arrivaient sur une île ou une terre nouvelle, afin de savoir si les habitants en avaient et de les leur acheter ou de les leur voler, selon qu'ils étaient gentils et serviables ou pas. À la vue des perles et de l'or, ceux de Bonacca sortirent de leur torpeur et se montrèrent soudainement fort excités. Ils poussaient des oh ! et des ah ! admiratifs, tous là à toucher, sentir, goûter les trois perles et les deux grosses pépites d'or vrai que leur tendait Bartolomé. L'autre or, le faux, ces gros morceaux de pyrite de cuivre qu'il leur offrit ensuite, ils n'en voulurent rien savoir. Bartolomé et ses hommes étaient frappés de stupeur. Surtout quand, par signes, les Indiens leur firent comprendre qu'ils voulaient leur acheter les perles et les pépites d'or. Les Chrétiens comprirent alors que les gens de Bonacca tenaient l'or vrai pour une chose rarissime et extrêmement précieuse et ce métal jaune qu'on trouvait en abondance dans leur île pour un caillou sans valeur aucune.

Comment, si près des Indes, pouvait-on être si pauvre en or ? Bonacca, c'était le monde à l'envers. Un choc.

Les sauvages offraient de payer avec des sortes de noix dures et vernies qu'ils semblaient utiliser comme monnaie et qu'ils appelaient des cacaos. N'obtenant aucune réaction, les Chrétiens étant à leur tour muets de stupeur, ils proposèrent d'affreuses idoles maladroitement sculptées dans du bois mou et rouge au grain très gros, puis des fruits et des poissons séchés, des coquillages plus ou moins bien polis, rien de valeur. C'était affolant. Jamais, on n'avait été si proche des Indes et des pays de l'or, et voilà qu'on rencontrait un peuple barbare et arriéré qui n'avait pratiquement jamais vu d'or véritable. Comme si on avait fait fausse route !

Depuis le 12 octobre 1492, le jour où pour la première fois il avait abordé aux Indes, dans l'île de Guanahani qu'il devait nommer chrétiennement San Salvador, l'Amiral avait en effet toujours eu affaire à des Indiens qui, s'ils ne possédaient pas beaucoup d'or, savaient au moins lui indiquer où il pourrait en trouver. Le peu qu'ils avaient, quelques bijoux, des masques, un peu de poudre parfois, ils s'en défaisaient assez facilement, mais ils disaient chaque fois qu'ils l'avaient trouvé ou acheté ailleurs, les mines et les sables aurifères étaient toujours plus loin, toujours sur une autre île, et sur l'autre île, on lui disait que c'était encore plus loin, si bien que l'Amiral en était venu à se méfier et à croire que les Indiens se jouaient de lui, et que, s'il l'envoyait ainsi sans cesse ailleurs, c'était sans doute qu'ils avaient chez eux des trésors qu'ils cherchaient à protéger. Il ne savait plus comment les interroger. Douceur ou violence ? Il avait tout essayé. Il n'avait pu s'empêcher de croire pendant plusieurs semaines qu'il y avait réellement un trésor caché quelque part dans l'une de ces îles. Et il ne pensait plus qu'à cela, jour et nuit, l'Eldorado, quelque part au fond d'une profonde vallée, dans une caverne très secrète sous l'énorme couette de verdure, gardé par des soldats nus, muets, incorruptibles, un trésor incroyable, celui de Salomon peut-être, baignant dans sa propre lumière au cœur de la nuit des temps, intouché depuis des siècles et des siècles...

Il avait demandé à son interprète, Luis de Torrès, naguère juif, de se concentrer là-dessus, c'est-à-dire d'apprendre le plus rapidement possible tous les mots qui avaient quelque rapport avec l'or. Mais ce n'était jamais simple. Torrès s'était rendu compte, dès le premier jour à San Salvador, que ses connaissances des langues araméennes, du chaldéen, de l'arabe et de l'hébreu, du grec et du latin, ne lui serviraient pas du tout, pas plus que l'espagnol, le portugais et l'italien ou le français ou le galicien que parlaient plusieurs des membres d'équipage. Quoi qu'en dise l'Amiral, on était ailleurs, dans un monde jamais vu parlant des langues jamais entendues.

Torrès avait rapidement appris à dire quelques mots dans la langue arawak, ciel, océan, soleil, homme, femme, arbre, poisson, or, pénis et vagin, merde, etc. Après un mois, il pouvait nommer toutes sortes d'objets, dont certains, comme le hamac ou le tabac ou le maïs, étaient jusque-là inconnus des Espagnols. Mais il ne savait toujours pas comment formuler une interrogation. Il avait même cru pendant un moment que les Arawaks ne posaient jamais de questions, puisqu'il ne trouvait rien dans leur langue qui semblait servir à cela. Comment obtenir des renseignements sans poser de questions ? Voilà qui n'est pas simple. Torrès travaillait avec ses mains et ses yeux autant qu'avec sa bouche.

Il avait quand même réussi à tenir des semblants de conversations avec un jeune homme de l'île San Salvador que l'Amiral avait tout de suite pris à son bord, afin qu'il rassure les sauvages des autres îles vers lesquelles allaient les

Chrétiens et qu'il assiste Torrès lorsqu'il voulait entrer en communication avec eux. Ce jeune homme était fort beau, bien fait, agile, intelligent et curieux. Après avoir échangé quelques sourires avec lui et lui avoir donné un grelot en échange des deux ou trois pépites d'or aplaties qu'il possédait, Torrès s'était frappé la poitrine en disant plusieurs fois: «Soy Luis, Yo soy Luis (Moi, je suis Luis)». Puis il avait pointé l'Indien qui s'était mis à rire et s'était à son tour frappé la poitrine avec force en disant plusieurs fois: «Yo, yo (Moi, Moi)», de sorte qu'on avait pris l'habitude de l'appeler Yo, ce qui après tout était peut-être son vrai nom.

Luis de Torrès n'avait cessé de dire à quel point il trouvait merveilleux que le premier homme des Indes avec lequel les Chrétiens avaient pris langue ait eu pour prénom le plus intime, le plus révélateur, le premier des pronoms personnels espagnols. Le plus amusant, c'était que Yo, entendant souvent son nom dans la bouche des Chrétiens, croyant qu'ils l'appelaient (ou que peut-être ils se nommaient tous Yo comme lui), les regardait, riait, répétait Yo, Yo, Yo, Je, Je, Je. À la première occasion, Je s'était enfui.

Il n'avait absolument rien appris aux Chrétiens sur l'origine de l'or, ce qui avait puissamment ennuyé l'Amiral et tout le monde. Contrairement à ce qu'ils avaient toujours cru, l'or baignait ici aussi dans une sorte de mystère qu'il semblait sécréter naturellement et dont il s'enrobait comme d'une gangue opaque le dérobant à la vue des hommes. Personne ne semblait savoir au juste d'où il venait. Même ceux qui en avaient sur eux. C'était comme s'ils l'avaient obtenu à leur insu ou le possédaient de naissance, comme leurs ongles, leurs cheveux et leur peau.

Beaucoup de Chrétiens croyaient par ailleurs qu'il était impossible de trouver de l'or quand on en cherchait, mais qu'il venait ou naissait comme par magie, au moment et au lieu où l'on s'y attendait le moins. Tu te lèves un matin et qu'est-ce que tu vois sur le pas de ta porte? Une ou deux ou vingt pépites d'or, qui se sont condensées pendant la nuit. Tant mieux pour toi. Mais tu peux attendre encore 100 ans et ne plus jamais en revoir.

On disait par ailleurs, depuis Aristote, que l'intense chaleur du soleil favorisait la condensation et la naissance de l'or. Les Chrétiens croyaient dur comme fer que l'or poussait fort bien aux Indes et que les Indiens par conséquent étaient de grands cueilleurs d'or. Or les premiers Indiens rencontrés ne semblaient pas en savoir plus sur lui que les plus ignares des Chrétiens.

Un mois environ après la grande découverte, en novembre 1492, on avait rencontré sur la côte de Cuba un vieil Indien tout sec qui, lorsqu'on lui eut montré les morceaux d'or qu'on avait obtenus des Indiens de San Salvador et de quelques autres îles, s'était lancé dans une harangue interminable, avec des gestes grandiloquents, des roulements d'yeux, des rugissements, des susurrements, des éclats de rire. Plusieurs fois, il avait indiqué l'horizon, le nord-est, en criant très fort: Babeque! Babeque! Puis il avait simulé les mouvements du rameur, s'était couché sur le sable, s'était relevé, avait refait les mouvements du rameur, s'était recouché et relevé et ainsi de suite cinq ou six fois, tout cela en répétant avec fermeté, Babeque! Babeque! Babeque! et en pointant l'horizon d'un index autoritaire. Pour tous les Espagnols, qui étaient à ce moment-là une bonne vingtaine à entourer le petit vieux, il était évident qu'il indiquait une île, située à cinq ou six jours de rame de Cuba, Babeque, sur laquelle se trouvait la source de l'or, l'Eldorado. Enfin!

Le lendemain matin, quand le jour s'était levé, la *Pinta* que commandait Martin Alonzo Pinzón était déjà très loin sur l'horizon, en direction du nord-est, de Babeque. L'Amiral était inquiet et tellement fâché qu'il avait peine à parler. Car si Pinzón trouvait le pays de l'or et rentrait le premier en Europe, il pourrait raconter n'importe quoi et prendre tout le crédit de la découverte. Colomb était donc parti avec la *Santa Maria* et la *Niña* dans la même direction, mais des vents opiniâtres l'avaient détourné de sa route et poussé vers cette autre très grande île, l'Haïti des Indiens, qu'il devait appeler Hispaniola.

Les habitants de cette île s'étaient montrés fort aimables et généreux avec lui. Ils lui avaient donné le peu d'or qu'ils possédaient. Ils lui avaient indiqué un point de la côte derrière lequel, prétendaient-ils, se trouvait le véritable pays de l'or, Bohio, plus riche encore que Babeque. Colomb avait couru là-bas. Et qui avait-il trouvé, venant vers lui, vent en poupe, tout penaud ? Pinzón, disparu depuis 45 jours. Il s'était juré évidemment de lui faire payer très cher sa trahison. Mais une chose cependant le réjouissait au plus haut point dans cette rencontre: Pinzón et lui, tous deux cherchant le pays de l'or par des chemins différents et se fiant aux indications des habitants d'îles fort éloignées les unes des autres, étaient arrivés au même endroit exactement, Pinzón venant du nord-est, lui de l'ouest. Ce n'était donc pas un hasard. Il y avait là un signe évident.

L'Amiral s'était ainsi persuadé qu'il venait réellement d'arriver au pays de l'or et que Bohio n'était rien de moins que le Cipango dont parlait Marco Polo, un pays dont Colomb rêvait depuis 30 ans, depuis ce jour où, à Gênes, Bartolomé lui avait fait lire le *Livre des Merveilles du monde* et qu'il avait eu ces visions de villes aux rues pavées d'or et aux palais couverts de diamants et d'émeraudes et de mille pierres précieuses. Voilà que 200 ans après le récit du richissime marchand vénitien, l'Europe avait enfin retrouvé ce pays, Cipango, cette grande île au large de la Chine qui s'appellera désormais Hispaniola, propriété exclusive des Rois catholiques.

Quelques jours avant cette rencontre avec Pinzón, la *Santa Maria* s'était écrasée contre une barrière de corail, un peu plus à l'ouest sur cette côte très échancrée de l'Hispaniola. Naufrage spectaculaire et providentiel qui avait permis à Colomb de se lier d'amitié avec le jeune cacique Guacanagari, lequel s'était généreusement porté au secours des Chrétiens. Guacanagari avait développé pour l'Amiral une passion dévorante. Surtout à la suite de ce naufrage. Il l'embrassait sans cesse, pleurait à chaudes larmes sur ses malheurs et, selon une coutume qui semblait établie dans son pays lorsqu'on voulait manifester sa sympathie à un être cher, il prenait la main de l'Amiral ou un pan de sa chemise ou ses cheveux, pour essuyer les larmes qui coulaient en abondance de ses yeux.

Au moment où la *Niña* allait quitter le pays, un messager était venu dire aux Chrétiens d'attendre quelques jours, que Guacanagari faisait préparer une statue d'or aussi grande que l'Amiral lui-même, un homme d'or, un *djabo*, qu'il voulait lui offrir afin que jamais il ne l'oublie. L'Amiral était depuis assez longtemps chez Guacanagari pour savoir qu'on n'avait jamais cueilli assez d'or dans son petit royaume pour faire une statue de cette grandeur. Et y en eût-il eu qu'on eût été bien incapable de la faire. Les Indiens étaient remarquablement malhabiles de leurs mains; ils ne savaient pas creuser le sol, pas fondre l'or ni le travailler, ils se contentaient d'étirer ou d'écraser les paillettes et les pépites qu'ils trouvaient par hasard. Mais ce rêve ou cette légende du *djabo* avait plu infiniment au Grand Amiral de la mer Océane. C'était, comme le Cipango de Polo, une promesse, une prophétie.

Colomb avait ainsi acquis la certitude qu'il y avait beaucoup d'or en Hispaniola. D'abord, parce qu'il en avait vu plus que sur toute autre île. Mais aussi parce qu'il y avait cette obsession et cette fièvre de l'or, ce rêve et cette légende de l'homme d'or et que les légendes et les rêves finissaient toujours selon lui par s'imposer et se réaliser. Tout ce qui manquait aux Indiens pour réaliser leur rêve, c'était des outils. Ils n'étaient pas équipés. Les Européens eux l'étaient, ils étaient habiles, ingénieux, intelligents. Ils extrairaient l'or de cette terre d'Hispaniola. Et un jour il y aurait ici une ville aux rues pavées d'or et un palais sertis de pierres précieuses et sur la grande place un *djabo*, un homme d'or, grand, sublime, inaltérable. Mais il fallait pour commencer bâtir une ville de pierre et des maisons de bois, fonder un pays, devenir un grand personnage valant son pesant d'or.

Colomb avait alors pris la décision de rentrer en Europe faire part de sa découverte aux Rois catholiques et de revenir le plus tôt possible aux Indes avec des mineurs, des orpailleurs, des orfèvres et quelques missionnaires… Il savait bien sûr qu'il n'y avait pas de trésor déjà tout amassé. Et que l'Eldorado était un rêve, tant chez les Indiens que chez les Chrétiens. Il savait que les rues pavées d'or dont parlait Marco Polo n'étaient que des métaphores, une manière de dire qu'on pouvait trouver beaucoup de richesse dans le sol de cette île.

Lors de son second séjour aux Indes, le gouverneur Colomb avait donc entrepris d'organiser méthodiquement l'orpaillage des rivières et des placers. Mais il était difficile de contrôler les passions et les fièvres que déclenchait l'or chez les Chrétiens. Les menuisiers, les maçons, les cuisiniers, les agriculteurs, les hidalgos, tout le monde cherchait de l'or, en trouvait, en cachait la plus grande partie pour ne pas payer d'impôt aux Rois et au gouverneur. Personne ne voulait travailler à l'édification de la capitale. Il fallut interdire aux Chrétiens de chercher de l'or. Bartolomé Colomb eut alors l'idée de confier cette tâche aux Indiens, nouveaux sujets des Rois catholiques.

Tout Indien âgé de 14 ans et plus avait donc été contraint de fournir tous les trois mois, en guise de tribut, un grelot de faucon rempli de poudre d'or. Les caciques rebelles réduits à soumission devaient quant à eux remplir d'or tous les deux mois une calebasse grande comme leurs deux mains réunies. À chaque versement, l'Indien recevait une marque de cuivre ou de laiton qui attestait du paiement et qu'il devait porter pendue au cou à défaut de quoi il était sévèrement puni: oreille ou nez coupé, quand ce n'était pas la tête. Ceux qui vivaient dans les régions éloignées des mines avaient été exemptés de ce tribut en or, mais afin qu'il n'y ait pas d'injustice, ils devaient donner aux Chrétiens une valeur équivalente en coton filé ou tissé ou en fruits et légumes ou en services divers.

Ces travaux exigeant la mobilisation de tous les bras, les Indiens avaient dû pratiquement interrompre toute autre activité. Plus de chasse, plus de culture ni de pêche. Il y avait eu fatalement une grande famine dans tout le pays. On avait dû réduire le tribut de moitié. C'était encore trop. Incapable de remplir leurs grelots ou leurs calebasses, les Indiens s'étaient enfuis dans les montagnes ou s'étaient révoltés ou suicidés, parfois en famille, par villages entiers.

En 1499, à la suite des guerres intestines menées par Francisco Roldan contre le pouvoir des frères Colomb, ce système avait été abandonné. Et on avait établi celui des repartimientos. Chaque colon recevait un lot de terre et le droit d'y faire travailler les Indiens, mais l'or recueilli restait en principe le monopole absolu de droit et de fait des couronnes espagnoles. Un an plus tard cependant, pour nuire à l'Amiral qu'il avait fait emprisonner et pour se rendre populaire auprès des Chrétiens des Indes, Francisco de Bobadilla avait décrété la liberté pour chaque Espagnol de chercher librement de l'or sur ses terres pendant une durée de 20 ans, à condition de verser à la couronne la onzième partie du profit. Mais cela non plus ne devait pas durer. Les orpailleurs cachaient leurs cueillettes et les agents du fisc ne parvenaient pas à tenir les comptes. On avait rapidement abandonné ce nouveau système et les fonctionnaires royaux avaient repris le contrôle de l'extraction et du traitement de l'or. Mais il y avait encore des cachotteries. À la moindre occasion, tout un chacun désertait et allait gratter la terre ou laver les sables des ruisseaux et des rivières. On avait trouvé de l'or un peu partout à travers l'Hispaniola. Assez sans doute pour construire quelques *djabos*. Mais que de peines et de misères, que de morts !

Et voilà que tout près des Grandes Indes, à Bonacca, la source que l'on avait si patiemment remontée depuis près de dix ans semblait s'être soudainement tarie, plus d'or. Pire, plus de légende ni de rêve d'or, plus de *djabo*. Que des hommes et des femmes d'une tranquille innocence, qui semblaient totalement à sec de rêve et de légende, qui s'émerveillaient de quelques pépites d'or et qui, lorsqu'ils comprirent qu'ils ne pouvaient les obtenir en échange de leurs noix de cacao, ne s'offusquèrent point ni ne se désolèrent ni ne se prosternèrent dans le sable devant les Chrétiens comme faisaient beaucoup de leurs congénères, mais se mirent à chanter en chœur une sorte de mélopée monotone et lente qui n'était pas sans rappeler le majestueux grégorien. Mais en plus joyeux. Et pendant qu'ils chantaient, ils souriaient et se tenaient par la taille ou les épaules et se dandinaient avec un bel ensemble. L'Amiral et ses hommes les observaient. Ce n'étaient pas des Indiens ordinaires. On devait bientôt découvrir qu'ils étaient beaucoup plus raffinés, plus brillants, moins barbares, malgré leur ignorance de l'or et des perles, que tous ceux rencontrés jusque-là.

D'abord, ils étaient vêtus de façon fort décente, les adultes des deux sexes cachant pudiquement leur nature. Les femmes, la tête entourée d'écharpes vivement colorées semblables à celles que portaient les Maures de Grenade, étaient vêtues de tuniques de coton très fin qui laissaient voir leurs épaules et leurs cuisses rondes et hâlées, de belles grandes échappées de peau douce et huileuse. Mais elles baissaient les yeux et se voilaient le visage dès qu'elles sentaient peser sur elles les regards lubriques des hommes de Colomb. Rien à voir avec ces filles dévergondées de l'Hispaniola ou du golfe de Paria qui, d'elles-mêmes ou encouragées par leurs pères et mères, venaient souvent toucher et caresser les Chrétiens qui ne savaient à peu près jamais et ne voulaient surtout pas résister à leurs avances, malgré les violentes admonestations de l'Amiral. Celui-ci, qui était d'une pudicité notoire, fut vivement impressionné par les femmes de Bonacca qu'il considérait comme plus avancées dans l'ordre moral que beaucoup de femmes chrétiennes. Et il ordonna à ses hommes de bien les traiter, avec autant de respect que si elles eussent été leurs sœurs. Ce qu'ils firent. Mais pour s'amuser, beaucoup prirent l'habitude de regarder les jeunes femmes en faisant entendre des rugissements d'ogres affamés.

L'Amiral cependant n'était pas au bout de ses surprises dans ce petit pays de Bonacca. À San Salvador, à Cuba, en Hispaniola, et plus tard dans le golfe de Paria et sur cette côte qu'il avait en partie explorée près de l'île Margarita, il s'était étonné et désolé de ne jamais rien trouver de cette fameuse monnaie de papier que Marco Polo avait vue circuler dans toutes les Indes, ni rien d'aucune autre monnaie d'aucune sorte. Or les gens de Bonacca, s'ils n'avaient pas de papier et ne possédaient pas d'or et ne connaissaient pas grand-chose aux belles perles et aux pierres précieuses, utilisaient un véritable système monétaire. Chaque adulte portait en effet sur lui un sachet de coton renfermant une certaine quantité de ces noix de cacao auxquelles ils semblaient accorder une extrême importance. « S'il arrive que l'un d'entre eux en échappe une, nota Fernando dans son journal, il met à la ramasser autant de précipitation que si l'un de ses yeux s'était détaché de sa tête. »

Un matin, deux ou trois jours après leur arrivée dans ces parages, les Chrétiens virent arriver à Bonacca un très long et très rapide canot mû par vingt-quatre rameurs. Il venait des hautes terres qui dominaient tout le sud de l'horizon et vers lesquelles les caravelles ne pouvaient se rendre, faute de vent. Il y avait, au milieu de ce canot, une sorte de grande tente faite de feuilles de palmier sous laquelle se tenaient les femmes et les enfants, à l'abri du soleil ou des intempéries. De toute évidence, ces gens étaient partis de chez eux pour plusieurs jours, voire plusieurs semaines, sans doute dans le but de commercer avec les habitants des îles et de la côte. Ils avaient à leur bord de nombreuses provisions et beaucoup de marchandises de toutes sortes, et même des vêtements de rechange, tuniques et camisoles ouvragées de broderies et peintes de différentes couleurs, des outils et des matériaux pour réparer leur embarcation, des jouets pour les enfants, des idoles. L'Amiral ordonna à ses hommes de s'emparer du canot, ce qui fut fort aisé. Les Indiens n'opposèrent en effet aucune résistance, bien qu'ils fussent armés, et ne manifestèrent que peu de crainte, même en voyant les Chrétiens descendre dans leur embarcation et examiner leur cargaison, mettant tout sens dessus dessous.

On trouva de très beaux objets bien faits, de longues épées de bois sur lesquelles étaient solidement enchâssées des pierres tranchantes comme de l'acier, des couteaux de silex, des hachettes de cuivre, divers récipients parfaitement étanches, des creusets pour fondre le cuivre et d'autres minerais, probablement de l'argent, peut-être de l'or. Sous la tente, bien au frais tout au fond de l'embarcation, il y avait des pichets d'une boisson de maïs fermenté dont le goût un peu amer rappela à Bartolomé Colomb celui de la bière anglaise dont il avait maintes fois joyeusement abusé *a long time ago* lorsqu'il travaillait comme cartographe à Londres et qu'il essayait bien en vain d'intéresser le roi Henri VII d'Angleterre au projet de la route océane vers les Indes.

Il y avait également dans le grand canot d'impressionnantes quantités de noix de cacao soigneusement rangées dans des sachets bien propres, chacun portant un signe particulier, une sorte de chiffre permettant probablement d'en identifier le propriétaire. Décidément, on avait affaire ici à un monde très différent, certainement plus développé et mieux équipé, mieux organisé, que celui des doux Arawaks ou des Caraïbes mangeurs d'hommes qui peuplaient les nombreuses îles et les terres qu'on avait découvertes tout au long de ce trop long chemin qui depuis près de dix ans, péniblement, lentement, menait les hommes d'Europe vers le jamais vu...

Un homme assez âgé commandait l'équipage de ce canot. Les rameurs, ne sachant comment réagir à l'oppressante présence des Chrétiens qui les bousculaient parfois brutalement, se tournaient vers lui et attendaient ses directives auxquelles ils obéissaient sans rechigner. Il leur parlait sur un ton rassurant, d'une belle voix profonde et calme, lui-même se tenant légèrement à l'écart et observant les Chrétiens d'un œil froid. Les rameurs étaient tous jeunes et musclés. Ils auraient très bien pu se défendre. Mais il est probable que le vieil homme leur interdit de le faire à cause de la présence des femmes et des enfants. Ils lui obéirent, se croisèrent les bras, attendirent. L'Amiral décida de prendre le sage vieillard à son bord et de renvoyer les autres à leurs affaires après leur avoir donné maintes choses (grelots, boules de verre, de vieux pourpoints, des gants) en dédommagement de celles qu'on leur avait prises. Ils se tournèrent tous vers leur maître qui leur parla très longuement, après quoi, rassurés, ils partirent.

Le lendemain matin, 14 août 1502, un petit vent paresseux s'étant levé, l'escadre chrétienne fit voile vers la Grande Terre qui se trouvait au sud. C'était une assez haute côte qui tombait dans une mer que l'on jugeait très profonde, car malgré l'extrême limpidité de l'eau et la proximité du rivage, on ne voyait pas du tout le fond. C'est pourquoi l'Amiral nomma ce lieu, qui ne manquait pas de charme, Las Honduras, les Profondeurs.

Le 15 août, Fernando eut 14 ans. L'Amiral l'embrassa et lui raconta avec beaucoup de tendresse le jour de sa naissance, à Cadix, et il lui parla longuement de sa mère Beatriz de Haraña, une femme belle et admirable, fidèle... Fernando savait que son père encore une fois arrangeait la réalité à sa convenance. Sa mère était très belle, certes, grands yeux noirs, épaisse chevelure, peau mate, mais elle s'était depuis belle lurette lassée d'attendre son Grand Amiral de la mer Océane qui ne s'était jamais résolu à l'épouser. Il était maintenant trop tard. Il regrettait, il souffrait. Trop tard. Elle avait d'autres hommes dans sa vie. Des hommes que Fernando haïssait de toutes ses forces.

Ce jour-là, on descendit à terre. Il y avait sur la falaise de nombreux arbustes garnis d'aiguillons crochus, des icaquiers, donnant un fruit spongieux et savoureux dont raffolaient les gens de Bonacca. Puis des pins d'une stature et d'une droiture remarquables. Un peu de vent aussi. Et personne. L'Indien captif expliqua que le pays d'où il était venu en canot était situé beaucoup plus loin le long de cette côte, en direction du couchant, que c'était un beau pays dont les habitants étaient très nombreux, doux et industrieux. Il dit aussi plein d'autres choses qu'on saisissait assez mal, ce dont il se rendait parfaitement compte, et alors il souriait et se taisait, un peu triste d'être incompris, mais pas du tout mal à l'aise. Il semblait même heureux de son sort.

Il s'appelait Jumbe. Il était assez grand et sec, avait un long nez busqué, le front haut, de profondes rides sur le visage et beaucoup de plis sur le ventre, de gros cheveux gris et lisses qui lui tombaient sur les épaules. Quelque chose en lui rappelait de façon impérieuse le bon père Juan Perez, supérieur du monastère franciscain de la Rabida, vieil ami de l'Amiral. C'est ce père Perez qui avait convaincu la reine Isabelle, dont il avait été le confesseur, de l'importance du projet de la route des Indes que proposait Colomb. Mais le père Perez était tout en rondeurs, court, grassouillet, lisse de peau et presque chauve, tout le contraire de Jumbe. Pourtant, l'Amiral, observant le fin visage de ce dernier, ne pouvait s'empêcher de penser à son ami franciscain. En quoi se ressemblaient les deux hommes ? Il n'aurait su le dire. C'était quelque chose d'indéfinissable dans leurs gestes, dans le timbre et les inflexions de leurs voix, dans leurs regards, une sorte de paix et de force tranquilles qu'on aurait dites puisées à la même source, une sorte de parenté de l'âme. L'Amiral décida que Jumbe s'appellerait désormais Juan Perez, comme son ami. De même qu'il tenait à nommer les lieux qu'il découvrait, il aimait baptiser les gens qu'il rencontrait, lorsqu'il sentait que ceux-ci en était dignes. Or cet Indien qui, sans un regard et sans un regret, avait quitté les siens était, croyait l'Amiral, appelé à vivre parmi les Chrétiens; il était donc normal selon lui qu'il fût baptisé.

L'Indien Perez n'allait pas vivre bien longtemps parmi les Chrétiens. Il devait tout de même, pendant plus d'un mois, se révéler un précieux collaborateur et un agréable compagnon. Il connaissait assez bien les langues arawaks que baragouinaient Colomb et certains de ses hommes, Terreros, Tristan, Bartolomé et quelques autres, qui fréquentaient les Indes depuis déjà plusieurs années, de sorte qu'on pouvait s'entretenir de beaucoup de choses avec lui et en tirer plaisir et profit. Il connaissait aussi fort bien la région et les légendes qui y circulaient. Il aimait parler surtout de ce qu'il n'avait jamais vu, sans doute parce que c'était ce qu'il connaissait de plus beau. Il disait que dans l'ouest, à quelques jours de canot de son pays, se trouvait un royaume très riche, qu'il appelait le Maya, et qui était gouverné par un roi puissant possédant beaucoup de femmes, de soldats et d'or.

L'Amiral était assez excité par cette histoire. Il était violemment tenté de foncer vers cet ouest prometteur dont lui parlait l'Indien Perez, et d'aller visiter ce grand peuple du pays Maya qu'il croyait être le Cathay de Polo, cet immense et richissime pays s'étendant sur tout l'est de l'Asie. Mais il se disait qu'il serait toujours possible et facile de le faire, depuis l'Hispaniola et Cuba, en empruntant les grands vents qui à cette latitude soufflaient toute l'année vers le couchant. Perez lui avait si bien parlé de ces pays de l'ouest qu'il les considérait pratiquement comme découverts, connus. Plus mystérieux, donc plus attirant, demeurait l'est de cette côte où ils se trouvaient, l'est dont Juan Perez lui-même ne semblait pas connaître grand-chose et qui était certainement beaucoup plus difficile d'accès que le pays Maya. Il faudrait en effet remonter un vent costaud, constant et lourd.

L'Amiral considérait qu'il fallait toujours autant que possible commencer par le plus difficile et entre deux chemins choisir le plus périlleux. Il était persuadé que les chemins faciles, sans obstacles et sans embûches, ne pouvaient mener que vers des lieux pauvres et sans intérêt et qu'il fallait vaincre mille obstacles pour accéder aux pays des merveilles. Il allait donc plus volontiers du côté où l'inconnu lui semblait le plus opaque, le plus difficilement pénétrable. À quoi bon découvrir ce qui ne recèle que peu de mystère ?

Comme Bartolomé et ses autres capitaines, il croyait que cette côte est-ouest sur laquelle ils se trouvaient depuis deux jours devait tôt ou tard du côté du soleil levant s'incurver vers le sud et rejoindre cette autre côte est-ouest qu'il connaissait déjà un peu et que Vespucci avait explorée jusqu'au golfe de Maracaibo. Et là, quelque part, entre ces deux côtes plus ou moins parallèles, fatalement, ayant bouclé la boucle et fait pratiquement le tour de la mer des Caraïbes, il trouverait le joint, la solution, le passage vers le pays des épices et de l'or.

Juan Perez parlait souvent du Veragua, où il y avait selon lui beaucoup d'or, de grands vaisseaux, des cités inexpugnables. Bartolomé n'en croyait rien. Il était persuadé que Juan Perez n'était jamais allé au Veragua de sa vie et qu'il ne connaissait personne qui y fût déjà allé, et que le Veragua était une fable. Mais son frère l'Amiral disait que les légendes et les fables auxquelles croyaient les Indiens devaient correspondre à quelque chose de bien réel. Il avait à plusieurs reprises remarqué qu'elles concordaient avec ce que racontait Marco Polo, ce qui le confirmait dans son opinion qu'il était proche du but. Il se disait en lui-même, écoutant Juan Perez: « Il me parle du Champa de Polo » ou « C'est du Mangui dont il s'agit ici ».

Et dans sa fièvre, il s'emparait alors du discours de l'Indien et se mettait à son tour à lui raconter les merveilles qu'il croyait savoir de ces pays. « Dans ce Mangui dont tu me parles, Juan Perez, se trouve le plus grand et le plus beau palais qui soit au monde. Les murs font dix milles de tour. Et dans l'enceinte, il y a de magnifiques jardins avec des fontaines et des lacs où abonde le poisson, et dans le parc il y a des cerfs et des lions, des licornes. Il y a mille chambres dans ce palais, toutes avec des tableaux et des tapisseries si belles qu'on raconte que des sages là-bas passent toute leur vie à n'en contempler qu'une seule et qu'ils n'en sont jamais rassasiés. Il y a aussi vingt salles si vastes que dans chacune d'elles dix mille hommes pourraient manger aisément. Tous les murs et tous les plafonds sont couverts de peintures d'or. »

L'Indien Perez se taisait et écoutait, fasciné ou ennuyé, on ne le sut jamais. Il ne comprenait pas grand-chose aux divagations de l'Amiral et pas plus que lui il ne connaissait le chemin qui menait du rêve à la réalité.

Quelque chose dans ce qu'il disait intéressait cependant au plus haut point le pragmatique Bartolomé. Mais ce ne fut jamais clair, malgré les gestes et les mots qu'on fit maintes fois répéter au vieil homme, malgré les dessins et les cartes que lui soumettaient Christophe et Bartolomé et qu'il semblait totalement incapable de lire. Il parlait d'un détroit se trouvant quelque part, là-bas, au bout de cette côte, vers l'est, puis vers le sud probablement. Mais jamais on ne sut s'il s'agissait d'un détroit de terre séparant deux mers, un isthme, ou d'un détroit d'eau les unissant, langue de terre ou bras de mer, obstacle ou passage. Il fallait aller voir.

Or la tempête encore une fois se levait. Pas terrible, comme celle dans laquelle était entrée le mois précédent la grande flotte d'Antonio de Torres, mais insatiable, iné-puisable. Elle devait durer tout un mois au cours duquel la petite escadre de Colomb navigua vent debout, sous la pluie, le tonnerre et les éclairs. Même les jours d'accalmie, le ciel était gris et la mer restait grosse. On s'était habitué à cette horreur ordinaire. Tout le monde était couvert d'ecchymoses et d'écorchures. On a beau avoir le pied marin, on finit toujours sur ces mers démontées par se frapper le front ou le nez ou le genou quelque part, contre le mât ou le plat-bord ou contre un autre front, une autre tête.

* * *

On fit plusieurs arrêts plus ou moins forcés le long de cette côte. Pour prendre quelque repos ou se protéger quand la tempête devenait trop méchante, pour faire du bois, de l'eau, des provisions. On chassait la gazelle et le sanglier, on cueillait des prunes d'icaque et des myrobolans. Il était impossible de pêcher sur cette trop grosse mer. On rencontra plusieurs petits peuples étonnants qui, au fur et à mesure que l'on s'éloignait de ce que Juan Perez appelait le pays Maya, se faisaient plus sauvages, plus dénudés, désarmés, ignares. Plus de cuivre, plus de monnaie de cacao, plus de broderies. Perez avait de plus en plus de difficulté à s'entretenir avec eux. Ils parlaient la même langue, mais avec un accent guttural qui la rendait pratiquement méconnaissable.

On rencontra d'abord des Indiens inquiets, timides et couards comme des lapins, les Jicaques, serviles et innocents vassaux des lointains rois mayas. Ils n'avaient aucune arme. Mais ils avaient développé un système de défense remarquable, des sortes de boucliers faits de coton matelassé pouvant parer les coups les plus terribles. Et partout, tout le temps, ils se déplaçaient avec ces lourdes cuirasses sur le dos. On aurait dit des crustacés. Quand on courait après eux, incapables de fuir, ils se jetaient par terre sous cette lourde couverture qu'ils avaient fixée au corps par de solides attaches.

Comme la plupart des Indiens de la mer des Caraïbes, ils vivaient dans des huttes circulaires faites de branchages. Sous ces huttes ils avaient creusé dans le sol des sortes de terriers à plusieurs accès dans lesquels ils se terraient lorsque s'approchait l'ennemi. Les hommes de Colomb capturèrent quelques-uns des ces Jicaques, mais ils ne purent en tirer le moindre mot. Quand on leur parlait, même doucement, ils se cachaient le visage dans les mains. Et si on leur écartait les mains, ils fermaient les yeux. On reprit la mer.

Les icaquiers et les pins s'étaient enfuis sur les hauteurs, vers l'intérieur. Puis les hauteurs elles-mêmes s'étaient enfuies au-delà de l'immense platitude luisante et verte de la mangrove, impénétrable forêt de palétuviers mollement fixés aux boues chaudes et fétides de cette côte lagunaire dont les déjections brouillaient les eaux de la mer. Des hommes vivaient là-dedans, petits, nus, tout noirs, rampant, nageant dans ce bourbier visqueux. On aurait dit des amphibiens. On en captura quelques-uns. On vit qu'ils n'étaient pas vraiment noirs, mais enduits de boue huileuse de la tête aux pieds. Selon Juan Perez, qui ne semblait pas les tenir en haute estime, ces Indiens se nourrissaient de chair humaine et de poisson cru. Ils avaient le lobe des oreilles percé d'une ouverture large comme un œuf de poule. Plus tard, quand ils parleront des moments difficiles passés à remonter les vents d'est, au cours de l'interminable tempête de cet été-là, les hommes de Colomb parleront de la Côte des Oreilles.

Plus loin encore, les Chrétiens connurent un peuple absolument fou. Tous les hommes avaient les bras, les épaules, parfois le dos et les cuisses, tatoués par le feu ou chamarrés de figures représentant des cerfs, des léopards, des huttes, des grappes de fruits, ce qui leur donnait l'aspect le plus singulier. Les notables portaient sur la tête des morceaux d'étoffe de coton blanc ou rouge et quelques-uns laissaient pendre sur leur front de longues mèches de cheveux dans lesquelles ils avaient emmêlé des coquillages et des fleurs. Certains se teignaient le visage de noir et de rouge, le barbouillaient de diverses couleurs. D'autres se noircissaient le tour des yeux. «Croyant s'embellir, notait Fernando dans son journal, ces pauvres gens ont l'air de véritables démons.»

Mais la tempête s'acharnait. Elle déchirait méticuleusement les voiles des navires, cassait un à un les câbles de leurs ancres, broyait les barques laissées à l'eau et embarquait tant d'eau dans les navires qu'il fallait sans cesse pomper et qu'il n'y avait plus rien de sec à bord. Pendant plusieurs semaines, on ne put faire de feu pour le poêle. Nombreuses furent les nuits au cours desquelles on ne vit pas briller la lanterne de la *Capitana*. Les hommes fatigués, désespérés, malades, faisaient des vœux de toutes sortes et se confessaient les uns aux autres de leurs péchés. C'était sinistre, humide, torride. Même les vieux loups les plus endurcis en avaient assez. Peut-être plus que les petits mousses dont certains avaient développé très rapidement, au cours de la tempête de juillet, un insatiable appétit pour ce genre d'horreur. C'était à qui arborerait les plus belles blessures et prendrait, dans la plus totale indifférence, les risques les plus époustouflants. Ils couraient, ces idiots, sur le pont glissant, couvert des goémons gluants qu'y jetait la tempête, sans filin de sûreté, risquant à tout moment d'être emportés, ils grimpaient aux mâts, allaient se pendre nonchalamment aux vergues sous prétexte qu'il fallait mieux carguer ou ralinguer une voile, et faisaient tout cela comme si de rien n'était, sifflotant ou prenant un air tout à fait détaché, de manière à laisser croire à leurs camarades non seulement qu'ils n'éprouvaient aucune crainte, mais qu'ils ne soupçonnaient pas qu'on puisse en éprouver, qu'ils ne voyaient pas dans ce mugissement fracassant qui les entourait quelque objet de peur.

Les capitaines, qui avaient déjà eu 13 ans, virent que ces petits jeux pouvaient devenir par trop dangereux et résolurent d'imposer de sévères peines aux mousses qui prendraient des risques inutiles ou se livreraient à quelque manœuvre que ce soit sans en avoir reçu l'ordre. Cet interdit ajouta à l'attrait du danger et les mousses les plus hardis continuèrent de narguer et les éléments et l'autorité. Toujours comme si de rien n'était.

Un jour, l'un d'eux fut emporté par une vague. Par miracle et au prix de grands et périlleux efforts, il fut rescapé. Lorsqu'on le hissa à bord, son corps vint à plusieurs reprises heurter très violemment le flanc et le plat-bord du vaisseau. Il eut de profondes entailles et des écorchures à la tête, aux épaules, aux genoux. Son aventure et ses blessures lui méritèrent l'adulation et la jalousie de nombreux mousses. Dès qu'il eut repris des forces, on le fit fouetter. Il fut encore plus admiré et envié. Même chez les plus vieux, qui souvent semblaient encourager les mousses à risquer leur vie ou du moins ne leur reprochaient jamais leurs imprudences. L'Amiral décréta que le prochain qui tomberait à la mer par sa faute y serait abandonné. « On ne peut pas risquer la vie de tout un équipage pour sauver celle d'un imbécile. » Il ne comprenait pas cette espèce de folie et cette joyeuse témérité, ce besoin de braver la mort, d'aller se jeter dans ses bras. Ça faisait pour lui partie des mystères de l'âme castillane. Les Génois en effet n'étaient pas ainsi, ni les Vénitiens, ni les Français, ni les Anglais, personne au monde, à part ces fous de Castillans, qui entretenaient cette espèce de passion pour la mort. On aurait dit qu'ils la courtisaient. Imbéciles !

Le plus brave d'entre eux cependant était Fernando. Le plus sage aussi. Il ne prenait jamais de risques inutiles, mais il était toujours le premier à la manœuvre. Il s'était fait, on aurait dit, un point d'honneur de ne jamais se plaindre. S'il avait peur, jamais il ne le manifesta. Ce qui le renforçait dans cette attitude, c'était que l'Amiral son père était tombé gravement malade. Comme ça lui était arrivé à plusieurs reprises au cours des dix dernières années. Il avait de fortes poussées de fièvres, des frissons, des coulées de sueurs froides. Il délirait. Et dans son délire, il semblait oublier qu'il avait lui-même nommé Diego Tristan capitaine de la *Capitana*, parce qu'il se sentait incapable d'assumer cette tâche. Il s'entêtait à vouloir diriger le navire.

Il s'était fait transporter dans un petit abri que lui avait construit le menuisier sur le pont arrière. Attaché à une chaise arrimée au châssis de cet abri, il donnait libre cours à son délire et à ses ordres. Il commandait. Aux hommes et aux éléments. « Mettez-moi ces éclairs aux fers. Cette vague, brûlez-la-moi. Cette bourrasque qui vient de casser le grand mât de la *Vizcaína*, vous lui donnerez 100 coups de fouet, non, 500, non, mille coups de fouet, tout de suite. Et ce matelot, si c'est vraiment tout ce qu'il désire, qu'on le donne à la tempête. Allez, un homme à la mer. Et moi, je crache sur la mer, si vous voulez tout savoir. Je crache sur toi, vieille vache. Tes vagues, je les ferai se coucher devant moi. Et dans ton labyrinthe, je trouverai la voie, tu verras, ventre froid. »

Quand la fièvre tombait, il était si fatigué qu'il était incapable de dormir. Il appelait Fernando.

« Parle-moi, parle-moi, Fernando, mon petit.

— De quoi ?

— Dis-moi ce qui se passe, Fernando, mon petit. Où sommes-nous, maintenant ? Dis-moi que nous sommes arrivés quelque part. On voit la côte là-bas, n'est-ce pas ?... Mais non, je n'ai pas faim, Fernando. Tu le sais bien. Tu le sais que je n'ai jamais faim. L'homme qui ne dort pas, c'est moi. L'homme qui ne mange pas, c'est moi aussi. Moi, je veille et je jeûne, Fernando… Tu la vois toujours, cette côte ? »

Fernando la voyait toujours, hélas. Toujours la même côte depuis des jours, des semaines. On ne parvenait pas à gravir ce vent abrupt. Chaque matin, on quittait le rivage près duquel on avait cherché un inconfortable refuge pendant la nuit. Tout le jour, on tirait des bordées. Et quand venait le soir, on se rapprochait de la côte, et souvent, on se retrouvait au même endroit exactement que la veille, à l'embouchure du même ruisseau, devant les mêmes palétuviers que la tempête cassait, déracinait, roulait dans ses vagues, dans ses vents… On mit 28 jours pour faire 165 milles, une distance que dans l'autre sens, avec le vent derrière, on aurait parcourue en moins de deux jours.

Plusieurs fois, les capitaines avaient suggéré à l'Amiral d'abandonner l'escalade de cette montagne de vent et de se laisser glisser vers le pays maya. Tout eût été infiniment plus facile. Et là-bas, Juan Perez aurait servi de guide et d'interprète aux Chrétiens. Il les aurait introduits auprès du roi maya. Ici, au contraire, il semblait de plus en plus perdu, désemparé, inutile. Il ne comprenait presque plus rien au charabia que parlaient les rares Indiens qu'on rencontrait parfois le soir, quand on touchait la côte. Mais l'Amiral s'entêtait. Il cherchait son passage. Il y croyait. Il était persuadé que le roi maya de Juan Perez n'était pas le Grand Khan. Et même au plus fort de sa maladie, pas un moment il ne songea à céder au vent contraire. C'était une lutte à finir entre le vent et lui.

Le 14 septembre enfin, on parvint à une espèce de cap plat qui marquait la fin de cette côte à laquelle on se frottait depuis maintenant plus d'un mois. L'Amiral nomma ce cap Grâce-à-Dieu, ce qui en fit tiquer plus d'un qui l'aurait cru mieux nommé: Malgré-Dieu.

À partir de là, la côte descendait directement vers le sud. L'Amiral rendit la liberté à Juan Perez après lui avoir remis divers présents. Le vieil Indien s'en retourna chez lui fort satisfait.

4

Les Chrétiens se retrouvaient seuls à nouveau, plus loin du monde que jamais personne n'était allé.

Le même grand vent d'est continuait de souffler nuit et jour. Mais on n'avait plus à se démener comme des forcenés pour le remonter. Plus besoin de tirer sans arrêt de pénibles et presque inutiles bordées. On prit le vent sur babord, on en remplit complètement les voiles et on fila droit au sud, comme la côte, qui était toujours basse et boueuse, floue. Derrière elle se trouvait l'immense vert luisant et mouillé de la mangrove, sorte de mer elle aussi ou terre instable et inachevée, avec de grands oiseaux noirs au-dessus d'elle, dont on entendait jusque très loin au large les formidables croassements.

Le soir venu, quand on en sentait le besoin, on trouvait toujours de bons ancrages derrière des chapelets de petites îles formant une solide barrière contre laquelle se brisaient les longues vagues de la mer Océane. Mais certaines nuits, sous la pleine lune, on continua de voguer. Chacun des navires laissant derrière lui une traîne de claire mousseline, quatre voies lactées sur la mer. Ah! dormir sur un navire en marche, emporté dans un long bercement souple, sans heurt, doucement enveloppé par le chuintement velouté du vent dans les voiles, et celui soyeux de l'onde contre le flanc du navire. Ah!

Même quand la lune décrut et disparut, et que la côte de boueuse et molle qu'elle était devint rocheuse et déchiquetée, on continua parfois de naviguer la nuit. Ce n'était pas très prudent. Et ça enrageait au plus haut point Bartolomé qui détestait par-dessus tout prendre des risques inutiles. Mais l'Amiral, comme chaque fois qu'il sortait de ces longues fièvres qui le faisaient délirer, vivait des moments de grande exaltation. Et alors, tout lui semblait possible et simple, il se croyait invincible et infaillible, il croyait ses navires insubmersibles, et ses hommes, aussi possédés que lui par cette Force irrépressible qui l'habitait et le poussait toujours plus vite en avant, vers le passage, vers l'autre côté du monde. Et, pour dire sa joie d'avoir enfin trouvé la bonne route et pour rappeler à ses hommes qu'ils étaient à la veille de percer les plus graves secrets de l'univers, il leur faisait des discours et des sermons d'une telle fougue que les petits mousses, d'abord impressionnés, ne pouvaient s'empêcher dans son dos de pouffer de rire.

Ces nuits sans lune passées en mer étaient très noires. Mais elles étaient percées d'innombrables étoiles et de ces lumineuses constellations que dessinaient les brisants sur la mer qui brasillait si fort, qu'on pouvait sans trop de danger la parcourir, toutes voiles dehors. L'Amiral disait que c'était Dieu qui éclairait ainsi les dangers qui se trouvaient sur sa route afin qu'il s'en écarte.

Tous les mousses aimaient ces nuits en mer. Pour leurs excitantes beautés, mais aussi parce qu'on y était délivré des effroyables moustiques dont la côte était infestée. Chaque nuit à l'ancre était un véritable martyre. Les gars craquaient, hurlaient, se tordaient comme des possédés, certains perdaient tout contrôle, vociféraient comme des démons, pleuraient comme des enfants, se jetaient à l'eau au risque d'être dévorés par les requiems. Plusieurs fois, on faillit mettre le feu aux navires en voulant produire de la fumée pour chasser ces moustiques.

Aller faire de l'eau ou du bois, de la pauvre eau trouble, tiède et fétide, et du pauvre bois tout noir et pourri, qui brûlait mal et qui puait lui aussi, était une entreprise épouvantable. Il fallait s'envelopper de la tête aux pieds, malgré la chaleur écrasante. Et encore! on rentrait deux ou trois heures plus tard couvert de piqûres et de démangeaisons, maussade, épuisé. Les marins ont les mains caleuses, le visage parcheminé, les muscles durs et souples, mais l'air humide du large leur fait la peau douce et très sensible. Ces moustiques les firent cruellement souffrir. Certains disaient que c'était le pire des nombreux et terribles enfers qu'on avait vécus jusque-là et qu'ils préféraient une nuit d'orage sur une mer démontée à une petite heure en compagnie de ces insectes dont les stridulations leur paraissaient infiniment plus horribles à ouïr que la foudre la plus tonitruante.

Même les mousses les plus hardis, surtout ceux-là peut-être, clamaient bien haut leur sainte horreur de ce fléau, ce qui leur permettait de dire qu'ils n'auraient pas eu peur d'affronter, plutôt que ces maudites bestioles, des lions ou des dragons, même une armée de fantômes. On convint qu'une nuée de moustiques était la chose la plus dangereuse qui pût exister. Et que pas un homme, si fort et si bien armé fût-il, n'aurait pu en venir à bout. On peut tuer un moustique et même mille ou cent mille moustiques. Une nuée, jamais. Une nuée de moustiques, c'est invincible, c'est immortel. Et ça tue. Aussi sûrement qu'une épée. Mais beaucoup plus douloureusement.

Et pourtant, on finit par s'habituer. Ou les moustiques finirent par se lasser de la chair et du sang des Chrétiens. On continuait d'entendre leurs incessantes susurrations dès qu'on s'approchait de la côte et on était entouré de leurs nuées tout le temps qu'on y restait, on en avait dans la bouche, dans le nez, dans les oreilles, mais ils ne piquaient presque plus.

Le 16 septembre, on trouva une rivière large et profonde, mais dont l'embouchure était fermée par une barre de récifs ensablés. On s'ancra. On mit deux barques à l'eau. Elles franchirent la passe facilement et s'en allèrent remonter la rivière pour faire du bois et de l'eau fraîche. C'est au retour que le drame se produisit. Comme les barques lourdement chargées tentaient de repasser la barre, la forte houle que poussait le grand vent d'est heurta les hauts-fonds et déferla.

Les barques furent remplies à ras bord. L'une d'elles chavira. Deux mousses se noyèrent.

On les retrouva une heures plus tard étroitement enlacés. Ils s'étaient vraisemblablement agrippés l'un à l'autre, en voyant la mort s'approcher d'eux. Leurs corps disloqués étaient coincés contre des écueils écumants qu'on ne pouvait approcher. L'un d'eux avait un oursin noir piqué dans une joue. L'autre, on ne voyait pas son visage. Ses longs cheveux blonds allaient et venaient avec le ressac autour de sa tête, comme une méduse. On pleura beaucoup. Le premier, qu'on appelait le Maure, parce qu'il venait de Grenade et qu'il était tout noir et sec et qu'il avait les yeux vifs et limpides avec de longs cils soyeux et un grand nez droit, était un peu bègue et d'une gaieté espiègle. L'autre venait du nord, de Galicie, il s'appelait Diego, comme près d'une vingtaine des membres de l'équipage. Il ne savait pas lire, mais il était fasciné par les livres, et il voulait apprendre. Il était en admiration devant Fernando qui l'aimait bien et qui avait commencé à lui montrer les lettres de l'alphabet. L'Amiral, qui se faisait un devoir d'encourager une telle passion, avait promis de lui prêter sa Bible dès qu'il pourrait en faire la lecture.

Le matin même, ces deux mousses s'étaient disputés pour une histoire d'ampoulette trop vite retournée qui écourtait la veille de l'un et rallongeait celle de l'autre. Le père Alejandro qui les bénit eut des mots banals, mais qui touchèrent profondément tout le monde. Même les plus durs mousses. Il disait qu'ils étaient à jamais réunis et réconciliés dans la mort, qu'ils avaient trouvé le passage vers un monde meilleur, « ce que tous ici-bas nous cherchons ». Il dit encore que Dieu les avait rappelés auprès de Lui parce qu'il les aimait tendrement et qu'ils pourraient là-haut « intervenir en notre faveur » et que « nous ne sommes jamais seuls », etc. Quand il se tut, les trompettes des jumeaux déchirèrent l'espace et brisèrent les cœurs des hommes. Le soleil se couchait. On pleura beaucoup.

« Ce fleuve, Fernando, tu l'appelleras le Rio de los Desastres. »

* * *

C'était comme si ce grand malheur avait alourdi et ralenti la flotte. On ne fit que 130 milles dans les huit jours suivants. Non pas que la mer fût grosse ou les vents contraires. Mais chaque fois qu'on voyait un bon havre, on s'y réfugiait. Parfois même très longtemps avant la nuit. Et on ne repartait jamais avant que le soleil ne soit haut dans le ciel. S'il y avait trop de vent ou apparence de pluie, on restait à l'abri. Comme si la mort des mousses avait rendu tout le monde extrêmement fragile.

Un jour, spectacle inoubliable, on aperçut, très loin dans le sud-ouest, surgissant de la verte platitude, un haut promontoire formant saillie au-dessus de la mer. On aurait dit une cathédrale ou une pyramide, une gigantesque muraille très rouge ceignant une ville. Mais on ne voyait pas de port, pas de fumée, aucune trace humaine. Toute la flotte regardait en silence ce paysage étrange, le bleu métallique de la mer, celui très pâle du ciel immense, le vert profond de la terre et soudain cette masse rouge, énorme, verticale, barrant l'horizon.

On s'approcha, très lentement, parce qu'on n'était pas sûr des fonds, pas sûr de rien du tout. On vit que la muraille rouge était marquée de lignes qui couraient sur elle d'un bout à l'autre, horizontalement, comme les lignes d'un livre. On s'approcha encore. Encore plus lentement. On vit que ces lignes portaient des inscriptions, des caractères, des signes gravés dans la pierre rouge. Et les hommes criaient, effarés : « Des écritures, des écritures », comme ils auraient crié : « Terre, terre ». Mais ils étaient inquiets, émus et nerveux. Ce mur, cette espèce de livre dressé dans cette infinie platitude, avait quelque chose de surnaturel. Et, ce qui ajoutait au mystère et à l'effroi que ressentaient les hommes, une sorte de musique très pleine et lourde, faite de vibrations aiguës et d'autres très basses, semblait suinter de cette haute muraille. Chacun tentait, dans un religieux silence, de déchiffrer les caractères qui y étaient incrustés. « C'est de l'arabique », « Non, c'est du latin », « C'est de l'hébreu, j'en suis sûr ». Mais le soleil dans sa course faisait jouer les ombres sur l'immense surface et changeait la forme des signes. Et le vent faisait dissoner plus encore l'horrible musique qui s'en exhalait.

Le jour commençait à décliner quand on fut assez proche de la muraille pour comprendre qu'il s'agissait en fait d'une haute et abrupte falaise d'argile rouge dans laquelle nichaient d'innombrables oiseaux qui y avaient construit une véritable cité en respectant l'ordre des couches d'argile stratifiées. Les signes qui couvraient la paroi étaient leurs milliers de nids creusés dans les strates les plus tendres que soulignait, d'un bout à l'autre de la muraille, une large bande de guano. Ainsi, à chaque brasse environ et ce, jusqu'au sommet de la falaise, se trouvait un alignement de ces trous noirs. Certains, assez larges, sans doute faits de plusieurs nids dont les parois mitoyennes s'étaient écroulées, formaient des systèmes compliqués de galeries et de cheminées dans lesquelles auraient pu circuler côte à côte deux ou trois hommes. Et l'horrible musique qu'on entendait au large était faite des cris de ces oiseaux clabaudeurs et du vent qui, s'engouffrant dans ces cheminées, en tirait de fantastiques et gigantesques plaintes.

On avait beau se dire qu'il ne s'agissait que d'une falaise d'argile rouge qu'habitait un grand peuple d'oiseaux, tout ça restait empreint d'une grandeur effrayante et surnaturelle. On n'était pas bien. On avait peur.

Mais on n'avait pas le choix. La nuit tombait. Elle serait sans lune, sans étoile. Et il n'y avait pas de brisants sur la mer pour baliser la route. Il fallait mouiller devant cette muraille. Et y passer la nuit. On dormit mal.

Dès que parurent les premières lueurs de l'aube, on reprit la mer. Pendant plus de trois heures, tout le temps que la grande muraille rouge fut visible dans le nord-ouest, on continua de la contempler en silence. Et chacun pour soi tentait d'en déchiffrer quelques bribes. Chacun continuait de chercher sur cette muraille des signes, un message à lui adressé, un trésor, quelque leçon de vie. « C'est du latin », « C'est de l'araméen ».

« Mais non, c'est autre chose. C'est la main de Dieu ».

* * *

Bartolomé réussit à persuader son frère l'Amiral qu'il fallait s'arrêter quelque part une dizaine de jours. On ne pouvait pas continuer indéfiniment à errer sur des mers inconnues et à longer des côtes qu'on n'abordait jamais. On savait où on s'en allait: aux Indes, et d'abord vers le passage y menant. Mais depuis plus de deux mois, on ne savait plus trop bien où l'on se trouvait sur la surface du globe terrestre. Il fallait s'arrêter quelque temps pour dresser des cartes plus précises, mieux observer les astres, établir si possible des relations plus étroites et plus utiles avec les Indiens. Et on pourrait en profiter pour radouber les navires, aérer et nettoyer les cales, renouveler les vivres…

Le 25 septembre, on trouva une petite île qui semblait faire l'affaire de tout le monde, très jolie, toute fleurie, séparée de la côte par un chenal étroit qu'un bon nageur comme Pedro de Ledesma aurait facilement pu traverser à la nage. Colomb l'appela La Huerta, parce qu'on aurait vraiment dit un immense jardin, avec des prairies, des fourrés épais, de majestueuses futaies au fond desquelles la nature avait ménagé de belles clairières que traversaient en gazouillant des petites eaux vives. On trouva des vestiges de feu et des abris de branchages rudimentaires, souvent flanqués d'énormes tas de coquillages, signes évidents que des pêcheurs de la côte devaient venir dans cette île à certaines époques de l'année. On vit aussi beaucoup de bêtes, très peu sauvages, des pumas, des chevreuils, des gazelles, des sortes de sangliers.

Les caravelles avaient mouillé au fond d'une crique magnifique, bien protégée, du côté de la grande terre. L'eau était d'une clarté parfaite et le sable des petites plages grossier et infiniment doux, comme toujours dans les parages où se trouvent de grandes colonies de coraux. La Huerta était un rêve. Et ce rêve se trouvait à un moment stratégique de cette expédition. Tous les hommes avaient besoin de repos et de paix. Besoin aussi, après 137 jours presque continuellement à bord depuis Cadix, de courir, de se rouler dans l'herbe, de s'enfouir dans le sable, de se tenir sur la tête, de grimper aux arbres.

Le premier jour, on fit de longues ablutions. Puis les mousses de la *Bermuda* que commandait Bartolomé amassèrent de grands bouquets de fleurs jaunes et blanches dont ils ornèrent leur caravelle. Le lendemain, les trois autres équipages firent de même, en beaucoup plus abondant, avec des fleurs jaunes et blanches, mais aussi avec des bleues, des violettes, beaucoup de rouges. Au bout de trois jours, les quatre caravelles ressemblaient à de gigantesques corbeilles de fleurs posées sur les eaux cristallines de la crique. C'était fou. Et les parfums enivraient les marins, leur donnaient des torpeurs, des ivresses, des fous rires.

L'Amiral et les quatre capitaines, Bartolomé, le gros Terreros, le beau Fieschi et Tristan, étaient convenus de se réunir tous les matins à terre en présence du notaire Diego Mendez et de faire ensemble un bilan de l'expédition. Chacun parlait de ses hommes, des disputes, des rivalités... Pour éviter que les clans qui s'étaient formés ne devinssent trop puissants, on prit la résolution de refaire les équipages, ce qui fut assez long et donna lieu par moments à d'orageuses discussions.

Puis on tenta de faire le point, d'évaluer d'abord quelle distance on avait parcourue depuis Santo Domingo. Et dans quelle direction. Depuis juillet, à cause des fortes tempêtes qui rendaient souvent la chose pratiquement impossible, aucun des capitaines n'avait tenu son journal de bord de façon régulière. Grâce au sextant, qui permettait de mesurer l'angle du soleil au-dessus de l'horizon, on savait cependant qu'on se trouvait à peu près à la latitude du golfe de Paria, où l'Amiral avait découvert quatre ans plus tôt le Paradis terrestre. Mais il était impossible de déterminer autrement qu'à l'estime la longitude où l'on se trouvait.

L'idéal eût été que se produise une de ces éclipses de soleil ou de lune dont l'almanach de l'Amiral donnait l'heure d'occurrence à Nuremberg. On aurait ainsi pu mesurer le nombre d'heures séparant les moments d'observation du phénomène en Europe et aux Indes et connaître ainsi le nombre de degrés de la sphère terrestre compris entre La Huerta et Nuremberg. Mais l'almanach n'annonçait rien. Pas d'éclipse complète en vue avant le 29 février de l'année suivante, 1504.

Colomb écoutait chacun de ses hommes lui faire part de ses observations et de ses extrapolations. Mais comme chaque fois qu'il était question de routes maritimes, il gardait pour lui ce qu'il savait. Et il en savait toujours plus que les autres. Grâce au sextant dont il faisait toujours seul la lecture. Grâce aussi à un sens inné de ces choses.

* * *

Une nuit, un feu apparut sur la côte, juste devant le mouillage des caravelles. Puis il y eut un grand tohu-bohu, qui dura jusqu'au matin. On vit alors qu'un grand nombre d'Indiens, cent au moins, étaient massés sur la plage, plusieurs armés de longs arcs et de flèches ou de gros harpons montés d'os de poissons. Ils ne semblaient pas avoir d'intention belliqueuse. Ils faisaient de grands signes aux Chrétiens, riaient beaucoup, trépignaient, vraisemblablement d'enthousiasme, parlaient sans arrêt et vite, comme s'ils croyaient que les Chrétiens étaient capables de les comprendre, et leur montraient toutes sortes d'objets qu'ils semblaient vouloir échanger. Mais l'Amiral était dans ses jours de méfiance et de grande mélancolie. Il interdit à ses hommes d'aller à terre.

Voyant que les Chrétiens ne répondaient pas à leurs avances, les plus hardis des Indiens se jetaient à l'eau et venaient en nageant vers les navires, portant sur leur tête des balles de coton et, entre leurs dents, des bijoux ou des idoles, des babioles insignifiantes. C'étaient visiblement de pauvres gens qui n'avaient rien de précieux à offrir. Mais ils voulaient à tout prix trafiquer. Jamais nulle part on n'avait vu des Indiens aussi enclins au commerce. Mais l'Amiral, pour des raisons que personne ne comprenait, avait défendu aux Chrétiens d'échanger quoi que ce soit. Les Indiens retournèrent sur la plage et revinrent avec de l'eau fraîche, des fruits, des arcs et des flèches. Ils tuèrent deux sangliers qu'ils gardaient attachés depuis le matin, les firent rôtir et vinrent en offrir les meilleurs morceaux. Les Chrétiens refusèrent tout catégoriquement.

Les Indiens envoyèrent à bord de la *Vizcaína*, la plus fleurie des quatre caravelles, deux très jeunes filles, l'une de moins de dix ans, l'autre de treize ou quatorze ans tout au plus. Elles n'étaient pas du tout intimidées. Elles se tenaient debout sur le pont, nues, et regardaient en souriant les Chrétiens qui les dévoraient des yeux en poussant çà et là des gémissements et des rugissements libidineux. Depuis la *Capitana*, l'Amiral cria à Flisco de renvoyer tout de suite ces deux enfants à terre. Flisco les fit vêtir, leur donna à manger, leur remit quelques billes de verre et des grelots de cuivre et les renvoya. Les Chrétiens étaient cruellement déçus. Chez les Indiens, ce fut la consternation. Et le silence total. Ils restèrent assis sur la plage tout le reste de la journée, à regarder les caravelles, perplexes... Ils avaient visiblement épuisé toutes leurs ressources. Ils devaient réaliser que ces hommes venus d'ailleurs sur de grands vaisseaux ailés et fleuris étaient encore plus étranges qu'ils n'avaient cru.

Le lendemain, l'adelantado Bartolomé et son ami Diego Mendez descendirent à terre avec six hommes en armes et prirent contact avec les Indiens. Ceux-ci ne manifestèrent aucune agressivité et ne tentèrent pas de vendre quoi que ce soit. Ils semblaient même inquiets et intimidés. Ils avaient complètement perdu leur sans-gêne de la veille. On comprit qu'il n'y avait probablement pas d'intention lucrative dans le commerce qu'ils avaient été si désireux d'établir avec les Chrétiens. On devait y voir d'abord et avant tout une manière de faire connaissance. Ils voulaient en fait connaître les désirs et les besoins des nouveaux venus. Or à leur grand désarroi, les Chrétiens semblaient n'avoir ni besoin ni désir, de sorte qu'ils étaient pratiquement impossibles à connaître. Ils ne voulaient pas de coton, pas d'idole, pas de bijou, pas d'eau fraîche, pas de fruit. Pire, ils ne voulaient même pas des armes qu'on leur remettait, ils refusaient le sanglier grillé et les deux plus belles filles de la tribu. Quelle sorte d'hommes ou de dieux étaient-ils donc ? Que voulaient-ils ?

Mendez avait apporté son carton, du papier, des plumes, de l'encre. Et pendant que Bartolomé tentait de tirer quelques renseignements des Sauvages, il notait ses observations. Quelques Indiens s'approchèrent alors de lui et, en voyant les caractères que traçait la plume sur le papier, ils se mirent à hurler et s'enfuirent tous ensemble à la lisière de la forêt d'où, blottis les uns contre les autres, tremblants de peur, ils regardaient Mendez en marmottant à son intention ce qui semblait être une prière désespérée. Celui-ci ne put s'empêcher de rire. Dès qu'il eut rangé ses plumes et ses papiers, les Indiens vinrent se jeter à ses pieds. Puis l'un d'entre eux fit de grands gestes au-dessus des effets de Mendez, lança de la poudre d'herbe sur ses papiers et plaça sur le carton une amulette qu'il portait au cou. On attendit un moment dans un silence effaré. Puis l'atmosphère se détendit. On sourit. On parla.

Les Chrétiens tirèrent peu de choses de ces Indiens. On apprit qu'ils appartenaient au peuple de Talamanca, dont on ne sut rien d'autre. Ils semblaient n'avoir jamais rencontré de gens qui parlaient une autre langue que la leur. Ils avaient de bonnes armes, mais on aurait dit qu'ils ne s'en servaient que pour chasser le sanglier et qu'ils ignoraient tout de la guerre.

Chaque fois que Mendez ouvrait son carton et qu'ils apercevaient les écritures, ils s'enfuyaient en hurlant de peur. Et leur sorcier devait recommencer ses grimaces et ses simagrées, avant qu'ils n'osent s'approcher de nouveau. Mendez eut l'idée de tracer quelques lettres sur le sable, ce qui provoqua chez les Indiens la même réaction de panique. On ne réussit jamais à savoir d'où leur venait cette irrépressible terreur qu'ils éprouvaient pour l'écrit.

* * *

Il y eut une vive discussion entre l'Amiral et l'Adelantado. Ce dernier ne comprenait pas pourquoi on avait frustré l'équipage en refusant les deux jeunes filles qu'offraient si généreusement les Indiens. L'Amiral avait pour cela deux bonnes raisons qu'il exposa non seulement à son frère mais aussi à ses autres capitaines, afin qu'ils fassent entendre raison à ceux de leurs hommes que sa décision avait irrités. D'abord, il avait remarqué que souvent, en prenant leur plaisir avec des Indiennes, les Chrétiens avaient contracté d'affreuses maladies auxquelles on ne connaissait pas de remède. Ensuite, il considérait qu'il avait charge d'âmes; plus de la moitié des membres de l'équipage n'avaient pas 16 ans et il ne voulait pas qu'ils soient exposés à des spectacles de débauche.

Au cours des jours suivants, plusieurs des hommes, et avec eux bon nombre de mousses, firent de petites incursions chez les Indiens et profitèrent abondamment de leurs femmes et de leurs filles. L'une d'elles, qui n'était plus une enfant, rieuse et assez plantureuse, acquit même une certaine popularité parmi les Chrétiens car elle s'offrait et se livrait à eux avec beaucoup d'ingéniosité et d'extraordinaires manifestations de plaisir. Elle fut très occupée, tant de jour que de nuit. Personne jamais ne sut son nom. On la surnomma Evita, notre mère à tous.

* * *

Le 2 octobre, Bartolomé Colomb partit en reconnaissance à l'intérieur des terres, toujours accompagné de son fidèle ami Diego Mendez, d'une douzaine d'hommes armés et de deux Talamancas qui semblaient un peu plus délurés que les autres. Ce fut une marche fort agréable dans une forêt claire et fraîche, très giboyeuse, beaucoup plus que toutes celles qu'on avait vues jusque-là dans les îles caraïbes: cerfs, daims, pumas, sangliers, beaucoup de singes grands et petits, rieurs ou timides, des bandes d'oiseaux coureurs semblables à d'énormes poules pintades, couverts en guise de plumage d'une sorte de toison de laine et dont le cri rauque, mélange de jappement et de hululement, faisait se tordre de rire les hommes de Bartolomé qui prirent et gardèrent longtemps l'habitude de l'imiter et de le reproduire à tout instant.

Le deuxième jour, sur une hauteur, ils virent une grande hutte dans laquelle se trouvait un cadavre encore frais, enveloppé dans un linceul de coton fin, probablement embaumé, car il ne s'en dégageait aucune mauvaise odeur. Près de lui, il y avait des tablettes de bois mou sur lesquelles étaient sculptés des figures de bêtes, un arbre, un canot, une hutte. Couchée à son côté se trouvait une sorte d'effigie grandeur nature représentant une femme aux seins généreux. Elle portait des dizaines de colliers et de bracelets faits de baies et de coquillages de diverses couleurs. Lorsque l'Adelantado ordonna à ses hommes de ne rien prendre de ces objets, ils pouffèrent tous de rire. Qu'auraient-ils fait de ces tablettes et de ces statuettes gauchement sculptées ? À qui auraient-ils pu offrir ces pauvres bijoux ? À Evita, notre mère à tous ?

Au retour, Bartolomé invita les deux Indiens qui les accompagnaient à monter à bord où ils furent faits prisonniers. On devait bientôt lever l'ancre et, où qu'on aille, il serait préférable d'être accompagné de guides et d'interprètes, même si on ne comprenait à peu près rien à ce qu'ils disaient et s'ils ne savaient pas trop bien eux-mêmes où ils se trouvaient. Ils parlaient la langue du pays et ils pourraient pendant quelque temps au moins rassurer ou contenir les habitants des îles ou des terres vers lesquelles on s'en allait.

Le petit peuple talamanca semblait fort malheureux de la perte de ces deux hommes qui étaient sans doute leurs chefs. Ils étaient tous massés, hommes, femmes et enfants, sur la petite plage devant les caravelles. Beaucoup pleuraient et geignaient, pendant que le sorcier débitait d'interminables incantations et lançait à tout vent sa poudre d'herbe. Tout cela, surtout les pleurs exubérants des hommes, faisait la joie de l'équipage. Cependant les Talamancas, croyant qu'on avait enlevé leurs chefs pour obtenir une rançon et oubliant que les Chrétiens avaient déjà, et plutôt deux fois qu'une, refusé de tels présents, leur envoyèrent deux sangliers vivants.

L'une de ces bêtes, qu'ils appelaient pécaris, se révéla d'une formidable férocité. C'était un vieux mâle que les mousses rendirent fou de rage en lui piquant au sang les fesses et le dos, en lui titillant la verge, en lui brûlant les testicules et le groin. Pour s'amuser, ils coupèrent les liens qui l'entravaient. Dès qu'il fut libre, le pécari se mit à courir sur le pont de la *Capitana*, tentant de mordre tous ceux qu'il pouvait approcher, s'attaquant même à l'autre pécari qui était toujours attaché et brisant entre ses dents les bâtons qu'on brandissait pour se garantir contre lui. Le gros chien noir de l'Amiral dut se réfugier dans la cale, honteux et tremblant. Les mousses descendaient un à un des mâts et couraient sur le pont, narguant la bête enragée jusqu'à ce qu'elle les charge. L'un d'entre eux réussit même à la chevaucher pendant un bon moment, ce qui lui valut l'admiration de tous. Par la porte entrouverte de sa cabine, l'Amiral observait ce spectacle d'un œil amusé.

Le pécari s'arrêta net lorsqu'il aperçut, sur le château arrière, une sorte de grand singe qu'un archer avait capturé quelques heures plut tôt, au cours de cette expédition menée par Bartolomé. Bien qu'une flèche lui traversât le corps de part en part et qu'on lui eût coupé les deux mains parce qu'il était trop dangereux, ce singe provoqua l'épouvante chez le pécari qui s'enfuit vers la proue et tenta même de se cacher derrière les cordages et les barils. Voyant cela, l'Amiral libéra le singe et l'excita contre le pécari. On put alors assister à un magnifique combat. Le singe mutilé, le corps toujours traversé d'une flèche, se jeta sans hésiter sur le pécari, lui enroula sa longue queue autour du cou, et avec l'une des pattes qu'il lui restait, il lui renversa la tête en arrière, et le mordit à mort dans le cou. Mais il avait lui-même perdu beaucoup de sang. Et l'effort qu'il avait fourni l'avait vidé de ses forces. Il resta assis sans mouvement, comme hébété, près du pécari mort. Un mousse l'acheva d'un coup de bâton derrière la tête. Il tomba sans un cri sur le pécari qui, bien que tout à fait mort, émit un gros pet.

L'Amiral avait adoré cette scène. Il demanda même à Fernando de la lui rappeler quand il écrirait aux Rois catholiques, afin qu'il la leur raconte. Ce qui fut fait.

* * *

Christophe Colomb possédait un extraordinaire pouvoir de persuasion. Il avait entrepris, selon sa vieille habitude, de faire dire aux interprètes ce qu'il voulait entendre. Toujours hanté par le souci d'identifier les lieux qu'il voyait et de rapprocher leurs noms de ceux du Livre de Marco Polo ou de l'*Historia rerum ubique gestarum* du pape cosmographe, Pie II, qu'il était en train de relire, il s'était mis dans la tête que les Talamancas étaient en fait les descendants des Massagètes qui, à l'époque du Christ, avaient émigré de la Perse vers les Indes. Et, de même qu'il avait autrefois confondu Cipango et Cibao, il conclut que la Ciguara dont lui parlaient ses interprètes talamancas était la Ciampa de Polo, capitale des Massagètes. Chaque fois que les interprètes disaient « Ciguara », il les reprenait en disant « Ciampa ». Si bien que ceux-ci cessèrent tout à fait de parler de Ciguara. L'Amiral annihilait ainsi la géographie indienne et lui en substituait une toute livresque qui le satisfaisait mieux.

Le 5 octobre au matin, la flotte quitta La Huerta pour Ciampa. Comme le soir tombait, on trouva un canal qui menait à une immense baie dans laquelle se trouvaient de grandes îles habitées. « C'est Carambaru », affirmait l'un des interprètes, lorsqu'on aborda la première de ces îles. « C'est Cerabaro », soutenait l'autre. « C'est Quiriquetana », disaient les gens de l'île. Colomb était déçu. Linguistiquement, on s'éloignait de Ciampa et du pays du Grand Khan. Les Indiens étaient toujours aussi barbares et arriérés, tout nus, le corps et le visage peinturlurés de noir, de blanc, de rouge. Mais, suprême consolation, ils avaient de l'or qu'ils échangeaient volontiers pour des grelots et des billes de verre. Et ils aimaient beaucoup parler. Ils adoraient les Chrétiens.

Pendant dix jours, d'île en île, ils suivirent leurs caravelles, parfois les précédant pour aller prévenir de leur arrivée les habitants de la prochaine île et les aider à leur préparer une fête; et ceux-ci, une fois donnée leur réception, leurs femmes et leurs filles copieusement baisées par les Chrétiens, et tout leur or échangé pour de la pacotille, sautaient dans leurs pirogues et se joignaient à la flotte, si bien que le 16 octobre, lorsqu'on retrouva la mer, plus de cent embarcations entouraient les Chrétiens. Les adieux furent déchirants. Beaucoup d'Indiens tentaient de monter sur les caravelles. Il fallut en jeter de force plusieurs dizaines à la mer. On ne pouvait pas garder à bord des bouches et des bras inutiles. Et les deux interprètes talamancas faisaient bien leur travail.

Grâce à eux, Colomb avait en effet appris certaines choses de la plus haute importance. Et il pouvait enfin apporter de remarquables précisions à sa carte du monde. D'abord, le nom magique de Veragua, dont lui avait si souvent parlé le maya Juan Perez, était revenu dans presque tous les entretiens qu'il avait eus avec les Indiens. Il était plus que jamais persuadé qu'il y avait au sud un passage maritime vers le pays du Grand Khan. Il avait finalement compris qu'il se trouvait sur la côte orientale d'une péninsule longue et mince, comme l'Italie par exemple. Il s'agissait probablement de la Chersonèse d'Or dont parlait Ptolémée, la Malacca de Polo, là même où Salomon avait envoyé Hiram chercher de l'or. Ciampa devait se trouver de l'autre côté de cette terre, à neuf jours de marche, douze au plus. C'était comme si on avait été à Venise et qu'on eût voulu aller à Gênes ou à Pise. Ou comme si on avait été à Barcelone et qu'on eût voulu aller à Biarritz. Il fallait ou contourner la péninsule italienne ou ibérique ou trouver un passage maritime la traversant ou la franchir à pied.

Diego Mendez vint trouver l'Amiral. Il lui demanda neuf hommes, dont Bartolomé Fieschi qui commandait la *Vizcaína*, et l'assura qu'il traverserait cette péninsule, qu'il irait à Ciampa et verrait le Grand Khan. Il prendrait des porteurs indiens et suivrait à pied le cours de l'une des rivières qui se jetaient dans la grande baie. Parvenu à sa source, à la ligne de partage des eaux, il trouverait certainement une nouvelle rivière qui descendait sur l'autre versant de la péninsule, vers l'autre mer. Il serait de retour dans un mois.

L'Amiral savait que l'intelligent Mendez était capable d'un tel exploit. Il refusa néanmoins sa proposition. Et il lui parla avec une grande franchise, car il l'aimait beaucoup. Il dit que s'il en était encore capable, il irait à pied lui aussi chez le Grand Khan.

« Et tu viendrais avec moi, Diego Mendez. Mais je suis vieux et fatigué, tu le sais, tu me vois. Or depuis trente ans, je travaille sans relâche à ce projet. J'y ai mis toutes mes forces, toute ma vie, j'y ai peut-être même perdu mon âme. J'ai payé, il me semble, assez cher. Je ne pourrais supporter qu'un autre touche au but avant moi. C'est un grand péché d'orgueil. Je le commets sciemment. J'irai à Ciampa par le chemin maritime. »

Puis il parla à Mendez des gens de Ciampa, comme s'il les avait personnellement connus. Il disait qu'ils étaient tous immensément riches et raffinés, et en même temps d'une grande sagesse, qu'ils étaient vêtus de vêtements confectionnés avec art, qu'ils pouvaient cueillir du corail noir à plus de 20 brasses de profondeur, qu'ils s'en faisaient des bijoux remarquables et de la monnaie, qu'ils avaient aux jambes et aux bras des bracelets d'or très pesants, qu'ils garnissaient et plaquaient en or les chaises, les coffres et les tables, que leurs femmes portaient des diadèmes qui leur couvraient la tête et leur retombaient sur les épaules. Il disait aussi que ces gens connaissaient le poivre et toutes sortes d'épices, que dans leurs villes ils tenaient des foires et des marchés. Qu'ils avaient des navires avec des bombardes, des hommes armés d'arcs, de flèches, d'épées et de cuirasses, qu'ils avaient de belles maisons, et des chevaux de cavalerie mieux dressés que ceux des Chrétiens.

Mendez écouta tout cela poliment, en laissant flotter sur ses lèvres son petit sourire amusé. Il pensait que l'amiral Colomb avait toujours une plus haute estime pour les gens qu'il ne connaissait pas que pour les peuples qu'il avait déjà fréquentés. Il semblait aussi les connaître beaucoup mieux. Ainsi, il ne manquait jamais une occasion de dire que les Castillans étaient suffisants, les Galiciens menteurs, les Aragonais hypocrites, les Florentins pédants, les Génois radins, les Français ou les Anglais grossiers et maladroits; par contre, les Spartiates, les Scythes, les Khazars ou les Massagètes, tous ces peuples qu'il ne connaissait en fait que par ses lectures ou que par ouï-dire, avaient toute son admiration. Quant aux petits peuples qu'il découvrait, Talamancas, Tainos, Haïtiens, il les tenait pour moins que rien. L'Amiral Colomb était un pur rêveur. Il préférait à la réalité ce qu'on voyait dans les livres.

Bartolomé cependant, qui avait lui aussi longuement interrogé les Indiens, était persuadé qu'il n'y avait pas de passage et qu'on suivrait cette côte jusqu'à ce qu'elle rejoigne celle du Venezuela, puis une autre côte nord-sud vers la terre de Brasil où Cabral et Vespucci étaient allés. Ainsi, entre l'Europe et l'Asie, se trouvait une barrière infranchissable, une longue terre sans passage, impénétrable, rattachée aux mers de glace des deux pôles. Il s'agissait donc d'un autre monde, dont jamais ni Ptolémée, ni Polo, ni Pie II n'avaient même soupçonné l'existence.

Sans doute qu'au fond de lui-même l'Amiral pensait ainsi lui aussi. Peut-être pas toujours. Mais par moments, certainement. Il ne pouvait pas ne pas s'apercevoir que ce pays qu'il avait sous les yeux n'était pas celui du Grand Khan. Il cessa peu à peu de parler du passage et de tous ces vieux projets de libération de Jérusalem et d'anéantissement des Infidèles et de lotissement du Paradis. Il ne pensa plus qu'au Veragua, le pays de l'or, l'Eldorado, dont lui avaient parlé les Indiens et qu'il croyait tout proche, même si jamais Polo ou Pie II ou aucun des cosmographes ou géographes qu'il avait lus n'avaient mentionné ce pays.

* * *

On se retrouva donc sur la côte de la mer Océane. Elle avait beaucoup changé. Elle était maintenant d'une implacable régularité, sans cap, sans baie, sans port, inhospitalière. Après une petite journée de navigation, alors qu'on voyait cette côte s'incurver tout à fait vers l'est, on aperçut une rivière assez large et assez haute de rive, où l'on put abriter les caravelles pour la nuit, car un fort vent s'était levé.

« Soyez les bienvenus au Veragua », disait sans arrêt l'Amiral qui était de nouveau au comble de la joie et avait retrouvé le rire nerveux et enfiévré qu'il avait toujours dans ces moments-là. Il parlait à tout le monde, même aux petits mousses que d'ordinaire il ignorait complètement. Quand il était dans cet état, il devenait parfois très affectueux avec eux. Il leur posait mille et une questions auxquelles il donnait toujours lui-même les réponses. « Tu aimes la mer, mon petit ? Quelle merveille, la mer, n'est-ce pas ? Jamais pareille, toujours recommencée. La mer, c'est comme la vie. Tu es content de la vie que tu mènes, mon petit ? Tu ne regrettes pas de t'être embarqué, au moins ? Ah ! tu verras, la vie a ses bons moments. Comme la mer. On craint toujours le pire, on est au désespoir, et soudain, sans qu'on sache trop comment, tout s'arrange. Nous voici au pays de l'or. Tu aimes l'or, mon petit ? Celui qui a de l'or peut tout. Tu verras… »

On ne vit personne pendant deux jours. Mais il y avait de nombreux indices qu'un village se trouvait en amont de cette rivière qui charriait des déchets de toutes sortes, amas de plumes d'oiseaux, palmes tressées, bouts de bois travaillés. Bartolomé, Flisco, Diego Mendez, six rameurs, et le petit Fernando décidèrent d'aller voir. On mit deux barques à l'eau. On prit de la pacotille, des armes. On ne fut pas long à trouver les Indiens. Ils attendaient les Chrétiens au premier tournant de la rivière, à moins d'un mille dans les terres. Il y eut d'abord une pluie de flèches qui ne fit pas grand mal, même aux deux rameurs de la première barque qui furent touchés ; c'étaient des flèches si légères et si mal armées d'un bout d'os de poisson friable qu'elles auraient difficilement pu blesser un oisillon à dix pas.

On entendit des battements de tambour, d'abord lents et sourds, sur la rive gauche près de laquelle se trouvaient les deux barques. Et puis d'autres battements, plus saccadés, clairs, secs, venant de l'autre rive. Les Chrétiens s'arrêtèrent de ramer et se laissèrent un moment descendre dans le courant. On ne voyait rien. Que la masse imposante de verdure formant d'impénétrables parois de chaque côté de la rivière. Une sorte de clairon très aigu se fit alors entendre par-dessus les battements de tambour, puis un autre moins aigu, et un autre plus grave, vingt, cinquante trompes et flûtes résonnèrent bientôt dans la forêt toute proche, chacune ne donnant qu'une note, aucune ne donnant la même.

Mais on ne voyait personne. Il n'y avait que cette musique qui semblait émaner de la forêt, comme la chaleur du feu. Et les Chrétiens, à la fois inquiets et charmés, glissant lentement sur la calme rivière. Fernando dit qu'il fallait aller chercher les jumeaux et leurs trompettes, qu'ils sauraient peut-être s'entendre avec les Indiens. L'idée plut. L'une des barques partit tout de suite. En chemin, les gars aperçurent sur la rive un détachement d'hommes en armes que l'Amiral, entendant les tambours et les trompes, avait envoyés au secours de ses hommes qu'il croyait en danger.

Mendez était resté sur la rivière avec Fernando et trois archers. Ils avaient échoué leur barque sur la grève et ils écoutaient amusés cet étrange concert. Cependant, les piétons que l'amiral avait envoyés arrivèrent à leur hauteur sur l'autre rive et débusquèrent les Indiens musiciens, qui cessèrent brusquement de jouer. Ceux qui se trouvaient sur la rive gauche aussi. Puis on entendit guerroyer de l'autre côté de la rivière. Mais on ne voyait personne. La rivière en cet endroit n'était pas très large, mais la forêt la bordant était si dense que le regard n'y pouvait pénétrer. On venait de remettre la barque à l'eau quand les Indiens chargèrent. Une centaine d'hommes outrageusement peinturlurés et maquillés, portant de lourds bâtons et de longues lances flexibles. En un instant, ils furent sur les Chrétiens. Mais plutôt que de frapper ceux-ci qui, pris au dépourvu, se trouvaient pratiquement à leur merci, ils leur lancèrent de l'eau et du sable mouillé; quelques-uns s'approchèrent, qui avaient la bouche remplie d'une mixture d'herbes puantes, des feuilles de tabac entre autres, et ils faisaient gicler hors de leur bouche un jus noir et nauséabond dont les traits presque à tout coup atteignaient les Chrétiens en plein visage, même lorsqu'ils se trouvaient à plus de dix pas. Ils s'enfuirent dans le plus grand désordre.

Dès qu'ils furent hors de portée des jets de salive, ils s'arrêtèrent pour souffler un moment. Et c'est alors qu'un extraordinaire fou rire les prit. Chacun avait le visage et les cheveux maculés de ce jus noir que leur avaient craché si habilement les Indiens. Ils tentèrent de se laver, mais l'eau ne faisait que diluer le liquide qui, en séchant, leur laissait de grandes taches brunes sur la peau. Ils se regardaient les uns les autres et ne pouvaient s'arrêter de rire. C'est ainsi que ceux de l'autre barque qui revenaient avec à leur bord les jumeaux et leurs trompettes les trouvèrent, le visage tout barbouillé et ruisselant de larmes.

Le grand Pedro de Ledesma qui accompagnait les jumeaux dit tout de suite qu'il trouvait dangereuse cette idée de faire de la musique avec les Indiens. Il rappela cette fameuse histoire des Indiens du golfe de Paria qui, dès qu'on eut commencé à jouer de la tambourine pour les amadouer, croyant que la musique était une préparation à la guerre, se levèrent dans leur pirogue et se mirent à tirer sur les Chrétiens. Selon Ledesma, les Indiens cracheurs auxquels on avait affaire pouvaient réagir de même. Mais ceux de la première barque l'écoutaient à peine, tellement ils riaient encore, chaque fois que leurs regards se croisaient, surtout le petit Fernando et Diego Mendez. Ce dernier réussit quand même à dire à Ledesma que ces Indiens n'étaient belliqueux qu'en apparence et que selon lui ils n'étaient pas vraiment à craindre. En effet, bien qu'ils fussent au moins dix fois plus nombreux que les Chrétiens et les eussent eus à leur merci, jamais ils ne leur portèrent de coups dangereux.

Sans attendre l'ordre de personne, et sans doute pour le plaisir de contredire Ledesma, que tout le monde trouvait désagréable à cause de son habitude de se mêler de tout, les jumeaux s'étaient mis à souffler dans leurs trompettes. Ils en tiraient de longues notes soutenues, qu'ils essayaient d'appareiller à celles qu'ils avaient entendues plus tôt, en remontant la rivière. Mais leur son était beaucoup plus fort et plus riche que celui des trompes indiennes, probablement faite de bois. Hélas! ils n'obtinrent aucune réaction. Plus rien. Ni trompe, ni clairon, ni flèche, ni cri. Comme si la forêt s'était soudain vidée.

On rentra, les jumeaux, tout rouges d'avoir tant soufflé, suant à grosses gouttes, déçus. Le lendemain, juste à l'aube, on entendit à nouveau, tout près, les trompes et les tambours indiens. Dès que les jumeaux firent résonner leurs trompettes, les autres se turent. Mais dans le soleil levant, on vit les Indiens sur la plage, leurs armes, leurs tambours et leurs trompes à leurs pieds. Et eux, debout, la tête inclinée en signe évident de soumission. Diego Mendez, l'un des interprètes talamancas et trois hommes bien armés descendirent et prirent langue avec eux. Les Indiens leur firent rapidement comprendre qu'ils voulaient voir les trompettes. Mendez cria d'envoyer les jumeaux. En les voyant apparaître, leurs trompettes étincelantes à la main, leurs longs cheveux blonds flamboyant au soleil levant, parfaitement semblables, les Indiens qui n'avaient peut-être jamais vu de jumeaux de leur vie, ni d'hommes blancs et blonds, se prosternèrent tous en silence. Et les jumeaux debout sur les galets de la plage firent sonner leurs trompettes comme jamais ils ne l'avaient fait. Ce n'étaient plus ces notes étales et plates qu'ils avaient fait entendre la veille, croyant obtenir une réponse des Indiens. C'était une mélodie très vive et fleurie, qui s'éleva dans l'air frais de ce petit matin et remua tout le monde. Les Indiens pleuraient.

Quand les jumeaux cessèrent de jouer, ils s'approchèrent et regardèrent longuement leurs trompettes. Certains esquissaient des gestes pour les toucher, mais finissaient par retirer vivement leurs mains et se les joignaient derrière la tête ou dans le dos, comme s'ils craignaient d'être foudroyés au seul toucher de ces instruments. L'un des jumeaux s'était emparé d'une de leurs flûtes de bois et en avait tiré une longue note voilée. Puis il avait essayé une grosse trompe qui rendit un son rude et granuleux. En quelques minutes, une joyeuse amitié s'était établie entre les jumeaux et les Indiens. Le soleil était déjà haut dans le ciel qu'ils s'amusaient encore à comparer et à agencer de diverses manières les sons de leurs instruments.

On apprit des Indiens qu'on se trouvait effectivement au Veragua et que cette rivière sur laquelle ils avaient leur village s'appelait la Guaïga et leur village était Guaïga et eux formaient le peuple Guaïga et leur dieu s'appelait Guaïga. Les Guaïgas avaient de l'or. Plusieurs d'entre eux portaient, supendu au cou par un cordon de coton, un miroir d'or grand comme la main, dont ils se défaisaient volontiers pour quelques grelots de cuivre. Ils firent comprendre que c'étaient les trompettes qu'ils convoitaient le plus. Et que pour les obtenir, ils trouveraient au cours des jours suivants beaucoup d'or. Les jumeaux étaient au désespoir, car ils craignaient que l'Amiral leur ordonne de donner leurs trompettes. Il n'en fit rien. Il dit qu'il avait réussi à savoir, grâce à ses interprètes, où se trouvaient les mines d'or, et qu'on n'avait plus besoin d'attendre après les Guaïgas.

Mais le lendemain, quand les Chrétiens se rendirent dans leur village dans l'espoir de poursuivre avec eux les échanges, ils les trouvèrent de nouveau agressifs et la bouche pleine de ce jus noir et nauséabond qu'ils faisaient gicler sur ceux qui les approchaient. On tira un coup de bombarde qui mit le feu à l'une de leurs huttes et sema l'épouvante parmi eux qui s'enfuirent dans la forêt. Et on rebroussa chemin. On ne sut jamais ce qui s'était passé. Mais il est probable que les Indiens regrettaient d'avoir échangé leur or pour si peu et qu'ils en voulaient aux Chrétiens qui refusaient de donner leurs trompettes.

* * *

La côte fonçait de nouveau vers l'est, en plein dans le vent, qu'il fallait encore une fois remonter de peine et de misère. Dieu merci, il pleuvait. Une grosse pluie visqueuse qui fatiguait le vent et parvenait même par moment à le faire tomber tout à fait.

Mais alors, pendant des heures, on ne voyait plus ni ciel ni terre ni mer. Tout était enveloppé dans une aveuglante et assourdissante chape d'eau tiède, dans une impérieuse mollesse, une sorte de sommeil épais et lourd où tout le monde lentement sombrait, même le Grand Amiral de la mer Océane qui passait beaucoup de temps sur le pont arrière.

On le voyait parfois, profondément endormi, la tête renversée en arrière, la bouche grande ouverte que remplissait la pluie, et alors il s'étouffait et s'éveillait à demi, secoué de hoquets et de haut-le-cœur, l'œil hagard, perdu, et sa tête retombait sur sa poitrine et il se rendormait, dodelinant, recroquevillé, le dessus chauve de son crâne luisant sous la pluie, ses longs cheveux blancs plaqués sur ses joues en mèches grêles, dans sa barbe ruisselante...

On ne parlait plus, on ne mangeait plus. Les manœuvres se faisaient comme en rêve, machinalement, avec une lenteur irréelle. Quand la pluie était trop lourde, plutôt que de naviguer à l'aveuglette, on amenait les voiles ou on s'éloignait de la côte. Mais encore là, on risquait à tout moment de s'échouer sur quelque écueil. On y pensait sans cesse...

Chaque fois que possible, on allait sur la côte pour rencontrer des Indiens. Et leur demander, toujours la même chose, où étaient les mines d'or dont on avait si souvent entendu parler depuis la Côte des Oreilles, par l'Indien Juan Perez d'abord, puis par les gens de la Huerta, par les musiciens cracheurs de Guaïga, par les Talamancas…

L'idéal eût été de pouvoir s'ancrer quelque part et d'aller voir. Mais il n'y avait pas de port sûr le long de cette côte maudite à laquelle on ne parvenait jamais à s'agripper pour de bon. Même avec les barques, il était difficile d'accoster. Presque partout, il y avait un très fort ressac, les plages étaient extrêmement étroites et tout de suite c'était la forêt, si dense que même les Indiens n'y pouvaient circuler. On les rencontrait surtout aux bouches des rivières, dans leurs longues pirogues qui n'allaient jamais sur la mer Océane et dans lesquelles ils semblaient passer le plus clair de leur temps, avec femmes, enfants, cochons, singes, chiens, poules, armes et idoles. Ils vivaient assis sur ces chemins d'eau, sortes de villages filiformes sur une mer de verdure infinie. Parce qu'ils ne marchaient guère, ces Indiens avaient de toutes petites jambes maigrelettes et courtes, et la peau des pieds douce et délicate, contrairement à ceux de Bonacca ou de La Huerta par exemple qui étaient chaussés de corne si épaisse qu'ils pouvaient sans crainte marcher sur de la braise ou des oursins. Par contre, leurs bras et leurs épaules qui travaillaient beaucoup étaient fort développés. Ils pouvaient bander des arcs très puissants et lancer leurs javelots à des distances faramineuses, debout dans leurs pirogues. Ils savaient se défendre, mais ils étaient rarement agressifs.

Il eût fallu partir avec eux et remonter le cours de ces rivières qui s'enfonçaient dans la forêt. Mais on n'était pas équipés pour cela. Et quelle rivière ? Et jusqu'où ? Et pendant combien de temps ? Et comment aurait-on pu se retrouver là-haut dans l'inextricable lacis des affluents et des sources ?

Les Indiens n'étaient généralement pas très invitants, ni très recevants. Quand on les interrogeait, ils disaient toujours que pour trouver la source de l'or, il fallait remonter une autre rivière que la leur, une rivière beaucoup plus belle et plus large, plus à l'est ou plus à l'ouest, que leur rivière à eux ne menait nulle part, et que leur or, ils l'avaient acquis ils ne savaient plus trop comment, presque malgré eux, et qu'ils n'étaient pas, eux, des gens très intéressants. Ils étaient toujours prêts à échanger l'or qu'ils possédaient, mais jamais, pas plus que dans toutes les autres îles où il était allé, l'Amiral ne réussit à obtenir des renseignements clairs et précis sur la source de l'or. L'or, comme le bonheur, semblait toujours se trouver ailleurs.

On rencontra d'autres Indiens musiciens et cracheurs, comme ceux de Guaïga. Ils ne se laissèrent pas vraiment amadouer et feignirent même de ne pas savoir où se trouvait le Veragua, leur propre pays. Mais, croyant visiblement faire une bonne affaire, ils cédèrent beaucoup d'or pour un peu de pacotille et quelques grelots. Selon les interprètes talamancas, qui étaient probablement d'accord, ils se disaient entre eux pendant les échanges que les Chrétiens étaient de pauvres imbéciles qui ne connaissaient pas la réelle valeur des choses.

On vit, plus loin, dans un endroit qui s'appelait Cateba ou Cativa, une massive construction de pierre en ruines. Nulle part ailleurs aux Indes, les Chrétiens n'avaient vu pareil édifice. Les Indiens de la région, qui comme tous ceux de la mer caraïbe ne construisaient que de pauvres huttes de branchages, ne semblaient pas savoir quand ni comment ni par qui ni pourquoi il avait été construit. Et ils évitaient de s'en approcher. Fernando cependant était fasciné. Il passa tout un jour à errer sur le site de ces ruines grandioses, à prendre des mesures, à tirer des plans, à faire des croquis. Il trouva, qu'il garda toujours sur lui, une petite pierre ronde comme une bille et polie sur laquelle était gravée ce qui ressemblait à une tête de tigre.

Dans un village voisin de ces ruines, on prit un jeune Indien qu'on croyait être un chef et qu'on amena pieds et poings liés à bord de la *Capitana* où il fut interrogé par les interprètes talamancas. Il dit aux Chrétiens qu'ils étaient sortis depuis longtemps déjà du pays des mines d'or qui se trouvait plus à l'ouest, près de chez les Talamancas, justement. Il dit aussi que son peuple à lui n'aimait pas l'or, comme ceux du Veragua, et qu'il n'en avait pas. Il disait en fin de compte ce que disaient tous les autres, qui voulaient écarter les Chrétiens de chez eux. Mais celui-là, on le crut. Parce qu'il avait l'accent de la vérité, sans doute. Mais aussi parce qu'on avait remarqué, depuis quelques jours, que plus aucun des Indiens rencontrés n'arborait ces grands miroirs d'or qu'on voyait briller sur les poitrines des notables vera-guayens. Ainsi donc, on était passé tout droit. Il fallait revenir en arrière, au Veragua.

Le jour où l'Amiral prit cette décision, le vent fit de même et tourna brusquement à l'ouest, de sorte qu'il resta contraire aux Chrétiens. Une forte tempête se leva. Il fallut mettre en fuite et, pendant plusieurs jours, se laisser porter vers l'est, c'est-à-dire dans la direction opposée au Veragua. Et c'est ainsi que l'on découvrit, le 2 novembre 1502, cette merveille de la nature qu'était Portobelo, endroit enchanteur, même sous la pluie, même sous sept jours de pluie chaude et visqueuse.

C'était une petite baie profonde et si bien protégée qu'une fois à l'intérieur, et même quand la mer et le ciel tout autour était déchaînés, on se sentait à l'abri. Il y avait de jolies maison-nettes juste derrière la plage de sable fin, des chiens fous, de beaux enfants qui jouaient, de gros arbres qui contenaient le vent et l'eau du ciel, faisaient de l'ombre et des fruits, des ruis-seaux très vifs et propres, puis des pâturages et des champs, de maïs surtout, tout bien cultivés sur les flancs des collines environnantes. Un rêve ! Et il y avait là des gens aimables, beaux, bien faits, qui reçurent les Chrétiens avec grande civilité.

On ne manqua de rien. Mais il n'y avait pas d'or, ce qui confirmait Diego Mendez dans sa théorie que l'or dans ces pays nouveaux n'était pas un signe de richesse mais au contraire d'une certaine indigence. Depuis trois mois qu'on explorait la côte de cette grande terre, du Honduras jusqu'au Veragua, on avait pu remarquer en effet que c'étaient presque toujours les gens les plus démunis et les plus arriérés qui avaient de l'or en abondance. Les habitants de Portobelo, les mieux équipés, probablement aussi les plus heureux et les plus en santé de tous, n'en avaient pas une goutte. Et ne semblaient pas en vouloir. Quand on leur montrait des pépites d'or, ils faisaient de grands sourires, comme pour être gentils, mais ne tentaient en aucune façon de les acquérir.

C'étaient des gens pratiques et industrieux. Ils voulaient des épées, des câbles, une barque. Ils proposèrent même d'échanger une caravelle contre quelques maisonnettes, un champ de maïs, une dizaine de sangliers, ce qui fit rêver beaucoup de Chrétiens, parmi les plus vieux surtout, qui se voyaient couler des jours heureux dans le décor paisible de Portobelo, dans une petite maisonnette bien sèche sur la lagune, avec une petite femme attentionnée, des enfants beaux comme des cœurs, un jardin, un petit troupeau…

Le 9 novembre, la tempête s'étant apaisée, on s'arracha de ce lieu de rêve et on tenta de prendre le vent d'ouest à rebours. Ce fut grande peine perdue. Le lendemain, la tempête redoubla de force et il fallut fuir à nouveau. On fut violemment refoulé encore plus à l'est, encore plus loin du Veragua et des mines d'or, dans une autre baie entourée de champs cultivés que l'Amiral à cause de cela appela le Puerto de Bastimentos. Et il décida qu'on y resterait le temps de réparer les navires et les tonneaux qui en avaient grand besoin.

Les cultivateurs de Puerto de Bastimentos, contrairement à ceux de Portobelo, étaient fort sauvages et timides. On ne put jamais les approcher. Un jour cependant, un grand canot était apparu tout au fond de la baie. Ceux de la *Vizcaína* mirent leur barque à l'eau et se dirigèrent vers lui. Les rameurs indiens, pris de peur, abandonnèrent leur embarcation, sautèrent à l'eau et nagèrent dans toutes les directions. On ne put en rattraper un seul. Chaque fois que la barque s'approchait de l'un des nageurs, il plongeait, restait sous l'eau très longtemps et refaisait surface beaucoup plus loin, dans une tout autre direction. Cette chasse dura des heures. Malgré les efforts des Chrétiens exaspérés, tous les Indiens réussirent à toucher terre et à s'enfuir. On songea à prendre leur canot pour remplacer la barque de la *Gallega* perdue pendant l'affreuse tempête de juillet et qu'on n'avait jamais pu remplacer. Mais le canot était trop lourd et les marins de Colomb, incapables de le manœuvrer.

Le 26 novembre, nouvelle sortie. Nouveaux vents contraires, aussi méchants et intraitables que les autres. On réussit cette fois à se glisser dans un port minuscule qu'on nomma Retrete. C'était une sorte de cuvette dont les parois verticales s'élevaient plus haut que les plus hauts mâts des caravelles qui ainsi se trouvaient totalement à l'abri du vent. On s'amarra directement aux rochers et aux arbres, de sorte que les hommes pouvaient, depuis le plat-bord, s'agripper à la falaise et grimper jusqu'au village indien qui se trouvait juste derrière dans la forêt. Bien que l'Amiral eût expressément et pour la centième fois interdit ce genre de choses, les hommes se hissèrent à terre à la faveur de la nuit et, sous la menace des armes, volèrent les biens des villageois et violèrent leurs femmes.

Trois jours plus tard, c'était la guerre totale. La guerre éclair. En quelques heures, les Chrétiens détruisirent le village. Et par le fait même, leur seule source d'approvisionnement. Car ils ne pouvaient pénétrer dans la grande forêt et ne savaient où trouver les fruits et le gibier que d'habitude leur apportaient les Indiens, dont ils avaient toujours dépendu partout où ils étaient allés. Il leur fallut partir. Et une fois de plus se confier à la tempête la plus longue et la plus puissante qu'on n'ait jamais vue, de mémoire de Chrétien.

Les vents, que ne parvenait pas à apaiser la lourde pluie, soulevaient des lames monstrueuses, des forteresses d'eau qu'ils emportaient très haut dans les airs où elles étaient brusquement démantelées et d'où elles retombaient en grosses masses pesantes qui brisaient les mâts des caravelles, déchiraient les voiles, arrachaient les gréements, assommaient net contre le pont les hommes qui s'étaient attachés au plat-bord et dont les corps inertes étaient ensuite ballottés en tous sens. La côte n'était plus qu'un long écueil hurlant et écumant qu'il fallait fuir. Pendant trois jours, on perdit de vue l'un des bateaux, la *Vizcaína*, que commandait Flisco. Les hommes pleuraient, priaient, se confessaient les uns aux autres, faisaient des vœux perpétuels de chasteté, de pauvreté.

Une trombe gigantesque vint alors tournoyer près des navires. Autour d'elle régnait un calme effrayant. On aurait dit qu'elle avait avalé le vent, comme elle semblait vouloir avaler la mer qui se creusait devant elle. Et de cette trombe sortait une sorte de gémissement très puissant et strident. Les hommes de la *Capitana* disaient que c'était l'essaim des âmes en peine des marins de la *Vizcaína* qui s'étaient perdues dans cette mer païenne et qui pleuraient de peur devant l'éternité et les Limbes où elles refusaient d'entrer. L'amiral Colomb traça une grande croix dans l'air avec son épée. Il prit l'Écriture et lut ce fameux passage où l'apôtre Marc raconte la tempête de Capharnaüm.

« Ils virent Jésus marcher sur le lac en direction de la barque et l'effroi les saisit. Mais il leur dit: "C'est moi, n'ayez pas peur." »

Et il tint la Bible à bout de bras en faisant un cercle tout autour de sa caravelle. La trombe s'éloigna tout de suite. La tempête mollit. Quelques heures plus tard, on retrouva la *Vizcaína* et tous ses hommes malades de peur, blessés, mais saufs. Ils avaient perdu une ancre et leur barque, lourde perte, quasi irremplaçable.

La mer était sale. Il y avait des bancs d'algues et de varechs tirés des hauts fonds, des pans entiers de forêts arrachés aux côtes, qu'on retrouvait flottant entre deux eaux jusqu'à plus d'un mille au large, et partout des carcasses de poissons et d'animaux fracassés contre les rochers ou broyés entre deux lames déferlantes et autour desquelles rôdaient des bandes de requiems frénétiques que l'on tentait de harponner, car avec le calme était venue la faim. Tous les vivres étaient moisis et véreux. Les biscuits de mer réduits en bouillies gluantes et grouillantes, on les avalait la nuit, les yeux fermés, le nez bouché. Et ce n'était pas fini.

Avant même qu'on eût trouvé un bon abri et que la mer se fût calmée, et sans qu'on eût eu la joie d'apercevoir un seul instant le soleil, la tempête revint, plus violente que jamais. Le ciel brûla et hurla comme une forge pendant plusieurs jours. On se réfugia dans une anse mal protégée où s'engouffraient les vagues et les vents. Mais les ancres semblaient pouvoir tenir bon. Et de toutes façons, les hommes étaient si fatigués et les caravelles en si mauvais état qu'il ne pouvait être question de reprendre la mer en furie.

Dès que possible, on amena les caravelles à l'abri, tout au fond de la baie. On hissa à terre la *Gallega* qui avait sérieusement besoin d'être carénée et calfatée. Une bonne partie de l'équipage s'en fut sous le couvert de la forêt, s'y construisit des abris de branchages et de vieilles toiles, s'étendit sur des lits de paille et attendit. Beaucoup étaient très malades. Les longues pluies qui depuis des mois obscurcissaient le ciel presque continuellement permettaient cependant à l'Amiral de reposer ses pauvres yeux, que les trop vives lumières de la mer et du ciel avaient blessés. Il avait même recommencé à lire un peu. Mais c'était Fernando qui sous sa dictée tenait, bien irrégulièrement, le journal de bord.

On fut cette fois très prudent avec les Indiens. De toutes façons, les hommes étaient si fatigués, si brisés, blessés, qu'ils ne pensaient plus aux femmes. Ou s'ils y pensaient, c'était autrement, c'était à d'autres femmes, mûres et fortes, attentives, des mamans qui auraient lavé, pansé leurs plaies, les auraient bercés tendrement et rassurés, « ne t'en fais pas, mon petit, c'est fini, c'est bientôt fini », et qui auraient chanté des chansons douces en castillan.

C'était Noël. Le père Alejandro, pâle et tremblant, célébra la messe. Puis c'était le jour de l'an 1503. Il n'y eut pas de messe. Il pleuvait toujours. Une grosse pluie molle et chaude, sans doute éternelle. Tout le monde attendait qu'elle finisse. Tous ? Non. L'intrépide Diego Mendez n'attendait pas. Il avait mieux à faire.

5

Depuis qu'ils avaient quitté Séville, la joie de Diego Mendez n'avait cessé de croître. Il était émerveillé, enchanté. Par la tempête, par le soleil se levant sur la mer Océane et se couchant sur l'impénétrable forêt vierge, par les Indiens, leurs fleuves, leurs femmes, leurs pirogues, leurs vieillards, leurs armes et leurs enfants, par tout, tout le temps, Diego Mendez était émerveillé. Et cet émerveillement le portait, le poussait, avec une très grande force, comme un amour fou, comme un grand vent favorable et bienfaisant.

Il se disait parfois qu'il devait être sous l'effet de quelque charme qui serait comme par hasard tombé sur lui. Car il ne croyait pas avoir mérité plus qu'un autre d'être l'hôte privilégié de cette lumineuse joie. Quand il priait Dieu, qu'il appelait le Grand Enchanteur, ce n'était jamais pour demander quoi que ce soit, pas même que dure en lui ce feu puissant et doux, mais pour saluer ou remercier, tout simplement. Et ce n'était jamais bien long. Il était bien, serein, joyeux, même quand le découragement s'était emparé de tout le monde et que la tempête faisait rage ou que tombait cette pluie éternelle, molle et chaude, et qu'on ne pouvait savoir quand ni comment on se sortirait de ce mauvais sort, de ce mauvais port perdu au milieu de nulle part.

Il avait parfois un tout petit regret cependant. Il aurait aimé avoir un grand projet, comme celui de l'Amiral. Et lui donner toute sa vie et toute sa joie et ses forces et même son âme. Mais il n'avait rien de tel dans sa vie. Et n'en aurait vraisemblablement jamais, il le savait. Il pensait même certains jours qu'il n'avait pas beaucoup d'âme et très peu de cœur. Il se rendait compte que, depuis que cette joie l'avait envahi, tout lui était devenu parfaitement indifférent, en ce sens qu'il aimait tout indistinctement, sans discernement. Il ne prenait jamais parti pour qui que ce soit, n'avait pas d'opinion, pas d'idée, jamais de cause d'aucune sorte.

Ainsi, dans la dispute qui avait opposé les frères Colomb aux frères Porras, il s'était rangé spontanément du côté des Colomb qui représentaient l'ordre et l'autorité. Mais par la suite, et sans pour autant donner tort d'aucune manière à l'Amiral et à l'Adelantado, il avait continué de parler aux frères Porras, qu'il considérait comme de purs imbéciles sans culture, mais qu'il trouvait néanmoins divertissants et intéressants. Même chose pour Pedro de Ledesma, qui lui avait appris à nager et à plonger jusqu'à cinq ou six brasses de profondeur pour aller chercher des conches et des oursins qu'ils mangeaient crus avec un peu de sel et le jus d'un petit fruit acidulé. Mendez aimait l'insouciance et l'innocence des insignifiants Porras et du prétentieux Ledesma. En tout être, il trouvait des richesses, des objets d'émerveillement, ce qu'il appelait de l'or moral. Il aimait les épreuves et la peine, les orages, les trombes, même s'il voyait que tout le monde autour de lui en souffrait parfois terriblement. Mais il devait savourer sa joie égoïstement, en solitaire, parce qu'il ne savait comment la partager. Comment aurait-il pu dire à ses compagnons qu'il aimait ces malheurs qui les frappaient, sans provoquer chez eux une juste colère ?

Diego Mendez était sans doute le plus instruit des hommes de la flotte. Il avait beaucoup vécu dans les livres. Et il avait aimé passionnément cette vie d'étude, de recherche, de réflexion, que lui avaient imposée ses parents. Mais il découvrait enfin, à l'âge de 25 ans, un tout nouveau genre de vie, hors des livres, l'autre vie, la vraie. Son instruction lui pesait, l'empêtrait.

Ses fonctions de notaire de la flotte lui laissant beaucoup de liberté, il était devenu un simple spectateur, voyageant pour son plaisir, non pas oisif pour autant, mais libre entièrement de ses faits et gestes. Il observait donc les éléments et les hommes. Il observait surtout l'amiral Colomb qu'il vénérait comme s'il eût été un saint, un homme certainement marqué lui aussi, mais très douloureusement, par le Grand Enchanteur.

« Moi, je suis comblé et satisfait de pas grand-chose, de n'importe quoi, en fait, se disait Diego Mendez. Mais lui, l'Amiral, seul quelque chose d'immense et d'unique pourrait le combler. »

Fernando aussi était émerveillé par tout ce qu'il voyait. Comme son ami Mendez, il avait une énorme soif de connaître mieux cette terre sauvage et vierge dans laquelle depuis dix ans les Chrétiens s'avançaient. Il avait conscience de vivre une aventure fabuleuse. Mais malgré son tout jeune âge, il n'avait déjà plus en lui cette joie insouciante et presque parfaite qui habitait Mendez. Il avait comme une lancinante blessure tout au fond de lui. Il était soucieux et inquiet pour son père qu'il aimait et admirait toujours aussi profondément. Il avait découvert que ce grand homme, l'invincible et tout-puissant héros de son enfance, était malade et fatigué. Et il se sentait responsable de lui.

Ainsi, des deux hommes les plus proches du petit Fernando, l'un était le plus satisfait et le plus serein qui fût, l'autre l'un des plus désespérés. Diego Mendez, dans la force de l'âge, jamais malade, jamais triste, rieur, gourmand, curieux de tout. L'Amiral, vieux, amer et fatigué, revenu de tout, et qu'on sentait en train de perdre foi en lui, en son étoile, en son projet, un homme désenchanté. Cependant, Mendez et Fernando savaient tous les deux que sans lui, rien de tout cela n'eût été possible. Ni la joie, ni la peine. Sans Colomb, ils n'auraient rien su ni rien vu de ce nouveau monde. Pas tout de suite, en tout cas.

Mendez avait pris contact avec les Indiens. Ils appelaient Huiva cette grande baie compliquée où s'étaient réfugiés les Chrétiens, qui eux l'avaient nommée Puerto Gordo. Ils disaient que ce lieu se trouvait à l'endroit le plus étroit de la péninsule ou de l'isthme dont les Chrétiens longeaient depuis plus de deux mois la côte septentrionale. Mendez avait fait à nouveau le projet de traverser à pied cette mince bande de terre. Il était curieux d'aller voir de l'autre bord, voir ce qui se trouvait là, et peu lui importait ce que ce serait, montagne d'or, grand ou petit Khan, autre mer, autre monde, ou rien. Il voulait voir.

Il obtint la permission d'aller quelques jours à l'intérieur. Il partit, seul avec quelques Indiens. Ils explorèrent d'abord, oh! l'agréable randonnée! un système lagunaire et lacustre entre la mer et l'eau douce, où ils virent de nombreux crocodiles semblables à ceux qu'on avait aperçus à Retrete, mais plus gros, plus féroces, capables, disaient les Indiens, qui en avaient une grande peur, de manger un homme et sa pirogue. Ils remontèrent ensuite le cours d'une assez large rivière aux eaux sombres et fraîches. Ils errèrent dans la montagne, sous une couche de verdure si épaisse et si dense qu'ils virent à peine le soleil pendant les deux jours qu'ils passèrent là-dessous. Ils rentrèrent une semaine plus tard, las et très en joie, tellement qu'on crut pendant un moment qu'ils étaient ivres ou ensorcelés.

Mendez avait en somme appris peu de choses au cours de cette excursion. Il n'avait rien trouvé de remarquable, pas de passage, pas de ligne de partage des eaux, aucune preuve qu'il y avait à quelques jours de marche une autre mer. Il avait cependant réussi à se lier d'amitié avec les Indiens qui par la suite l'invitèrent à vivre parmi eux. Mendez avait un don ou un charme qui semblait opérer auprès des Indiens encore mieux qu'avec les Chrétiens. Lorsqu'il se trouvait en compagnie d'Indiens, sa grande culture ne l'embêtait plus. Il riait toujours beaucoup avec eux. Mais il pouvait aussi être très autoritaire, et même violent, conscient toujours de sa supériorité incontestable de Chrétien. Il aimait les Indiens comme un chef aime ses hommes. Il se laissait servir. Ils le portaient sur leur dos quand il fallait traverser un étang boueux, l'éventaient quand il faisait trop chaud, lui prêtaient leurs filles, lui apportaient des fruits, se tenaient près de lui en silence, attendant ses ordres qu'ils exécutaient toujours avec promptitude sauf lorsqu'il voulait qu'ils disparaissent ou le laissent en paix.

Le notaire Mendez avait donc toute les qualités d'un cacique indien. Qu'il fût étranger et ne parlât pas leur langue ne les gênaient point du tout. Il leur parlait couramment en castillan avec cet accent très pur qu'il avait. Mais il ajoutait à ses paroles des gestes, des mimiques, des silences, des clins d'œil ou des grognements divers. Et il finissait toujours par se faire parfaitement bien comprendre. Il aurait pu très facilement monter une expédition pour aller de l'autre côté de la péninsule. Ses amis indiens l'auraient suivi ou guidé et servi avec plaisir et intelligence. Mais l'Amiral ne voulait toujours pas laisser partir Mendez pour la gloire. Plus tard peut-être, quand on aurait trouvé un endroit sûr où bâtir une vraie ville.

On aurait dit que cette idée d'arriver aux Indes n'obsédait plus l'Amiral. Traverser la péninsule ? Pourquoi faire ? La spéculation géographique qu'il avait autrefois pratiquée avec tant de passion l'intéressait de moins en moins, au grand désespoir de son frère Bartolomé. Il finit par affirmer un soir de grande lassitude qu'il valait mieux pour le moment s'en tenir au sûr et certain. Il y avait de l'or au Veragua. On prendrait cet or. Et on rentrerait en Espagne.

« Mais le Grand Khan ? Mais le tour du monde ?

— Tout ça, c'était pour de l'or, tu le sais bien, Bartolomé. Ne fais pas l'enfant. L'Orient, le Grand Khan, le tour du monde, toute cette expédition, c'était pour l'or, non ? Qui a de l'or peut tout, tu le sais bien, Bartolomé.

— Et Jérusalem ?

— Nous commencerons par aller cueillir l'or du Veragua. Puis nous irons en Espagne chercher d'autres caravelles, des hommes frais, des armes. Et nous reviendrons. Nous libérerons la Maison de David. Notre voyage ne sera jamais fini, Bartolomé, tu le sais, tu comprends, n'est-ce pas ? »

Bartolomé ne comprenait pas vraiment. Il commençait sérieusement à se demander s'il ne devait pas, pour le bien de tous, destituer son frère de son commandement.

* * *

Le 3 janvier 1503, on quitta Puerto Gordo. La tempête était allée refaire ses forces en haute mer, mais les vents étaient restés violents et contraires, de sorte qu'on ne s'approchait du Veragua que de quelques lieues par jour. L'Amiral baptisa cette côte que les Chrétiens couraient en tous sens depuis deux longs mois, jamais libres de leurs mouvements et toujours en train de tirer de pénibles et inutiles bordées au plus près du vent, la Costa de los Contrastes.

Finalement, ils jetèrent l'ancre devant l'embouchure d'un gros fleuve en plein pays veraguayen. C'était le jour des Rois; l'Amiral nomma ce fleuve et ce lieu Belén. Le lendemain matin, profitant de la marée haute, les quatre caravelles franchirent la barre qui fermait l'embouchure et se glissèrent dans un large et calme bassin que bordaient de solides falaises.

Les Indiens de la région, les Guaymis, n'étaient pas très sympathiques. Ils se tenaient sur le rivage, leurs armes à la main, mâchant des herbes et crachant devant eux de grandes giclée de jus noir, parlant et riant fort jusque tard dans la nuit. L'Adelantado exigea néanmoins, par le truchement des interprètes talamancas qui, revenant près de leur pays, recommençaient à comprendre la langue, de rencontrer le chef guaymi, dont le palais se trouvait à quatre mille vers l'ouest, sur une autre rivière, le rio Veragua, parallèle au rio Belén.

Ce cacique s'appelait Quibian. Il était arrogant, costaud, remarquablement laid. Bartolomé le convainquit cependant de rencontrer l'Amiral. Deux jours plus tard, Quibian vint à l'embouchure du rio Belén avec sa cour. Il commença par refuser les cadeaux, des grelots, un pourpoint de soie pourpre, des billes de verre et des gants, que lui tendait l'Amiral avec son plus gracieux sourire. Il refusa également de l'entendre tant qu'on ne lui eût pas apporté une pierre plate, sèche et bien propre sur laquelle il posa son gros cul mou et nu. Une fois assis, il ordonna à l'un de ses hommes d'emporter les dons de l'Amiral et fit signe à celui-ci qu'il pouvait parler.

L'Amiral dit qu'il était le représentant des Rois catholiques, qu'il venait en ami, qu'il cherchait de l'or et désirait explorer les rivières de la région. Quibian répondit qu'il n'avait pas l'habitude de discuter avec des représentants et qu'il désirait rencontrer les Rois eux-mêmes, surtout la Reine, au sujet de laquelle il se permit des propos d'une énorme vulgarité, que l'Amiral feignit de ne pas avoir entendus, malgré l'empressement des interprètes à les traduire avec rires gras et gestes obscènes à l'appui. On fit comprendre à Quibian que la reine Isabelle habitait très loin et qu'elle était fort vieille. Le cacique se désintéressa tout de suite de la souveraine castillane et accepta de laisser les Chrétiens explorer ses rivières pendant quelque temps, mais il les avertit qu'ils seraient étroitement surveillés par ses hommes.

Pendant deux semaines, il plut. On ne put partir à la conquête de l'Eldorado. On mit cependant à tour de rôle chacune des caravelles à terre afin de les caréner et de les radouber. Toujours sous la surveillance des guerriers Guaymis, qui semblaient n'avoir rien à faire et qui jamais n'offrirent leur aide aux Chrétiens, ni fruits, ni filles, ni tabac, ni herbe à mâcher, comme on faisait presque partout ailleurs. Seul Diego Mendez, qui pourtant était le seul à les traiter avec arrogance, il en avait même frappé plusieurs à coups de pied ou de poing, semblait avoir grâce à leurs yeux.

L'un des maîtres-calfats vint trouver l'Amiral et l'avertit discrètement que les quatre navires, surtout la *Gallega* et la *Vizcaína*, étaient irrémédiablement avariés et ne seraient bientôt plus aptes à tenir la mer. On les avait d'ailleurs remis à l'eau sans gratter trop fort les pauvres coques qui, pourries et percées de part en part par de grandes colonies de tarets, risquaient de s'effriter sous les coups de brosse. Et on n'avait plus de poix. En eût-on eu qu'il eût été trop tard. Le mal était fait et irréparable.

« S'il est trop tard, avait dit l'Amiral, qu'on n'en parle plus. »

Et on n'en parla plus. Mais tout le monde voyait bien, sentait bien qu'on naviguait sur de véritables passoires, même les mousses les plus innocents dont la principale activité désormais était de pomper, pomper, pomper... Ouf !

* * *

Le 6 février, avec deux barques et une douzaine d'hommes armés, l'Adelantado franchit la barre, prit la mer, longea la côte vers le rio Veragua qu'il remonta jusqu'au village de Quibian, le gros cacique antipathique. Le lendemain, des guides guaymis les amenèrent en haut de la rivière où ils trouvèrent de beaux morceaux d'or qu'ils purent ramasser sans autre outil que leurs couteaux, comme s'il se fût agi de champignons.

L'Amiral était vivement impressionné. Les gisements semblaient beaucoup plus riches que tout ce qu'on avait vu jusqu'à maintenant, même en Hispaniola. Il pourrait donc rentrer en Espagne la tête haute. Il n'avait pas trouvé le passage vers les Indes, mais il avait de l'or, beaucoup d'or. Et il savait que c'était au fond tout ce que voulait Ferdinand d'Aragon. Quant à Isabelle de Castille, si c'étaient encore les âmes à convertir qui l'intéressaient d'abord, elle aurait elle aussi amplement de quoi se réjouir, car il y avait, dans ces nouveaux pays que les Chrétiens avaient explorés et dont ils avaient pris possession au nom des Rois catholiques, plusieurs centaines de milliers de personnes, tous idolâtres, mais apparemment peu attachés à leurs idoles et ne demandant pas mieux que d'être convertis à la foi de Notre Seigneur Jésus.

Quelques jours plus tard, l'Adelantado partit à nouveau en expédition sur une autre rivière. Il retrouva, à Cobrava ou Cativa, ce mystérieux édifice en ruines qui avait tant impressionné Fernando, quelques mois plus tôt quand on était venus dans ces parages. Là aussi, sur une rivière qu'on n'avait alors pas pu remonter à cause du gros temps, on trouva de l'or.

Lorsque Bartolomé rentra, à la tombée du jour, il trouva son frère l'Amiral fort excité.

« Viens, j'ai quelque chose à te montrer. »

Il l'entraîna sur une faible hauteur à l'embouchure du rio Belén.

« J'ai pris la décision de fonder une ville ici même, lui dit-il. Ce sera Santa Maria de Belén. »

Bartolomé ne disait rien. Du haut de la dune où ils se trouvaient, ils dominaient un morne paysage, la mer d'un bord, la mangrove de l'autre. Entre les deux, cette pauvre bosse qui protégeait tant bien que mal un petit bassin dans lequel pouvait tenir tout au plus une demi-douzaine de caravelles de moyen tonnage.

« Dès que les travaux seront bien en cours, continua l'Amiral, je partirai pour l'Espagne chercher des renforts, des médicaments, des mineurs d'expérience, des orpailleurs, des orfèvres. Pendant ce temps, tu continueras à bâtir la ville et à ramasser de l'or. »

Cette idée ne plaisait pas beaucoup à l'Adelantado. Les relations avec les Indiens, qui n'avaient jamais été faciles en cet endroit, pouvaient s'envenimer n'importe quand. Et la moitié des quelque trente hommes que lui laisserait son frère étaient malades (coliques, diarrhées, fièvres, ulcères, chancres vénériens) ou blessés ou totalement démoralisés. Mais il n'y avait probablement pas d'autre solution. La *Gallega* ne pouvait plus tenir la mer.

« Je veux bien rester ici, dit finalement Bartolomé. Nous n'avons pas d'autre choix. Je ne te demande qu'une chose. À tes hommes, et là-bas, en Espagne, tu diras ce que tu voudras. Mais à moi, ne viens plus jamais dire que nous fondons une ville ici. Ce n'est pas une ville que nous faisons, c'est un naufrage. »

Et il descendit rapidement sur la plage où il attendit son frère. Ils rentrèrent en silence, évitant de se regarder, chacun faisant comme s'il était seul au monde, ce qui n'était pas loin de la vérité.

Santa Maria de Belén serait la quatrième tentative d'établissement que faisait l'Amiral aux Indes. Il y avait eu d'abord sur la côte haïtienne le fort de La Navidad où, dix ans plus tôt, il avait laissé 39 hommes qui s'entretuèrent ou furent tués par les guerriers de Caonabos. Puis il y eut Isabela, plus à l'est sur cette même côte, où plus de deux cents hommes moururent des fièvres quartes et qu'on dut aussi abandonner assez rapidement. Il ne restait déjà plus rien du fort de bois de La Navidad que la forêt humide de Haïti avait déjà délayé et avalé deux ans plus tard, quand l'Amiral en route pour Cuba s'y était arrêté. Mais Isabela était une ville de pierre avec une prison, un alcazar et de fortes murailles qui devaient être toujours debout sous la lourde végétation... Et il y avait Santo Domingo, la vraie ville qu'avaient construite les frères Colomb et qu'on leur avait volée.

Le soir même, l'Amiral fit part de sa décision à ses équipages, ce qui eut pour effet de plonger les hommes dans une silencieuse et inconfortable rêverie. Tous étaient pris d'effroi, tant ceux qui devaient partir sur des caravelles pourries, que ceux qui devaient rester dans ce lieu sordide. L'Amiral cependant se laissa emporter; il se mit à raconter que Santa Maria de Belén allait bientôt supplanter Santo Domingo et devenir la capitale et la métropole des Indes, une ville-marché qui brillerait dans le monde entier. On parlerait des épices, des soieries, des bijouteries de Belén, la cité-berceau où allait naître un Nouveau Monde. Et qu'ils gardent leur Santo Domingo, eux, ces voleurs, ces usurpateurs sans génie. L'amiral Colomb reconstruirait à Belén son empire. Et personne ne pourrait le lui voler. Parce que cette fois, il avait de l'or. Et qui a de l'or, peut tout.

Pour Bartolomé, pour Ledesma et Terreros, les vieux de la première heure, Belén commençait un peu comme La Navidad et Isabela, au hasard de malheureuses circonstances, au moment où on n'avait plus le choix. Belén n'était pas comme Santo Domingo une ville voulue et organisée, fondée sur un site avantageux. Ce n'était pas un établissement, c'était un refuge. Bartolomé avait raison, c'était un naufrage, un échec. Mais l'Amiral, qui croyait toujours au pouvoir créateur des mots (le mot Belén signifie en castillan naissance ou crèche ou berceau ou commencement, en même temps qu'il désigne la ville de Palestine où naquit Notre Sauveur Jésus), espérait pouvoir transformer cet échec en réussite, cette sombre histoire en triomphe, cette fin en recommencement, en belén.

Sur le flanc intérieur de la petite colline qui gardait l'embouchure du rio, on construisit un magasin aux murs de pierre et une douzaine de maisonnettes sur le modèle des huttes indiennes. Ce site était bien protégé du soleil par de grands arbres touffus qu'on n'eut garde de couper. Par contre, derrière la petite agglomération, on déboisa sur une largeur d'une centaine de pas. Il devenait ainsi impossible d'approcher Sainte-Marie-de-Bethléem, de quelque côté que ce soit, sans être à découvert.

Les restes de provisions gâtées (vin, vinaigre, huile, fromage et froment) apportées d'Espagne furent transportés sur la *Gallega*, qu'on laissait à Bartolomé. C'était un navire impossible à réparer, d'autant plus que les menuisiers avaient perdu presque tous leurs outils dans les tempêtes de novembre et de décembre. Bartolomé se proposait de l'échouer le plus haut possible sur la plage et de s'en faire un alcazar et une prison. Mais ces opérations comportaient de très grands risques. Et que ferait Bartolomé si dans un an son frère n'était pas revenu ?

« Il faut avoir la foi, disait-il à l'Amiral. Tu pars avec trois navires en piètre état. Si tu te perds en chemin, nous serons tous perdus nous aussi. Mais nous ne le saurons pas. Nous ne le saurons jamais tout à fait. C'est ça qui nous tue d'angoisse. Jamais personne ne saura où nous trouver. Jamais même personne ne saura que nous sommes perdus. Nous garderons toujours l'espoir chaque jour déçu d'être sauvés. Nous attendrons pendant des années, jusqu'à la fin, chaque jour scrutant la mer. Je n'ai pas peur de Quibian et de ses guerriers. S'ils deviennent trop agressifs, nous les tuerons tous, à part leurs filles que nous garderons pour nous, même si elles sont vilaines et sales. Ce qui me fait peur, c'est l'attente, le vide, le silence de la mer qui va commencer dès que tu partiras et qui ne finira peut-être jamais. »

Bartolomé était fatigué. Il était jeune encore, 42 ans, et vigoureux, peu atteint par les fièvres qui dévoraient la plupart des hommes, bon pied, bon œil. Mais il était las de ces voyages qui ne menaient jamais nulle part, las de n'avoir jamais de femme dans son lit, de ne même pas avoir de lit, de dormir tout habillé sur le pont d'un navire pourri, de manger de la mauvaise viande avec du vin piqué, de se battre, de discuter avec des Indiens obtus… Il avait envie de rentrer lui aussi.

Or une chose extraordinaire se produisit qu'on aurait pu prévoir, mais à laquelle personne n'avait pensé. On aurait dû savoir en effet que les éléments s'ingéniaient à contrecarrer systématiquement les projets de l'Amiral. Quand les trois vaisseaux qui devaient rentrer en Espagne furent sur le point d'appareiller, la pluie avait cessé de tomber depuis quelques jours et le niveau des eaux s'était mis à baisser, de sorte que la grosse barre de sable à l'embouchure du fleuve affleurait presque et empêchait désormais les caravelles de sortir de leur havre. Pour une fois qu'on avait besoin de la pluie, elle n'était plus là.

Et les Indiens, comme s'ils avaient compris que les Chrétiens étaient à leur merci, recommencèrent à se montrer hostiles. Chaque jour, deux heures avant le coucher du soleil, ils s'amassaient sur la plage, buvaient de la chica, un âcre et capiteux vin de palme dont ils se saoulaient copieusement, et alors ils invectivaient les Chrétiens, leur lançaient des pierres, crachaient et pissaient dans leur direction.

Diego Mendez, qui continuait malgré cela à voyager sur la rivière où il cueillait chaque jour un peu d'or, vint avertir l'Amiral qu'il avait vu beaucoup de groupes armés appartenant à des peuples voisins des Guaymis circuler plus haut sur la rivière et se masser en divers endroits. Ils semblaient tous venir du village de Quibian avec lequel ils restaient en liaison constante. Selon Mendez, une guerre se préparait qu'il fallait tuer dans l'œuf. La seule façon était selon lui de s'emparer de Quibian et de ses principaux lieutenants.

Dans la nuit sans lune, Diego Mendez, Bartolomé Colomb et quatre-vingts hommes bien armés ramèrent en silence vers le village indien du rio Veragua. Les hommes s'embusquèrent dans la forêt. Au petit matin, Mendez et Bartolomé, feignant tous deux d'être blessés et fatigués, perdus, s'approchèrent du village et demandèrent à voir Quibian. Celui-ci vint à leur rencontre. Dès qu'il fut près d'eux, ils le saisirent violemment, lui mirent un couteau sur la gorge et, se faisant un rempart de son corps, se réfugièrent dans l'entrée de sa hutte. Mendez tira un coup de feu en l'air. C'était le signal. Les quatre-vingts Espagnols sortirent de la forêt et firent tout le village prisonnier, hommes, femmes et enfants, qui furent solidement attachés les uns aux autres. Et on entreprit sous la direction de Juan Sanchez de rentrer à Santa Maria de Belén. Mendez et Bartolomé devaient rester quelques jours dans la capitale de Quibian afin d'en parachever le pillage et, si des émissaires d'autres peuples venaient prendre des ordres, de leur faire savoir que la guerre était finie, qu'ils feraient mieux de rendre leurs armes et de rentrer chez eux le plus rapidement et le plus loin possible.

Cependant, le convoiement des prisonniers vers Belén s'avérait fort délicat. Les Chrétiens ne connaissant toujours pas le maniement de ces embarcations, il fallut délier quelques prisonniers qui prirent les rames. Forcés d'exercer une surveillance de tous les instants, les hommes étaient terriblement nerveux et ne pouvaient s'empêcher de frapper les enfants qui pleuraient et les femmes. Et ce n'étaient que cris et pleurs…

À la nuit tombante, on était toujours assez haut sur la rivière, à une heure ou deux de la mer, lorsque Quibian, qui se trouvait dans le canot de Sanchez, se mit à geindre et à se plaindre très fort qu'il avait les membres gourds et qu'il suffoquait, ce qui créa un grand émoi parmi ses gens qui commencèrent à s'agiter dangereusement. Espérant rétablir la paix et l'ordre et obtenir une meilleure collaboration des rameurs, Sanchez délia les mains du cacique et ne lui laissa qu'un bracelet de métal relié à un câble dont il s'était enroulé l'extrémité autour du bras.

Quibian reprit son souffle, puis il sembla s'assoupir un moment. Quand les rameurs eurent retrouvé un bon rythme, il sauta à l'eau et se mit à nager contre le courant. Dès qu'il eut pied, il secoua si fort le câble qui le reliait à Sanchez que celui-ci, n'ayant pas de point d'appui et craignant que Quibian ne fît chavirer la pirogue, dut le laisser filer. C'était une lourde perte. Quibian irait certainement rallier les troupes massées au haut des rivières et reviendrait attaquer les Chrétiens.

* * *

Bartolomé et Mendez arrivèrent à Belén deux jours après Sanchez et son convoi de prisonniers. Ignorant tout de l'évasion de Quibian, ils avaient monté une farce spectaculaire à l'intention des Chrétiens. On les entendit venir de très loin, chantant à tue-tête des cantiques mêlés de chansons paillardes. Lorsqu'ils furent plus proches, on vit qu'ils s'étaient fait d'ahurissantes coiffures des nombreux disques d'or qu'ils avaient trouvés chez Quibian. Ils s'étaient filigrané la barbe de fils dorés et s'étaient barbouillé le visage et la poitrine à la façon des Guaymis. Lorsqu'ils furent plus proches encore, on comprit qu'ils étaient fin saouls. Ils avaient en effet vidé plusieurs cruchons de chicha et en rapportaient une demi-douzaine afin que leurs amis partagent leur joie.

Ils furent longs à comprendre que la fête n'aurait pas lieu. Mais alors, on dut retenir Bartolomé qui voulait tuer le pauvre Sanchez. L'Amiral intervint avec fermeté en disant que dans une aussi difficile situation on ne pouvait être divisés. On décida de garder les prisonniers, parmi lesquels se trouvaient les femmes et les enfants de Quibian, en otages. Ils furent jetés dans la cale de la *Bermuda*.

Le lendemain, on commença à creuser une passe dans la barre de sable afin que les trois vaisseaux de l'Amiral pussent sortir. Mais à la marée montante, la barre s'était reformée toujours aussi haute. On se résolut alors à touer une à une les caravelles délestées de leurs chargements et de leurs équipages, qui franchiraient la barre sur des radeaux et s'embarqueraient de l'autre côté. Le six avril, enfin, trois mois jour pour jour après l'arrivée à Belén, l'escadre du retour était ancrée en mer et prête à appareiller. Il ne restait plus qu'à faire de l'eau et du bois et à se dire adieu.

Tout le monde avait la face longue et la gorge nouée. On parlait peu. On avait peur, tant ceux qui partaient que ceux qui restaient. Bartolomé avait obtenu de son frère qu'il lui laissât le valeureux Mendez, de même que son chien-loup Bristol. Plus que les bombardes et les épées, Bristol jetait la terreur parmi les Indiens qui avaient tout de suite reconnu en lui une de leurs divinités maléfiques.

* * *

C'est Diego Tristan, le capitaine du navire-amiral, qui fut chargé d'approvisionner en eau fraîche et en bois de poêle les trois caravelles en partance. Sa barque que montaient six hommes venait de rentrer dans le bassin du rio Belén et s'apprêtait à en remonter le cours quand apparurent à l'orée de la forêt un grand nombre de guerriers indiens, trois ou quatre cents, peut-être plus, excités au plus haut point, la face barbouillée de couleurs vives, hurlant. Tristan et ses hommes n'étaient pas bien armés et ne pouvaient s'approcher des Indiens sans s'exposer dangereusement. Ils entrèrent sous le couvert de la mangrove, un peu en amont du village, d'où ils assistèrent au combat, qui dura près de trois heures.

Les Indiens n'osaient pas franchir la zone déboisée, mais ils faisaient tomber sur Santa Maria de Belén une pluie de flèches, de javelots et de pierres, qui brisèrent les huttes et blessèrent plusieurs Chrétiens, dont l'adelantado Colomb qui, ayant tenté une téméraire sortie, reçut une pierre grosse comme le poing sur le genou. Tristan et ses hommes le virent trébucher, puis se relever et, pris d'une rage folle, s'élancer en boitant et en vociférant contre l'armée indienne. Diego Mendez courut sur lui, le plaqua contre terre et le força à rejoindre le gros de la garnison qui s'était retranché derrière un muret de pierres construit à cet effet, devant le petit fort de Santa Maria.

Sur l'un des radeaux ayant servi de navette lors du transbordement des cargaisons, l'Amiral envoya ses hommes au secours de la garnison de Belén, et resta seul à bord de la *Capitana*, d'où il observa le combat. On lâcha finalement le chien Bristol qui, dès qu'il parut, mit les Indiens en fuite. Tristan et ses hommes sortirent de leur cache et vinrent aux nouvelles. Il y avait un mort. Et une douzaine de blessés, dont deux assez gravement.

Tout le monde, y compris Mendez et Bartolomé, qui n'étaient pas d'habitude partisans de la prudence, conseillèrent à Diego Tristan d'attendre au lendemain avant de retourner sur la rivière chercher son bois et son eau. Mais Tristan croyait que les Indiens en déroute n'oseraient pas attaquer. Il considérait de plus que son devoir était d'obéir à l'Amiral, dont l'escadre toujours au large n'attendait plus que lui pour lever les voiles. Il partit donc avec ses six hommes qui cette fois s'étaient bien armés.

Le jour se défit sans qu'ils fussent de retour.

Dans la nuit, on entendit de grands cris et des sanglots, des gémissements effrayants qui semblaient venir de la rivière. Et se rapprochaient. Ils furent bientôt sur la rive, devant la *Gallega*. C'était l'un des hommes de Tristan, un tonnelier originaire de Palos, gentil garçon, et très brave. Il était terrorisé, couvert de boue, de sang, en larmes; et il ne cessait, depuis qu'il avait aperçu la lanterne du fort de Santa Maria, de se lamenter, de raconter à très haute voix les horreurs qu'il avait vécues, comme si, persuadé qu'il allait mourir, il avait voulu qu'on sache ce qui s'était passé. Il était encore dans l'ombre, de l'autre côté du bassin du rio Belén qu'on savait déjà tout.

Tristan et ses hommes avaient été attaqués à un peu plus d'une lieue en amont. Le tonnelier de Palos avait pu s'échapper en nageant longtemps sous l'eau, puis en se laissant porter par le courant, priant Dieu qu'il veuille bien l'absoudre de ces innombrables péchés, car il était persuadé qu'il ne pourrait s'en sortir et que les Indiens étaient encore après lui et qu'ils tueraient tous les Chrétiens.

La rivière là-haut était étroite et très rapide. Ils ramaient dur et en silence quand c'était arrivé. Des javelots avaient été lancés avec une force extraordinaire de la forêt toute proche. Trois, peut-être quatre. Le tonnelier avait clairement entendu l'ahan des guerriers lorsqu'ils avaient décoché leurs traits. Il croyait qu'il en était venu des deux rives à la fois. Puis il avait vu devant lui deux de ses compagnons transpercés, l'un était mort sur le coup, l'autre regardait le javelot qui lui entrait dans la poitrine et disait « je meurs, je meurs » et il essayait de se lever et beaucoup de sang lui sortait par la bouche et le nez et, secoué de spasmes, mais très calme, avec même une sorte de sourire étonné aux lèvres, il répétait au tonnelier: « Je meurs, je meurs, ça ne fait pas si mal, tu verras. »

Tout ça, le tonnelier l'avait vu comme en rêve. Il y avait eu d'autres javelots. Et des cris. La barque avait chaviré. Il avait nagé, prié, avait été emporté par le courant. Très longtemps, presque toute la nuit, il s'était laissé glisser sur l'onde tiède, entre les hauts murs sombres et bruissants de la forêt. Il avait vu parfois des choses flotter dans la pénombre autour de lui. Il avait pensé que c'étaient peut-être les corps de ses compagnons, mais il n'avait pas osé s'en approcher.

Au petit matin, la rivière, qui mollissait en s'approchant de la mer, vint déposer sur les eaux calmes du bassin près de la *Gallega*, des débris de la barque, puis on vit descendre, tournoyant lentement dans le faible courant, quatre cadavres affreusement mutilés, avec de grands oiseaux noirs qui se posaient sur eux, les déchiraient, les dévoraient. L'un d'eux avait la pointe d'un javelot enfoncé dans un œil, la gorge ouverte d'une oreille à l'autre. C'était Diego Tristan.

Les Indiens étaient de nouveau à l'orée du bois, saouls et hilares, enragés. Il fut impossible de repêcher les corps des Chrétiens que la marée descendante emporta vers la mer. On dut se retrancher à l'intérieur du petit fort. Bristol était sorti à nouveau, brave bête sanguinaire, et n'était pas rentré. Les Indiens cette fois ne s'étaient pas sauvés. Bristol était mort, très certainement. Afin que les Indiens ne s'enhardissent pas davantage, Bartolomé fit régulièrement tirer de l'arquebuse…

Les Chrétiens n'avaient plus qu'une seule barque, celle de la *Capitana* sur laquelle l'Amiral était resté tout seul, à près d'un mille au large. Sept de ses hommes étaient montés chercher de l'eau sur le rio Belén et ne reviendraient jamais. Les autres, dont Fernando, étaient dans le petit fort de Belén où ils étaient venus faire leurs adieux à ceux qui devaient rester.

L'Amiral n'était pas en état de manier tout seul la lourde barque pour venir au secours de la garnison qu'assiégeaient les Guaymis. Il était en proie à une forte fièvre qui le portait au délire. Il croyait avoir entendu des clameurs, là-bas sur la côte, des coups de feu, des cris. Mais il ne voyait rien. Il errait impuissant sur le pont, tentait de grimper au mât, pleurait, appelait ses hommes et Dieu, se déshabillait et nu, les bras en croix, grelottant sous l'écrasant et aveuglant soleil, il attendait la fin, seul au monde.

Il s'endormit. Et alors il entendit très distinctement une voix ferme et compatissante qui lui disait: « Ô insensé ! lent à croire et à servir ton Dieu ! Que fit-Il de plus pour Moïse et pour David qu'Il ne fit pour toi ? Il a fait retentir ton nom par toute la terre. Les Indes qui sont une si riche partie du monde, Il te les a données. Comme Il t'a donné les clés des portes de la mer Océane qui étaient fermées de si fortes chaînes. Et toi, homme de peu de foi, tu as douté, tu as désespéré. Mais qui t'a tant affligé ? Est-ce Dieu ou le monde ? Sache que ton Créateur tient toujours ses promesses. Reviens à Lui. Reconnais ton erreur. Avoue ta faute. Et retourne au travail. Il n'est pas trop tard. Tu n'es pas trop vieux. Abraham n'avait-il pas plus de cent ans lorsqu'il engendra Isaac ? Réveille-toi. Relève-toi. Et cesse de craindre et de te plaindre. Toutes tes tribulations sont gravées dans le marbre. Et ce n'est pas pour rien. Tu verras. Va. »

Peu à peu, l'Amiral revint à lui, et se souvint de qui il était, Christophe Colomb, l'homme essentiel, prédestiné, dont avaient parlé les prophètes, le porteur du Christ, Christophe l'Évangéliste.

* * *

Le lendemain, Bartolomé Fieschi et le gros Pedro de Terreros, capitaines de la *Vizcaína* et de la *Bermuda*, qui croisaient elles aussi devant Belén, envoyèrent quelques marins à l'Amiral afin qu'il puisse constituer un équipage provisoire pour la *Capitana* qui était toujours devant Santa Maria de Belén et dont les marins étaient restés dans le fort. La mer était calme. Tout fut désespérément et horriblement calme pendant huit jours. Bartolomé parvenait là-bas à contenir les Indiens, mais il était leur prisonnier. La nuit, ceux de ses hommes qui savaient nager se rendaient à la *Gallega*, la vieille caravelle échouée au fond de la petite baie de Belén et en rapportaient de quoi manger, immonde pourriture grouillante de ver. Personne n'osait franchir la barre par crainte des requiems et des courants. Comble de malheur, le niveau de la rivière avait continué de baisser et même avec la barque, on ne pouvait plus entrer dans le bassin. Ni en sortir.

À bord de la *Bermuda*, l'un des trois vaisseaux se balançant au large, se trouvaient les prisonniers, lieutenants, femmes et enfants de Quibian, qu'on enfermait chaque nuit dans la cale. Le jour, on les parquait sur le pont, de manière à ce qu'ils soient vus des guerriers de Quibian et que ceux-ci sachent qu'ils ne pouvaient, sans mettre la vie des leurs en danger, massacrer les Chrétiens du fort de Santa Maria.

Une nuit, le veilleur omit de barrer la trappe de la cale et s'endormit. Il fut réveillé par des clapotis et des chuchotements. Les prisonniers s'évadaient. Cinq ou six étaient déjà à l'eau et nageaient vers la côte. D'autres couraient sur le pont qu'on réussit à rattraper et à rejeter à fond de cale. Jusqu'au lever du jour, on entendit de lugubres chants dans la forêt. Quand on souleva la trappe, on trouva morts tous les prisonniers qui restaient, des femmes et des enfants surtout, ceux-ci égorgés, leurs parents pendus aux solives du pont, dans une suffocante odeur de vomissure et d'excrément. Le bon gros Pedro de Terreros, qui était sensible comme un Italien et avait en Castille sept ou huit enfants, pleura comme un veau. Tous éprouvèrent le plus grand respect pour le peuple guaymi chez qui on découvrait une force et un courage admirables. Et on se mit à avoir réellement peur.

Les prisonniers avaient sans doute convenu entre eux que ceux qui ne parviendraient pas à s'évader se donneraient la mort. Quibian savait certainement à cette heure que la plupart de ses femmes et de ses enfants n'étaient plus. Les Chrétiens, privés d'otages, se trouvaient à la merci des guerriers indiens, dix fois plus nombreux, plus que jamais déterminés.

On n'avait d'autre choix que d'abandonner Belén. Mais comment ? Les Chrétiens des trois caravelles déjà en mer ne pouvaient entrer en contact avec ceux restés à terre avec Bartolomé. Avait-il des blessés ? Pouvait-il à la faveur de la nuit amener ses hommes jusqu'à la barre où les attendrait la barque ? Pedro de Ledesma, le meilleur nageur de la flotte, s'offrit pour aller aux nouvelles. On le déposa sur la plage, en pleine nuit, à un demi-mille du rio. Il était de retour avant l'aube avec de bonnes et de mauvaises nouvelles. Les Indiens avaient levé le siège; la voie était donc libre. Mais il y avait plusieurs blessés. Et parmi les hommes valides, beaucoup ne savaient pas du tout nager et refusaient de bouger si la barque ne venait les chercher jusqu'à l'intérieur de la rade. Or la barque ne passerait certainement pas la barre avant plusieurs mois, pas avant les grandes pluies de l'été. D'ici là, les Indiens auraient amplement le temps de se refaire des forces et de massacrer le fort. Il fallait vite quitter Belén. Mais comment ?

Encore une fois, Diego Mendez sortit les Chrétiens de l'impasse en fabriquant un radeau grâce auquel en deux jours tous les hommes de la garnison furent évacués. On put même récupérer une partie des vivres entreposés sur la *Gallega*, de même que ses ancres, ses câbles, les quelques outils qu'on y avait laissés. L'Amiral pleura beaucoup en retrouvant son fils et son frère. Il embrassa Diego Mendez sur les deux joues et le nomma capitaine de la *Capitana* en remplacement de Diego Tristan, qui venait de mourir. Flisco et Terreros conservaient la capitainerie des deux autres vaisseaux.

Le 16 avril, jour de Pâques 1503, les Chrétiens quittaient définitivement ce lieu maudit où étaient morts dix hommes, où s'étaient perdues de grandes illusions. Dans le bassin du rio Belén, la *Gallega* dérivait lentement, pauvre navire pourri, perdu, rongé des tarets, sans mâts, sans voiles...

La *Capitana*, la *Bermuda* et la *Vizcaína* n'étaient pas en bien meilleur état. La nuit, quand on était dans un ancrage calme et sans vent, on pouvait, en collant l'oreille contre le bordage, entendre les tarets qui dans les flancs des caravelles poursuivaient leur patient labeur, crouch, crouch, crouch, un grattement continu, affolant, chaque jour plus puissant. Et chaque jour, il fallait pomper davantage, pomper, pomper, pomper... Ouf !

On ne pouvait plus éviter l'humiliante escale en Hispaniola. Quelle horreur ! Se retrouver devant Ovando et les autres, défaits, déchus, et quémander, demander l'asile. Mais on n'avait plus le choix. On naviguerait vers l'est en suivant la côte et, à la longitude estimée de Cuba, on piquerait à travers la mer des Caraïbes, vers le nord ou le nord-est, selon le vent et les courants, puis on longerait la côte méridionale de Cuba ou celle de la Jamaïque, et on toucherait l'Hispaniola au cap Saint-Michel, vers le 15 mai. Avec l'aide de Dieu.

Le 23 avril, on était à Portobelo, cette merveille de la nature où en novembre on avait coulé quelques jours presque heureux et fait de si beaux rêves. Les Indiens furent encore accueillants. Ils fournirent généreusement les Chrétiens en fruits frais, en poisson séché, en viande de volaille et de reptile, en eau douce. Mais ils ne parlaient plus comme en novembre d'échanger de l'immobilier (quelques maisonnettes, un champ de maïs) contre une caravelle. Ils voyaient bien eux aussi que les trois navires étaient pourris. On fut d'ailleurs contraint d'abandonner chez eux la *Vizcaína*, qui faisait eau de toute part. Plus que deux caravelles, la *Capitana* et la *Bermuda*.

Le 1er mai 1503, à 150 milles à l'est de Portobelo, chacune ayant à son bord plus de 60 hommes, elles prenaient le grand vent d'est à tribord et commençaient à grimper vers le nord-est, vers Santo Domingo, mille milles de mer et d'inconnu. Vers la défaite et le naufrage.

* * *

Dans la nuit du 11 au 12 mai, un an et un jour après avoir quitté, plein d'espoir fou, la très douce Espagne, Christophe Colomb entrait dans le Jardin de la Reine, au sud de la grande terre de Cuba, petit monde insulaire qu'il avait découvert et longuement exploré lors de son second voyage, en 1494. Il se retrouvait donc en territoire connu.

Il croyait et disait encore, neuf ans plus tard, qu'il s'agissait du Mangi, une province du Cathay, la Chine de Marco Polo, ce qui provoqua la colère de Bartolomé. Devant tous les hommes, celui-ci se mit à invectiver son frère avec une violence inouïe, frappant de toutes ses forces le bordage et le pont et hurlant au bout de sa voix: « Ne parle plus jamais de la Chine devant moi, tu m'entends, mon frère. » L'Amiral le regarda un moment sans mot dire. Puis il lui tourna le dos et avec une extrême lenteur, vieux, voûté, il entra dans sa cabine, dont il referma la porte très doucement, pendant que Bartolomé, écumant de rage, disait entre ses dents: « Cet homme est un fou, vous voyez bien qu'il est fou. »

Mendez vint lui parler, le calma, lui fit boire un peu de l'infect vin qui restait. Plus tard, les deux frères s'enfermèrent pendant plus de deux heures dans la cabine de l'Amiral. Ils en sortirent ensemble et poursuivirent leur conversation sur le pont arrière, de manière à ce que tous voient leur réconciliation.

Cet incident survenait à un bien mauvais moment. L'équipage était divisé. Les frères Porras, considérant que cette expédition avait été un échec complet, s'enhardissaient de nouveau et critiquaient ouvertement les faits et gestes des frères Colomb, disant qu'ils auraient dû faire ci ou qu'ils devraient faire ça, rappelant qu'à cause d'eux 24 Chrétiens étaient morts depuis un an, soit un en moyenne tous les 18 jours. Et qu'à ce rythme tous y passeraient avant longtemps, à moins que des hommes sensés ne prennent la direction des opérations. Beaucoup parmi les mousses, tous fatigués et déçus, les écoutaient et leur donnaient raison. L'Amiral pouvait bien sûr compter sur des hommes de valeur et d'expérience comme Mendez, Terreros, Flisco, Sanchez et quelques autres, mais ceux-ci, surtout Mendez qui par ses prouesses et l'amitié que lui portait l'Amiral avait éveillé de profondes jalousies, étaient considérés par le gros de l'équipage comme de serviles suppôts de l'autorité, tenus le plus possible à l'écart, obéis de mauvaise grâce, sans cesse contestés.

On entreprit de remonter les vents et les courants vers l'Hispaniola. Mais les navires alourdis étaient peu maniables et le Jardin de la Reine était l'une des mers les plus difficiles et les plus compliquées qui soient, trop peu profonde, semée de coraux et de récifs formant à fleur d'eau un inextricable labyrinthe. Cent fois, les marins durent sauter à l'eau et haler les navires dans d'étroits et tortueux chenaux qui souvent menaient à des impasses. Et alors, il fallait haler ou pousser dans l'autre sens et chercher une autre voie, toutes voiles rentrées, toujours pompant, halant, suant... Les quelques rares vraies îles qu'on croisait en chemin n'avaient qu'un maigre sol incapable de porter de bons arbres fruitiers ou de nourrir d'autre gibier que d'affreux lézards aux chairs molles ou de grands oiseaux secs qu'on pouvait difficilement attraper, l'Amiral ayant interdit d'utiliser pour la chasse le peu de poudre qui restait.

Les vivres étaient épuisés. Les hommes aussi, qui n'en pouvaient plus de pomper jour et nuit, sans savoir quand ni comment tout cela finirait et même si ça finirait par finir un jour ou même si ce n'était pas déjà fini, déjà l'enfer, l'éternité. Bientôt d'ailleurs, les pompes ne suffirent plus. Tout le monde, avec chaudrons et cruches, se mit à la tâche. Et jamais, malgré tout cela, on ne parvint à abaisser le niveau de l'eau dans les cales.

Comble de malheur, une nuit, un coup de vent subit jeta les deux caravelles l'une contre l'autre et leur fit de lourds dommages. Leurs ancres furent arrachées, un gouvernail brisé, des hommes blessés. Désormais, les deux navires étaient pratiquement à la merci des éléments qui les déportaient inexorablement vers l'ouest, au milieu d'un vaste champ d'écueils. On n'avait plus qu'une ancre, de sorte que le soir venu, on devait attacher les caravelles ensemble, au risque qu'elles fussent pendant la nuit fracassées l'une contre l'autre ou jetées ensemble sur les récifs.

Il fallait échapper à cette méchante mer pleine de griffes et de crocs. Il fut bientôt évident qu'il n'était plus possible de rejoindre l'Hispaniola. On prendrait le vent par le travers et on descendrait sur la côte nord de la Jamaïque où l'Amiral avait noté lors de son second voyage qu'il y avait d'excellents ports. L'antipathique Pedro de Ledesma et le bon gros Pedro de Terreros se souvenaient fort bien eux aussi de cette côte magnifique, très échancrée, escarpée.

C'était en juin 1494, non, en mai, au début de mai 1494. Les premiers Indiens qu'on avait rencontrés là-bas, des brutes imbéciles qui n'avaient pas d'or mais qui étaient armées jusqu'aux dents, avaient été particulièrement agressifs. Pour leur plus grand malheur. Ils avaient goûté au feu des arquebuses chrétiennes. Et les chiens chrétiens avaient goûté à la chair de leur cul qu'ils avaient bien aimée. Le lendemain, les Indiens étaient à plat ventre devant les hommes de Colomb. Ils ne pouvaient pas les avoir oubliés.

* * *

Le 25 juin 1503, cette côte jamaïcaine était en vue. Dès que l'Amiral, Ledesma et Terreros eurent repéré la jolie baie de Santa Gloria, on fonça droit dessus. Toutes voiles dehors, les caravelles franchirent l'étroite passe qui coupait le récif-barrière et allèrent s'échouer bien haut sur la plage. Il y eut un énorme fracas. Plusieurs des hommes, qui au moment de l'impact se tenaient tous à l'arrière des vaisseaux, furent projetés sur le pont ou par-dessus le plat bord, dans l'eau calme et limpide de la baie. Le grand mât de la *Bermuda*, toujours chargé de ses voiles, fit entendre un long craquement, vacilla un moment sur sa base pourrie et lentement tomba. On était arrivés. Personne, au cours de cette dangereuse manœuvre, n'avait été blessé sérieusement. C'était le salut dans le naufrage.

On était arrivés. En ce sens qu'on ne pouvait aller plus loin. On était arrivés nulle part en fait. Santo Domingo était à 400 milles à l'est. Personne au monde ne savait où se trouvait en ce moment l'escadre de Christophe Colomb. Et personne au monde assurément ne s'en souciait. Surtout pas Nicolas de Ovando, le gouverneur de l'Hispaniola, qui de tout son cœur de Chrétien souhaitait que le Grand Amiral de la mer Océane fût mort.

Troisième partie

1

Nicolas de Ovando, gouverneur de Santo Domingo, avait choisi d'effacer de sa mémoire l'image et le nom de l'amiral Christophe Colomb. C'était un long et minutieux travail, toujours à refaire et, bizarrement, de plus en plus difficile. Loin de s'estomper avec le temps, le souvenir de l'Amiral s'imposait en effet chaque jour davantage.

Pourtant, Ovando avait cru un moment, juste après la formidable tempête qui, l'été précédent, s'était abattue sur l'Hispaniola et avait anéanti la grande flotte d'Antonio de Torres, que c'était chose faite. Effacement réussi. Mais peu à peu, l'Amiral avait commencé à reparaître dans les pensées du gouverneur. Parfois au détour d'une conversation ou à la remorque d'un souvenir, il refaisait surface. Comme une sorte de fantôme ayant acquis une vie autonome, il avait ses habitudes, ses manies souvent incompréhensibles ou inexplicables, ses moments et ses lieux de prédilections.

Ainsi, presque chaque fois que Nicolas de Ovando descendait seul la petite rue des Dames en direction du port de Santo Domingo et qu'il se retrouvait devant l'incontournable chantier de la Torre del Homenaje, où s'agitaient une armée de maçons et de charpentiers, le souvenir du Grand Amiral de la mer Océane s'imposait un moment à son esprit et lui rappelait la terrible tragédie de juillet 1502 que

Colomb avait si exactement prévue. Qu'il avait organisée, disaient certains.

Ovando, homme pratique et peu impressionnable, n'en croyait évidemment rien. Ce qui l'ennuyait, c'était que les autres le croient, qui donnaient à Colomb de grands pouvoirs et en faisaient une sorte de magicien ou de devin omniscient et tout-puissant que la mort, car tout le monde à Santo Domingo le croyait mort et englouti, grandissait. Ainsi, ce qui obsédait Ovando n'était pas le vrai Christophe Colomb, ni même le fantôme ou l'esprit de Colomb, mais ce personnage populaire et déjà légendaire dont on parlait avec respect et crainte dans toute la colonie, l'ineffaçable héros qui savait commander à la mer et aux vents, qui lisait couramment dans le ciel et dans le temps et qui avait enfin, au bout du monde et de lui-même, rencontré son magique et magnifique destin. L'homme Colomb avait été détruit; le héros ne pouvait l'être. Les héros ne meurent pas. Ainsi pensait Ovando, qui n'était pas un héros, mais un administrateur, un simple fonctionnaire de l'État.

* * *

Le premier juillet de l'année précédente, la Grande Flotte d'Antonio de Torres qui rentrait en Espagne avait été dispersée avant même qu'elle ait eu le temps de gagner la haute mer. Par des vents courts et bas d'une extrême violence. En quelques heures, 24 des 28 vaisseaux de Torres avaient été engloutis, corps et biens, broyés par les vagues et les vents monstrueux ou fracassés sur les côtes. Trois caravelles avaient pu atteindre l'île Saona et s'abriter dans l'une ou l'autre de ses hautes baies. Quelques jours plus tard, irrémédiablement avariées, incapables de tenir plus longtemps la mer, elles étaient rentrées à Santo Domingo, dont la plupart des bâtiments avaient été démolis, les jardins détruits, le bétail tué ou dispersé, le sable des plages emporté. Partout, jusqu'à un mille à l'intérieur des terres, l'ouragan avait posé des bancs de boue, des monceaux d'algues, les entrailles de la mer. Il y avait eu plus de cinq cents morts, parmi lesquels Bobadilla et Roldan, Guarionex et Antonio de Torres. Deux cent mille castillans d'or étaient disparus sous les flots.

Une seule caravelle avait atteint l'Espagne saine et sauve, la petite *Aguja* qui transportait les lingots d'or que le commandeur Ovando avait été forcé de remettre à la famille Colomb. C'était cela qui le bouleversait le plus.

Dans la ville en deuil et dévastée, on n'avait pas été long à lever des rumeurs voulant que Christophe Colomb possédât des pouvoirs surnaturels et qu'il fût un peu, peut-être beaucoup, un devin acoquiné à quelque force surnaturelle pas trop catholique. C'était flagrant. Il avait bien sûr perdu dans cette tragédie un ami très cher en la personne du capitaine Antonio de Torres, mais il était à jamais débarrassé de ses pires ennemis. Et le gouverneur Ovando se trouvait humilié et bien puni, qui devrait sans doute se justifier un jour devant une commission royale d'enquête d'avoir poussé la Grande Flotte à sa perte, malgré les avertissements qu'on lui avait donnés.

Toutes les richesses que transportaient les galions avaient donc coulé à pic. Sauf celles de Christophe Colomb. Et aucune des caravelles de la petite flottille que lui-même commandait alors et à laquelle on avait refusé l'accès à la rade de Santo Domingo n'avait été sérieusement avariée. Des Indiens les avaient aperçues toutes pimpantes dans la baie d'Ocoa, le lendemain de la tempête. Les hommes faisaient de la musique et chantaient et dansaient sur les ponts, comme des sorciers après un mauvais coup.

Pas surprenant qu'on ait dit alors que Colomb avait créé cette tempête pour se venger. De même qu'il avait créé autrefois le beau temps et fait souffler des vents favorables dans le canal Anglais, pour impressionner la reine Isabelle et la gagner à sa cause.

C'était en septembre 1496. Les Rois catholiques mariaient leur fille aînée Jeanne et leur fils Juan, infant et héritier d'Espagne, au fils et à la fille de l'empereur Maximilien Ier, Philippe et Marguerite. Ainsi se trouverait constitué un immense empire qui dominerait plus de la moitié de l'Europe. Une puissante escadre de 130 vaisseaux, avec 25 000 soldats et marins, accompagnait Jeanne à Gand, et devait ramener Marguerite en Espagne. On apprit quelques semaines plus tard que les navires espagnols s'étaient bien rendus et qu'ils en étaient repartis. Puis, pendant plusieurs jours, on n'eut aucune nouvelle. Huit jours, douze jours passèrent. Rien. La Reine était mortellement inquiète.

Colomb, rentré depuis peu de son second voyage aux Indes, lui fit alors passer une note dans laquelle il disait que des vents favorables avaient commencé à souffler sur les Flandres le lundi précédent. Que l'escadre devait avoir attendu une journée pour laisser à ces vents le temps de s'établir. Qu'elle était donc vraisemblablement partie de Gand le mercredi. Qu'elle s'était sans doute trouvée à la hauteur de l'île de Wight et de Cherbourg dans la nuit du jeudi au vendredi. Qu'elle devrait entrer dans le golfe de Biscaye le samedi dans la journée. Et qu'elle serait très certainement à Laredo, sur la côte nord de l'Espagne, dans la matinée du lundi suivant.

Et le lundi suivant, effectivement, les premières voiles de l'escadre parurent dans le port de Laredo. Comment Colomb avait-il pu être mis au courant de tout cela avec une si parfaite exactitude ? Sa cote à la cour a beaucoup remonté. Même le roi Ferdinand avait été secoué. Il n'allait pas jusqu'à admettre que Colomb était un prophète, mais il devait reconnaître qu'il s'y connaissait mieux que quiconque en météores, en nuages et en vents. Pour Isabelle, totalement éprise de spiritualité, incapable de distinguer le ciel visible de celui des anges et des saints, il y avait autre chose, il y avait plus. Christophe Colomb selon elle n'était pas un homme ordinaire. Il savait lire dans le ciel.

Or qui sait lire dans le ciel peut aussi lire dans l'enfer, disait-on à Santo Domingo, au lendemain de la terrible tempête de l'été 1502. Depuis cette fameuse histoire de la flotte des Flandres, dont on avait depuis six ans copieusement exagéré l'exactitude et l'importance, l'amiral Colomb jouissait d'une douteuse réputation. Certains esprits débiles n'hésitaient pas à dire qu'il avait fait un pacte avec le diable et qu'il était dangereux de s'opposer à lui.

Ovando cependant avait écrasé ces rumeurs qu'il jugeait stupides et impies. Il avait fait chanter une messe de requiem pour que reposent en paix les âmes des 500 engloutis. Puis il avait entrepris le jour même de reconstruire Santo Domingo. Et d'oublier à tout jamais Christophe Colomb.

Mais l'effacement était toujours à recommencer. L'homme n'était plus là. Il était même à peu près certain qu'il était mort. Mais sa légende continuait de vivre et de grandir. Et contre elle, Ovando ne pouvait rien, rien contre l'absence imposante de l'amiral Colomb.

* * *

En août 1503, Ovando était à l'intérieur de l'île, du côté du Xaragua, en train de « pacifier », comme il disait, c'est-à-dire qu'il faisait descendre sur les villages rebelles une paix et un silence éternels, lorsqu'un messager hilare et essoufflé vint lui dire qu'un gentilhomme espagnol, un certain Diego Mendez, avait touché l'Hispaniola après une traversée de près de vingt jours en canot indien. Il venait d'une île inconnue située au sud de Cuba, la Jamaïque, où l'amiral Colomb était naufragé avec ses hommes. Celui-ci envoyait ses plus respectueuses salutations au gouverneur de l'Hispaniola et le priait bien humblement de lui porter secours dans les plus brefs délais. Diego Mendez et ses hommes se refaisaient des forces dans la baie d'Ocoa où ils attendaient le bon vouloir du gouverneur.

Ovando eut une très violente envie de frapper le messager qui, la gueule fendue jusqu'aux oreilles, croyait lui apprendre une bonne nouvelle. « Ce Mendez est avec un Italien qu'il appelle Flisco, poursuivait-il. Ils ont une dizaine d'hommes avec eux et des rameurs indiens. Ils étaient deux canots au départ. Mais plus de la moitié des hommes sont morts de soif ou d'épuisement pendant le voyage. C'est incroyable, ce qu'ils ont fait. »

Ovando n'était pas homme à céder à ses emportements. Il agissait toujours en son âme et conscience pour le bien de la colonie et, d'abord et avant tout, de l'Espagne, royaume de Dieu. Il savait que le roi Ferdinand et le cardinal de Fonseca, artisans passionnés de l'Espagne nouvelle, souhaitaient que les frères Colomb disparaissent à jamais. Et c'est en espérant cette providentielle disparition qu'ils leur avaient finalement permis, l'année précédente, d'affréter de vieilles caravelles et de quitter l'Espagne. Leur porter secours eût été de la part d'Ovando une faute impardonnable. C'eût été contrecarrer les plans du cardinal et du roi, révoquer l'exaucement que Dieu avait fait de leurs prières et semer à nouveau la zizanie dans la jeune colonie.

Or pour la première fois, un semblant d'ordre régnait à Santo Domingo. Les soldats faisaient assez joyeusement la guerre, les orpailleurs ramassaient de l'or, les clercs tenaient leurs livres, les moines confessaient, les femmes faisaient des enfants. Et les Indiens étaient à peu près matés. Effacement réussi. Ou presque. Quelques mois encore et l'Hispaniola serait définitivement débarassée de cette vermine indienne, de Haïti à Higuey, de Samana au Xaragua.

* * *

Quelques jours plus tard, Ovando fit chercher Mendez qu'il ne connaissait pas. Il le félicita longuement. L'exploit que venait d'accomplir le jeune notaire sévillan était certainement l'un des plus extraordinaires qui fût. Près de cinq cents milles sur une mer mal connue dans des embarcations lourdes et peu maniables, toujours à contre-courant et toujours contre le vent, il y avait là de quoi soulever la plus vive admiration. Mais après qu'il eut poliment écouté le récit de l'épique traversée et qu'il se fut longuement enquis des résultats de l'expédition menée par Colomb, Ovando dit à Mendez qu'il n'était pas question de porter secours aux naufragés.

Mendez était, il va sans dire, totalement estomaqué. Cependant, Ovando lui ayant expliqué son point de vue, il finit par lui donner raison. Il admirait même la rigueur, la netteté de son raisonnement et le froid courage avec lequel il entendait maintenir sa décision. Mendez résolut donc d'acheter deux caravelles et de partir lui-même au secours des naufragés. Mais Ovando refusa de lui délivrer les permis d'achat.

« Que vous refusiez de porter secours à Colomb, je le comprends volontiers, plaidait Mendez. Que vous lui refusiez l'accès à Santo Domingo, je peux également le comprendre. Mais vous ne pouvez m'empêcher d'aller à son secours. Je lui achèterai deux caravelles. Je paierai dix fois le prix, s'il le faut. Et j'irai le chercher, lui et ses hommes, en Jamaïque. Et nous rentrerons en Espagne directement. Les frères Colomb ne mettront pas les pieds à Santo Domingo. Vous avez ma parole.

– Je ne crois pas qu'on désire les voir en Espagne plus qu'ici, répondait Ovando. Vous n'irez pas en Jamaïque chercher les frères Colomb. Malgré le grand respect et l'amitié que j'ai pour vous, Mendez, je vous ferai jeter en prison si vous tentez de le faire par d'autres moyens ou de gagner qui que ce soit, je pense aux Dominicains entre autres, à votre cause. »

Mendez eut beau alléguer que les cent Chrétiens restés là-bas étaient en grand danger de mort, Ovando resta inébranlable.

« Je ne ferai rien pour que meurent ces Chrétiens, disait-il. Rien non plus pour qu'ils vivent. Dieu seul décidera. Nous n'avons pas à intervenir dans les desseins de la Providence.

– Je crois au contraire que nous devons le faire, répondait Mendez. Et que nous le faisons tous les jours par nos actions et nos paroles. Sans l'intervention des hommes, il n'y aurait pas d'histoire…

– Quand je dis nous, je pense à moi, Nicolas de Ovando, et à vous, Diego Mendez. Je dis que nous n'avons pas, nous, à intervenir dans les desseins de la Providence. Seul Ferdinand le Catholique, qui tient son autorité de Dieu directement, a le pouvoir d'intervenir dans cette histoire. Je lui écrirai. Si jamais il me demande de porter secours à Colomb, ce dont je doute fort, je le ferai volontiers. Mais pas avant, certainement pas. En attendant, je verrai à ce que vous et vos hommes ne manquiez de rien. Vous pouvez rester ici tant et aussi longtemps que vous le désirez. Mais si j'étais vous, je rentrerais en Espagne et j'oublierais rapidement toute cette histoire qui au fond ne vous concerne pas. C'est de la politique. Et vous n'y entendez rien. »

***

Mendez devait rester plus de neuf mois en Hispaniola, dans l'impossibilité de porter secours à Colomb ou même de le prévenir de la réussite de sa mission. Ovando lui rappela cent fois qu'il le laissait libre, mais il lui interdit de se rendre à Santo Domingo où il craignait qu'il n'affrétât des caravelles pour secourir Colomb. Mendez et ses hommes n'eurent d'autre choix que de suivre l'armée qui, cet hiver-là, achevait de « pacifier » le Xaragua et le Managua déjà aux trois quarts dévastés et dépeuplés.

Mendez eut cependant la joie de retrouver son ami Bartolomé de Las Casas qui suivait l'armée en tant que chroniqueur de cette campagne du Xaragua. Las Casas avait beaucoup changé. Il était plus maigre encore, sinistre, un long paquet d'os et de tics, totalement désemparé. Ce brillant jeune homme si sûr de lui à Séville, si éloquent et curieux de tout, semblait avoir mal supporté la violence de la vie hispaniolaise. Il bafouillait, chevrotait, tremblotait, avait le regard fuyant et creux, une âme en peine.

La grande passion qu'il éprouvait pour les Indiens semblait éteinte. À Santo Domingo, après quelques semaines de pure euphorie, il avait passé presque tout son temps à errer seul au bord de la mer, à l'est de la rivière Ozama, sur les longues plages désertes où l'on pouvait encore voir les débris ensablés de deux vaisseaux de la Grande Flotte... Dans la forêt xaraguayenne, il se tenait le plus possible à l'écart. Il lisait des livres pieux. Il priait. Une âme en panne.

Il s'était gravement brouillé avec son esclave Oabo, lequel vivait tout à fait librement parmi les Chrétiens, s'habillait et se coiffait à l'européenne, parlait couramment castillan, portait fièrement l'épée au côté, avait troqué le « zemi » qu'il portait jadis au cou pour une petite croix d'argent.

La grande déception de Las Casas venait de cette défection de Oabo. Il avait espéré pouvoir en sa compagnie pénétrer profondément au cœur de la société indienne. Ils auraient ensemble exploré la culture, les coutumes, l'esprit de ce peuple neuf, vierge. Et Las Casas aurait fait un livre, le premier livre jamais écrit sur les habitants de ce nouveau monde, ce livre que les intellectuels de Séville et de Florence, de Venise et de Lisbonne attendaient avec tant de gourmandise.

Mais Oabo n'avait aucune envie de participer à ce genre d'aventure. Il n'avait même pas cherché à défendre, ni même à retrouver ou à pleurer son peuple, ce qui selon certains était une preuve supplémentaire que les Indiens n'avaient pas d'âme. Ou pas de cœur. Oabo se considérait désormais comme un Espagnol. Il était en effet devenu un farouche et cruel Chrétien. Il servait même parfois de guide lors des expéditions punitives menées à l'intérieur du pays. Et à Santo Domingo, avec deux immenses brutes galiciennes, il s'occupait des chenils et de l'entretien et du dressage des gros dogues qui allaient semer la peur et la mort chez les Indiens.

Las Casas un soir, excédé, désespéré, l'avait frappé. Oabo, invoquant ses droits de Chrétien et rappelant qu'il avait été affranchi par son baptême, menaça son ancien maître et ami de lâcher sur lui sa fidèle Doña, une chienne vicieuse qui avait déjà plus d'une demi-douzaine de meurtres à son actif.

Les deux hommes ne se parlaient plus. À Santo Domingo, où l'austère et torturé Las Casas n'avait pas su se ménager de sympathies, tout le monde avait ri de sa déconvenue. À cause de la trahison de Oabo, il avait fini par développer une totale indifférence à l'égard des Indiens. Au cours de cette sanguinaire campagne du Xaragua, il les regardait mourir sans jamais tenter d'intervenir. Il avait perdu cette flamme et cette foi qui, dans les premiers mois qu'il était à Santo Domingo, le portaient à la défense de prisonniers indiens. Dans ses carnets de chroniqueur, il notait laconiquement les opérations militaires, les progrès du grand Effacement.

Mendez lui avait avoué un jour, non pas comme on s'accuse d'une faute honteuse mais plutôt comme on révèle quelque sujet d'étonnement qu'on a découvert en soi, que s'il était si profondément triste de ne pouvoir aller au secours de l'Amiral, c'était d'abord et avant tout parce qu'il aurait aimé que cet homme qu'il admirait plus que tous puisse prendre connaissance de son exploit.

« En y réfléchissant, je me rends compte aujourd'hui que j'ai fait cela pour qu'on m'admire. Pour que l'Amiral surtout m'admire et m'aime. Je ne dirais pas pour autant que j'ai agi uniquement par vanité. N'eût été l'interdiction que me fait le gouverneur Ovando de retourner en Jamaïque, je n'aurais pas risqué ma vie en vain. L'Amiral et ses hommes seraient aujourd'hui sains et saufs. Et je serais à leurs yeux un héros. C'est cela que je voulais au fond. Beaucoup plus que leur salut. Peut-être qu'il en est toujours ainsi, que nous faisons toujours tout pour être reconnu, récompensé, aimé. »

Ces candides confidences avaient profondément remué le pauvre Las Casas qui avait parlé à son ami de sa propre déception, que Mendez qualifiait de « déception de poète ou d'artiste ».

« Tu es comme un peintre à qui on aurait ravi son modèle, au moment où il croyait pouvoir enfin en saisir les formes et l'esprit, lui disait-il. Avec Oabo, tu rêvais de te glisser dans un monde absolument sauvage et de l'observer dans toute sa pureté, inchangé, intouché. Et tu te rends compte aujourd'hui que ce n'est plus possible. Ce monde-là est détruit au moment même où tu t'en approches. C'est ça qui te déçoit. En fin de compte, ce ne sont pas les Indiens que tu aimes et que tu regrettes, c'est le regard neuf que tu rêvais de poser sur eux, la réflexion que tu voulais tirer de tout cela; c'est la perte de ton livre qui t'attriste. Tu es un conquistador à ta manière, Casas. Tu es venu ici prendre quelque chose; tu cherchais ton Eldorado, toi aussi, tu cherchais de l'or moral. Tu voulais conquérir l'âme du peuple indien, trouver chez lui de quoi faire ce fameux livre. Voilà ce qui te peine. »

Ces paroles avaient profondément troublé Las Casas qui, plus que jamais, battait sa coulpe, priait, bégayait et tremblait.

« C'est vrai, avouait-il. J'ai vu des villages entiers détruits, des hommes et des femmes torturés et mis à mort. Et alors, je m'apitoyais sur mon sort et mes souffrances, pas sur les leurs. Ce qui me peinait, c'était qu'on arrachait ce peuple à ma vue, pas qu'on l'arrachait à la vie. »

Peu à peu, l'objet de sa peine changea. Mais alors, sa peine n'en finit plus de grandir et devint rapidement intolérable.

* * *

Quelques jours avant les fêtes de la Nativité, un peu plus de quatre mois après son arrivée en Hispaniola, Mendez eut enfin l'occasion de connaître la princesse indienne dont Bartolomé Colomb lui avait si souvent parlé, Anacoana.

Elle fut amenée au campement d'Ovando tard un soir, avec d'autres prisonniers. La plupart, une vingtaine environ, étaient gravement blessés. Deux tout jeunes soldats eurent l'ordre de les achever, ce qu'ils firent avec une remarquable dextérité et un plaisir non dissimulé. L'un d'eux tirait violemment la victime par les cheveux; celle-ci tendait le cou, que l'autre tranchait d'un coup d'épée. Le premier soldat faisait alors tournoyer la tête comme une fronde et la lançait très haut, très loin. Les corps grossièrement débités étaient abandonnés aux chiens.

Quand ils eurent achevé leur besogne, les jeunes soldats pleuraient et riaient tout à la fois, ce qui ne les empêcha pas de violer deux prisonnières, chose qu'on leur avait interdit de faire plus tôt de peur qu'ils ne s'amollissent. Le jeune homme assouvi n'est jamais bien féroce; les seigneurs de la guerre savaient cela.

Anacoana, quelques femmes de sa suite et une dizaine de notables xaraguayens et managuayens furent gardés prisonniers. Le lendemain matin, on brûla les hommes à petit feu, après les avoir émasculés, leur avoir arraché les ongles, puis coupé les doigts et la langue, crevé les yeux, arraché le cuir chevelu. Las Casas et Mendez assistaient à ces séances. Ils voyaient le sang, les larmes, les excréments, les vomissures, les graisses fondues, l'écume et la morve débordant du lourd bâillon qui enfermait les cris à l'intérieur de ces corps de douleurs secoués de hoquets.

« La première fois que j'ai vu cela, disait Mendez, qui comme toujours dépeçait froidement ses pensées et ses émotions, j'ai éprouvé une sorte de volupté à la fois écœurante et troublante. J'étais excité, un peu comme si j'étais allé avec une femme. Encore aujourd'hui, je suis là, à regarder ces horreurs dont je ne peux détacher mes regards. Qu'est-ce qui nous fascine, dis-moi, Las Casas, dans le spectacle de cette douleur et de la mort qu'on donne ? »

Las Casas n'avait jamais trouvé rien de fascinant dans ces séances de torture. En fait, il n'y comprenait rien. Il y avait dans cette espèce de rituel quelque chose qui lui échappait totalement.

« Ça ne sert à rien, disait-il. Si au moins on leur arrachait quelque secret ou de l'or, je comprendrais peut-être. Ou si ce martyre qu'on leur impose leur ouvrait les portes du Paradis, je serais heureux pour eux. Mais il n'y a rien de cela. Ce n'est qu'une entreprise d'avilissement. Tout le monde y perd son âme, eux et nous. »

Depuis quelque temps, il bégayait moins cependant et ne tremblait plus. Il écrivait beaucoup, chaque soir, tout ce qu'il avait vu dans la journée. Il avait trouvé, disait-il, une autre idée de livre.

* * *

Mendez voulut voir la princesse Anacoana et lui parler avant qu'elle ne soit pendue. Elle était assise avec ses compagnes dans un enclos d'où elles avaient assisté à l'exécution des hommes de leur tribu. Elle était loin d'avoir cette puissante et sensuelle beauté dont Bartolomé Colomb la parait dans ses délires lubriques. Elle était petite et trapue. Elle avait le visage rond, les traits lourds, le ventre mou. La belle princesse de Bartolomé, la sublime et lascive nymphe au corps gracieux, était donc un être de rêve, une pure invention !

Cette découverte à laquelle il ne s'attendait pas toucha si fort Diego Mendez qu'il faillit fondre en larmes et qu'il fut envahi, submergé par une immense vague de tendresse et de compassion pour son ami Bartolomé Colomb et son rêve dérisoire. Et soudain, tout lui fit horriblement pitié et peine, la beauté illusoire d'Anacoana, les bégaiements de Las Casas, les regards fous des jeunes guerriers hidalgos, et l'Amiral là-bas, en Jamaïque, si seul, si vieux, et ces pauvres Indiens sous la torture. Il lui sembla un moment que tous ces êtres étaient emportés par un même tourbillon aveugle, la vie, l'ouragan de la vie... Et lui, Diego Mendez, observateur, témoin impuissant, inutile, immobile, non emporté, seul lui aussi.

Une toute jeune femme très belle était assise près d'Anacoana, un enfant de trois ou quatre ans dans les bras. Mendez se demanda comment elle avait réussi à le garder à travers toute cette furie, comment surtout elle pouvait espérer s'en sortir ou que lui, l'enfant, s'en sortirait.

« Je suis un ami de l'adelantado Bartolomé Colomb, dit-il tout doucement à Anacoana. Il m'a souvent parlé de vous. »

Elle avait les yeux très noirs, sans aucun éclat, de grands yeux mats aux mouvements très lents, qu'elle ne leva jamais vers Mendez, mais qu'elle laissa errer tout autour de lui, avec une morgue violente. Mendez tenta de l'imaginer telle que Bartolomé pouvait l'avoir connue et aimée, plus jeune, un peu moins ronde, l'œil vif, appétissante sans doute, mais certainement pas très jolie.

« L'Adelantado est mort, dit-elle. Et moi aussi, je suis morte, tu vois bien. Alors pourquoi me parles-tu ? »

Il ne savait plus quoi dire. Il regardait la jeune femme et l'enfant. Elle était vraiment très belle, une madone à la peau lustrée, magnifique, avec de longs cheveux noirs, presque bleus.

Un prêtre vint demander à Anacoana si elle voulait se confesser avant de mourir.

« Si je me confesse, j'irai au Paradis ?

— Oui. Dieu est infiniment miséricordieux.

— Au même Paradis où tu iras toi aussi quand tu mourras ?

— Il n'y a qu'un Paradis.

— Dans ce cas, je préfère ne pas y aller. Je ne tiens pas à te voir la face dans l'autre pays, ni celle d'aucun Chrétien. Va-t'en, prêtre, je t'ai assez vu, et tu n'as rien à me dire. »

Elle cracha sur lui. Puis, à Mendez:

« Si tu vois l'Adelantado au Paradis, tu lui diras que j'avais hâte de mourir. Va-t'en toi aussi. Je n'ai rien à te dire. »

Mais Mendez ne bougeait pas. Il était intrigué. Il voulait dire ou demander quelque chose à la belle jeune femme, mais il ne savait quoi. Ou il voulait l'entendre lui dire quelque chose. Ou que quelque chose se passe entre eux, qu'elle le regarde peut-être. Mais elle l'ignorait totalement. Elle cajolait l'enfant, en chantonnant.

« Tu diras à l'Adelantado que tu as vu son enfant, mon petit-fils, le dernier prince du Xaragua, dit enfin Anacoana. Et qu'il était content lui aussi de mourir. »

Malgré la limpidité de ces révélations, Mendez mit un bon moment à comprendre que cet enfant était le fils de Bartolomé Colomb. Ce fou de Bartolomé avait donc aimé la fille après la mère !

« Ne t'inquiète pas pour lui, il n'est pas Chrétien, dit encore Anacoana, avec son méchant et séduisant sourire. Il n'ira pas au Paradis chrétien. Il ne connaîtra jamais son père. »

Malgré le désarroi dans lequel il se trouvait, Mendez sentit tout à coup une espèce d'envie de rire sourdre en lui. Il pensait que l'Adelantado n'irait peut-être pas au Paradis lui non plus. Il pensait aussi que des Chrétiens, il y en aurait sans doute un jour partout, qu'ils envahiraient toutes les îles et toutes les terres, mais aussi tous les paradis, même ceux où les Arawaks croyaient pouvoir se réfugier en paix. Cet envahissement commencé dix ans plus tôt par l'amiral Colomb n'aurait pas de fin. Ni l'effacement conséquent.

Il aurait aimé parler de tout cela avec Anacoana. Mais il était trop abasourdi pour organiser et formuler ses pensées. L'intelligence et l'humour de cette femme l'avaient séduit. Il voulait lui parler. Il voulait qu'elle lui parle. Il comprenait mieux pourquoi Bartolomé Colomb l'avait aimée. Et encore une fois, à cause de cela, à cause de l'évidence et de l'innocence de toute cela, et pour d'autres raisons qu'il ne voyait pas et ne comprenait pas, il eut terriblement envie de pleurer.

« Va-t'en, je t'ai assez vu », dit encore Anacoana, très doucement.

* * *

Ni Mendez ni Las Casas n'assistèrent à l'exécution d'Anacoana qui fut brève. Le gouverneur Ovando, qui était un gentilhomme, avait pour principe qu'on ne devait pas torturer les femmes.

Le lendemain, Mendez s'informa de la jeune maman et de son bébé qui étaient dans l'enclos avec Anacoana. Personne ne savait ce qu'ils étaient devenus. Personne ne se souvenait de les avoir pendus ou décapités. Quelqu'un lui dit qu'on libérait parfois quelques prisonniers jugés inoffensifs afin que par le récit qu'ils faisaient chez eux de ce qu'ils avaient vus ils imposent le respect des Espagnols.

2

En novembre, poussé par Las Casas et encouragé par les hidalgos qui chaque jour lui demandaient de raconter ses aventures et surtout la fameuse traversée qu'il avait faite depuis la Jamaïque, Mendez se mit à écrire, jetant pêle-mêle ses souvenirs sur le papier, des réflexions...

* * *

Voilà près de trois mois que je n'ai vu mes compagnons. D'une certaine manière, je suis un naufragé moi aussi.

Ils me croient mort, sans aucun doute. Ils ne m'attendent plus. Ils se croient probablement morts eux aussi. Ils ne savent pas quand leur solitude finira, ni même si elle finira un jour. Ils ne savent pas que plus personne en Espagne n'ignore aujourd'hui où ils se trouvent. Ils ne savent rien.

Tout le monde ici parle d'eux, au grand déplaisir du gouverneur Ovando. On vient nous voir, Flisco et moi, on nous demande ce qui arrive de nos compagnons. Comme si nous étions restés en contact avec eux! Personne n'oublie nos compagnons. Au contraire. Et c'est justement parce qu'on ne les oublie pas qu'ils restent naufragés. Si on parlait moins de Christophe Colomb, le gouverneur Ovando parviendrait peut-être à l'oublier un peu, je pourrais affréter une caravelle et aller à son secours. Personne ne songerait à m'en empêcher.

Nicolas de Ovando est l'auteur exclusif de mon naufrage. C'est lui également qui fait durer celui de mes compagnons. Il a sur nous tous un pouvoir presque divin qu'il exerce avec férocité. Voilà une chose qui m'a toujours fasciné, cette haine unanime et irréductible qu'inspire l'amiral Colomb aux hommes d'autorité quelle qu'elle soit : le Gouverneur, le Roi, le Cardinal, le père Buil. Las Casas me dit que c'est parce que l'Amiral est lui-même un homme d'autorité. Je crois aussi que, par ses faits et gestes, il devient un implacable révélateur de la faiblesse ou de la noblesse des autres.

J'ai vécu tout près de lui pendant plus de deux ans. J'ai posé à cause de lui des gestes de grande bravoure. S'il n'avait pas été là, je crois que je n'aurais rien fait de tout cela. Mais en sa présence, on a envie et besoin d'être grand et fort, même quand il est, lui, tout défait et brisé et qu'il se lamente sur son sort. Si on ne parvient pas à être grand et fort, on se sent devant lui médiocre et imbécile. C'est Pedro de Ledesma qui m'a un jour fait cette remarque.

Ledesma a toujours aimé faire de grandes choses inutiles pour attirer l'attention, comme nager une lieue en une heure ou avaler un lézard vivant ou lancer une flèche droit au-dessus de lui, et alors il vous regarde avec un grand sourire pendant que la flèche monte, monte, se perd dans le ciel, puis redescend interminablement et vient se ficher en terre à quelques pas de lui. Moi, personnellement, je trouve ça plutôt amusant. Pour l'Amiral, ce sont des niaiseries.

Ledesma hait l'Amiral, « parce que lorsqu'il me regarde, je me sens imbécile », dit-il. L'Amiral met ainsi chacun face à ses réalités, à ses forces et à ses faiblesses. En sa présence, on devient juge implacable de soi-même. Contrairement à ce que beaucoup de ceux qui l'ont peu connu pensent, il n'est pas homme à donner des ordres. Il vous regarde et dit : « Tu vois, Diego, il y a telle ou telle chose à faire. Je pense que tu peux y arriver en t'y prenant de telle ou telle manière. » Et alors, c'est à vous de choisir et d'agir. Ou pas. Mais l'Amiral vous a soumis à votre propre autorité, il vous a rendu responsable de vous-même, comme s'il vous avait délégué ses propres pouvoirs, vous avait fait amiral et gouverneur de vous-même.

Ovando n'a pas ce genre de pouvoir et d'autorité. Tout le monde lui obéit bien sûr au doigt et à l'œil, parce qu'il est le gouverneur et qu'il peut vous faire fouetter ou pendre, si le cœur lui en dit, mais il ne pousse jamais personne à être grand et fort, à se dépasser, à être maître de soi-même. Il n'entre jamais en vous comme l'Amiral. Son autorité est toute extérieure, purement matérielle et administrative, comme celle du roi Ferdinand au fond et celle du cardinal de Fonseca et de la plupart des hommes qui aujourd'hui gouvernent l'Espagne. Je suis persuadé que cette espèce d'autorité que possède Colomb lui attire toujours de graves ennuis. Il dérange.

* * *

Ça peut vous paraître bizarre, mais l'Amiral semble avoir ressenti, au cours des jours qui suivirent notre échouement à la Jamaïque, en juin dernier, une grande paix de l'âme. Son échec était si parfait, si total, si définitif, qu'il ne pouvait sans doute pas s'empêcher d'y trouver une sorte de plénitude et de grandeur, une harmonieuse beauté. Il était, en outre, plus que jamais justifié de pleurer sur son sort, ce qu'il ne manquait jamais d'apprécier. Mais cette fois, il pleurait en silence, avec une espèce de sourire radieux plaqué sur le visage.

Pendant des jours, il n'a rien fait, presque rien dit. Il n'a donné aucun ordre à personne, rien demandé, n'a pris aucune initiative. Il errait sur la plage, observait les fleurs, les oiseaux, les poissons et les nuages. Ou il dormait pendant des heures à l'ombre des grands palmiers qui bordaient la plage. C'est Bartolomé, Flisco et moi qui nous sommes chargés d'organiser la nouvelle vie de l'équipage. Terreros, le doux Pedro de Terreros fort et gros comme un bœuf et que tous nous avions cru absolument invulnérable, était en proie à de violentes fièvres et ne nous fut d'aucune utilité. Je me demande même aujourd'hui s'il s'en est sorti. Quand j'ai quitté Santa Gloria, en août dernier, il délirait depuis plusieurs jours, il était tout maigre.

Flisco, qui prenait soin de lui, avait consulté les sorciers indiens, qui avaient prescrit d'horribles mixtures d'herbes et de suffocantes fumigations. Mais ces médecins, s'ils nous avaient maintes fois émerveillés en guérissant de profondes blessures qu'ils comblaient d'une pâte faite de la racine d'une plante qu'on trouve dans ces régions, ne semblaient pas bien s'y connaître en fièvre quarte, pour la bonne et simple raison qu'ils n'en souffraient, semble-t-il, pas du tout. Jamais en effet nous ne vîmes un Indien fiévreux. De même, ils ne semblaient pas le moins du monde incommodés par cette terrible maladie que nous transmettaient leurs femmes et qui nous couvrait le corps, et en particulier les parties, de chancres douloureux et purulents.

Les frères Porras et leurs amis ne nous furent pas plus utiles que le pauvre Terreros. Ils semblaient considérer que nous étions, les frères Colomb, Flisco, moi, Terreros, quelques autres, tous hommes de confiance de l'Amiral, responsables du marasme dans lequel nous nous trouvions et que nous devions seuls trouver les moyens d'en sortir l'équipage. Étrangement, ils ne semblaient pas douter que la chose fût possible. Ils s'installèrent donc dans une confortable oisiveté et attendirent.

Leur inséparable Ledesma allait tous les jours nager très loin vers le large, parfois jusqu'à ce qu'on le perde de vue. Flisco pense toujours que Ledesma est un salaud. Je ne suis pas de cet avis. Ledesma hait passionnément l'Amiral et plus encore son frère, l'Adelantado. Et il le disait à qui voulait l'entendre. Ledesma dit toujours tout ce qu'il pense. C'est là-dessus que je me base pour dire qu'il n'est pas un salaud. On sait avec lui à quoi s'attendre. Il est dans le clan des ennemis de l'Amiral.

Il y en a plusieurs par contre dont on ignorait à quelle enseigne ils logeaient. Ce sont eux les plus dangereux. Si jamais un affrontement se produisait là-bas, à Santa Gloria, ils se rangeraient probablement du côté de celui qui leur aurait fait les plus belles promesses. Or les frères Porras avaient tout le temps d'entretenir autour d'eux une cour de mécontents dont ils nourrissaient la hargne et la peur.

En juillet 1502, après le terrible ouragan qui a décimé la Grande Flotte que commandait son ami Antonio de Torres, l'Amiral avait démis Francisco Porras, un parfait incapable, de ses fonctions de capitaine de la Bermuda et l'avait formellement averti qu'il le ferait mettre aux fers ou même qu'il le ferait pendre avec plaisir s'il s'avisait de fomenter quelque soulèvement. Cette menace pesait toujours sur Porras quand j'ai quitté Santa Gloria. Mais les frères Porras étaient fort populaires auprès d'une bonne partie de l'équipage. Si jamais les frères Colomb agissaient trop durement avec eux, la situation là-bas pourrait rapidement s'envenimer.

* * *

L'amiral Colomb a toujours été formidablement maladroit et malheureux dans ses choix de sites à bâtir. Je n'ai pas connu la Navidad, ni Isabela, mais Terreros et d'autres m'ont raconté comment c'était. De parfaits désastres. Quant à Belén, j'ai vu; on ne pouvait trouver pire endroit pour établir une ville.

Par contre quand il s'agissait de déterminer le lieu et le moment d'un naufrage, personne, semble-t-il, ne s'y connaissait mieux que l'Amiral. « Il faut croire que j'excelle dans l'échec », dira-t-il plus tard, quand il sortira de ses muettes rêveries. Il avait su en effet trouver l'endroit idéal pour échouer ses vaisseaux. Le havre était bon. Il y avait de l'eau fraîche et de l'ombre en abondance. Et à moins d'un demi-mille à l'intérieur, se trouvait un gros village indien, Maïma, qui n'avait pas oublié le passage des Chrétiens neuf ans plus tôt et qui s'est montré tout de suite assez bien disposé à notre égard.

Les Maïmas n'allaient pas tarder cependant à comprendre que nous étions dans une très fâcheuse position. Ils ne sont pas tout de suite devenus arrogants et agressifs. Mais ils ont cessé de nous considérer comme des êtres infaillibles et absolument respectables. À ma connaissance, c'était la première fois que nous, Chrétiens, perdions ainsi la face devant des Sauvages. Partout ailleurs, on nous avait pris pour des dieux, bons ou méchants, aimables ou haïssables, mais des dieux, toujours doués de pouvoirs et de savoirs surnaturels. À Santa Gloria, nous étions pour la première fois redevenus des hommes.

Les deux caravelles, enlisées flanc contre flanc et solidement amarrées aux arbres avec ce qu'il nous restait de bons câbles, se trouvaient donc tout au fond de cette large baie de Santa Gloria que fermait une haute barrière de corail. Nous avions tous le pressentiment que nous étions là pour longtemps, des mois, des *années, toute la vie peut-être. Jamais personne, à part l'Amiral en 1494, puis Hojeda, très rapidement, quelques années plus tard, n'était venu dans cette île. Et plus personne assurément n'y viendrait avant très longtemps, Colomb et Hojeda ayant tous deux affirmé qu'il ne s'y trouvait pas d'or et que les habitants étaient belliqueux.*

Cette sombre perspective en écrasait plusieurs. Beaucoup de gars étaient prostrés et muets, comme l'Amiral. Ils dormaient presque tout le temps. Certains pleuraient. Nous avions pourtant depuis un an connu des temps infiniment plus durs; et à Santa Gloria aucun danger immédiat ne nous menaçait. Mais nous n'avions aucune issue. C'était ça qui tuait les gars, cette espèce de glissement ou d'enlisement irréversible, cet enfouissement dans les limbes...

Moi, je suis ainsi fait que ce genre de situation m'enchante et m'exalte. Pourquoi? Je ne saurais le dire tout à fait. C'est dans ma nature, dans mes goûts. Bartolomé Colomb est comme moi, je pense. Le désastre et le danger semblent le vivifier, le stimuler. Le désastre est notre élément.

Quand tout va bien, je me sens inutile et inexistant. Je ne sais jamais quoi faire. Et la bête et simple vérité est qu'il n'y a vraiment rien à faire, et qu'il faut ne rien faire, ne rien changer, puisque tout va bien. Mais alors je suis tendu, je m'ennuie d'un ennui intolérable et j'ai peur de briser l'ordre et que tout se mette à mal aller. Pourtant je sais que lorsque tout ira mal je serai bien, je respirerai mieux, j'aurai des idées, des solutions.

Je me suis dit déjà, quand tout allait bien, que je n'avais qu'à m'arranger pour briser l'ordre des choses. Mais ce n'est jamais si simple. Je sais toujours trouver des solutions; mais je suis totalement incapable de créer des problèmes. Chacun son art.

J'ai quand même eu une chance énorme de réaliser ceci. Combien d'êtres en Espagne sont malheureux parce qu'ils fuient systématiquement le désastre et la vie dangereuse, s'imaginant, comme on le leur a toujours dit, qu'ils ne trouveront la paix et le bonheur que dans la plus limpide tranquillité? Moi, dans la tranquillité, je me sens fragile et débile. Mais devant le désastre et la catastrophe, je suis fort, heureux, utile.

L'Amiral n'est pas du tout comme cela. Il est capable, lui, d'affronter les puissances tranquilles et immobiles de l'ordre établi. Il se bat contre les Rois, contre le Cardinal, contre les Institutions. Il est capable, lui, de créer de véritables problèmes, des désastres, des catastrophes, de grands changements dans l'ordre établi. Il a cette force, ce courage. Par contre, devant le désordre et l'imprévisible, il est totalement démuni. Il ne sait que faire.

En réalité, c'est lui, l'homme fort, pas moi. Lui, il affronte l'impossible, il veut changer l'immuable; lui, c'est un inventeur, un créateur. Il veut changer le monde et la vie. Moi, pour que j'aie l'impression d'exister et d'être utile à quelque chose, il me faut un désastre, une situation qui ne peut qu'être améliorée ou corrigée. C'est simple. Je ramasse les morceaux et je les remets en place en suivant le modèle donné, je m'arrange pour que tout soit comme avant. C'est facile. Je suis d'un naturel plus heureux que l'Amiral.

Depuis que je suis arrivé ici en Hispaniola, on m'a souvent dit que j'étais un héros. Je le crois. Ce que j'ai fait, je ne connais personne d'autre qui l'aurait fait. C'est un exploit sans précédent dont on parlera longtemps, très longtemps après que je ne serai plus. Je suis un héros. Mais je n'ai aucune imagination. Ainsi, j'ai déployé des trésors d'énergie pour rétablir des liens entre les naufragés de Santa Gloria et la vieille Europe. Quand je m'agite, c'est pour recréer l'ordre établi, ordre que par ailleurs j'exècre. Je pense que le gouverneur Ovando, le roi Ferdinand, le cardinal de Fonseca sont des salauds et des imbéciles. Quel besoin avions-nous de nous retrouver à leur merci? Naufragés, nous pouvions nous tourner vers un autre monde. Mais je n'ai pensé qu'à retrouver celui-ci. Je suis un imbécile heureux.

* * *

Forts de l'expérience désastreuse que nous avions vécue à Retrete, quand les Indiens dont nous avions violé les femmes s'étaient révoltés et qu'il avait fallu les tuer, nous privant par le fait même de nos sources d'approvisionnement, nous avons décidé, Bartolomé et moi, d'établir notre campement sur les caravelles et de nouer avec les Indiens de Santa Gloria des relations d'affaires saines et régulières.

Bartolomé interdit formellement d'aller à terre, sauf en mission commandée, pour faire de l'eau ou amasser des matériaux de construction. En aucun cas, les gars ne devaient entrer en contact avec les Indiens. Bizarrement, personne au début ne rechigna. Les gars étaient si fatigués, si effrayés devant ces sortes de limbes vers lesquels irrémédiablement nous glissions, que tous, même les frères Porras et leurs amis, approuvèrent la décision de Bartolomé.

Nous avons donc construit nos huttes sur les ponts de nos caravelles. Ça ne s'est pas fait sans mal. À part quelques couteaux ébréchés et des épées cassées, qu'il était difficile de bien aiguiser sur les pierres de corail molles et friables qu'on trouve partout le long de cette côte jamaïcaine, nous n'avions plus aucun outil. De plus, nos deux menuisiers et notre maître-calfat étaient morts des fièvres quartes à Belén. C'était d'ailleurs ce qui avait précipité notre perte. Sans eux, nous n'avions pu radouber nos navires. Nous avons cependant réussi, en nous inspirant du modèle des huttes indiennes, à construire sur nos caravelles échouées des abris nous protégeant du soleil et des pluies assez abondantes à cette époque de l'année.

Nous étions également à l'abri des vagues de la mer. Et pour peu que l'on fît bonne garde, les Indiens ne pouvaient nous attaquer depuis la forêt. Dans les premières heures de notre séjour, Bartolomé avait fait tirer de la bombarde à quelques reprises afin qu'ils sachent que nous étions toujours maîtres du tonnerre. Le seul danger eût été qu'ils lancent sur notre campement des flèches enflammées.

Nous ne pouvions de toute manière nous permettre de les indisposer à notre égard de quelque façon que ce soit. Nous pensions à ce qui était arrivé aux 39 de la Navidad, tous morts par leur très grande faute, j'en suis persuadé. L'enquête menée par l'Amiral avait démontré qu'ils avaient violemment indisposé les Indiens, comme nous à Retrete. Or la Jamaïque était encore plus densément peuplée que l'Hispaniola et que toutes les autres terres ou îles qu'avaient connues Colomb et ses vieux compagnons comme Terreros et Ledesma. Malgré nos bombardes et nos arbalètes, nous étions dans l'incapacité de soutenir plus de deux ou trois jours de siège attentif; surtout, nous avions absolument besoin des Indiens pour notre approvisionnement. Pour la première fois, une communauté de Chrétiens étaient totalement à la merci des Sauvages.

Or le village voisin de Maïma, avec lequel nous tenions à entretenir de très cordiales relations, ne pourrait à lui seul subvenir à nos besoins. Nous pouvions toujours pêcher un peu, mais il était impossible de nourrir ainsi tout l'équipage. Il fallait trouver autre chose.

Quelques jours après notre arrivée, pendant que les hommes achevaient de monter les huttes sur les caravelles, Bartolomé m'a chargé d'aller négocier avec d'autres villages indiens. J'ai toujours aimé ce genre de mission. J'étais content de partir. J'aime le désastre et le danger, je l'ai dit. Mais la promiscuité m'a toujours fait un peu peur. Et j'imaginais déjà difficilement ce que serait la vie sur ces caravelles où s'entassaient dans une grande et humide chaleur 116 hommes, dont beaucoup étaient malades ou blessés.

Deux semaines après notre échouement, je suis donc parti de bon matin avec trois compagnons, nos épées, rien à manger. Le pays était montagneux et très densément boisé. Mais nous avons trouvé rapidement de bons sentiers qui nous ont conduits en quelques heures vers un petit village de montagne, Aguacadiba, dont les aimables habitants, qui nous avaient probablement vus venir depuis l'échouage, nous attendaient avec de grands sourires et plein de bonnes choses à boire et à manger. Ils avaient de toute évidence compris que nous avions besoin d'eux. Nous avons parlé affaires. Nous avons fixé une sorte de tarif des divers objets que nous pourrions acheter, de manière à ce qu'aucun désaccord ne fût possible. Il a été convenu assez rapidement que nous paierions un bout de dentelle long comme la main pour deux de ces rongeurs semblables à la belette qu'ils appellent hutías et dont la chair est délicieuse; on aurait un gâteau de cassave en échange d'une ou deux billes de verre selon son poids; une clochette d'épervier valait dix billes de verres, une bille de verre rouge valait dix ou vingt fois plus que toutes les autres, et cætera.

Lorsque fut conclue cette entente, j'envoyai l'un de mes hommes prévenir Bartolomé que tout allait bien et je me mis en marche dès le lendemain vers un autre village indien où je fis à peu près le même genre d'arrangement. Et ainsi de suite. Un jour, resté seul, je fus conduit chez Huareo, un cacique d'une écrasante jovialité qui savait déjà ce que je cherchais et me reçut comme un prince. Il avait fait tout préparer à l'avance, d'immenses gâteaux de pâte de yucca, des hutías vivants, d'autres cuits, des fruits séchés, mille choses. Et des porteurs qui, dès la conclusion du marché, allaient se mettre en marche vers notre échouage. Huareo était cependant un redoutable négociateur. Il savait ce que je payais partout ailleurs. Il me fit spontanément un meilleur prix. Mais il fut entendu que ce prix pouvait varier. Comment? Je ne le sus pas vraiment. Mais je compris que cela dépendait beaucoup de l'attitude que nous adopterions à l'égard des Indiens.

Le facétieux Huareo me laissa entendre qu'il serait bon que de temps en temps nous fissions des cadeaux aux caciques et aux notables de sa tribu: pourpoints, ciseaux, miroirs, divers objets, tissus ou pierres, autant que possible rouges, car tous ces peuples raffolaient du rouge. De purs cadeaux donc en échange desquels nous ne devrions rien attendre. Des cadeaux propitiatoires! C'était le monde à l'envers.

Il y avait chez Huareo une sorte de supériorité bienveillante mêlée de mépris, sentiment que je voyais pour la première fois exprimé par les Sauvages à notre égard. Je le flattai bassement. Je le fis rire aussi. Plus ou moins malgré moi.

C'était le dernier soir de mon séjour dans son village. Huareo avait fait préparer un grand festin en mon honneur. Et il m'avait fait prévenir qu'il m'offrait une femme de son choix qui passerait la nuit avec moi. Pendant le repas, il me tendit des bouchées de viande de lézard remplies de ces baies extrêmement brûlantes avec lesquelles ils assaisonnent leurs aliments. J'avais la tête en feu, les larmes aux yeux, la morve au nez et je ne cessais d'éternuer. Je vis cependant, à travers mes larmes et les éclairs de mes éternuements, que je faisais la joie de ce gros porc de Huareo et de ses Sauvages qui se tapaient sur les cuisses et se tordaient de rire. Dès que j'eus repris mon souffle, il me tendit une autre bouchée que je dus accepter. Dix fois, il me refit le même coup. Chaque fois, il riait à s'en décrocher les mâchoires. J'aurais voulu le tuer. Mais je riais moi aussi. Nous étions à sa merci. Il le savait.

J'étais entouré de fort jolies jeunes filles. Et la perspective de passer la nuit avec l'une d'elles me consolait. Mais la nuit venue, ce fut une vieillarde édentée d'une épouvantable maigreur qui vint se lover contre moi en feignant des geignements lubriques qui soulevaient des rires gras dans l'ombre tout autour de ma hutte.

Je pense m'en être assez bien sorti. Je me mis à chatouiller ma compagne qui, épuisée de rire après quelques minutes de ce petit jeu, s'endormit profondément après avoir produit un bel échantillonnage de râles et de soupirs. Le lendemain matin, quand je partis, ce salaud de Huareo m'embrassa avec effusion et me regarda longuement avec ce que je crus être de la sympathie, peut-être même une certaine admiration ou de la reconnaissance pour le subtil plaisir que je lui avais procuré. Quelle immonde brute ! me disais-je, en me serrant contre lui et en faisant mine d'essuyer mes larmes dans ses longs cheveux gras.

Je poursuivis ma route jusqu'au bout de l'île, vers l'est, toujours suivant de très agréables sentiers, dont mes guides disaient qu'ils formaient un immense réseau s'étendant sur toute l'île de Jamaïque. Je passai quelques jours chez un autre cacique, Ameyro. Celui-ci se montra beaucoup plus généreux, plus naïf aussi. J'avais conservé mes échantillons de pacotille, billes de verre, clochettes, dentelles, un pourpoint, des gants et un casque de cuivre bosselé, toutes choses de peu de valeur que je lui abandonnai en échange d'un magnifique canot aux flancs joliment travaillés et couverts de figures et d'idoles colorées. Il me prêta six rameurs et nous fournit des vivres en abondance. C'est dans cet équipage que je rentrai à Santa Gloria où l'on me fit un extra-ordinaire accueil.

À partir de ce jour, les villages avec lesquels j'avais conclu des ententes nous fournirent tous les vivres dont nous avions besoin. À tour de rôle, tel que convenu, ils nous envoyaient leurs porteurs ou leurs canots. Bartolomé fit faire l'inventaire de notre pacotille. Si les prix ne montaient pas trop, nous pouvions facilement tenir plus d'un an.

Pendant mon absence, l'Amiral était sorti de sa torpeur. Il me fit beaucoup de compliments. Nous étions souvent ensemble, lui, moi, son frère Bartolomé, Flisco. Quand l'Amiral parlait, c'était presque toujours à moi qu'il s'adressait. J'étais devenu son homme de confiance. Il allait bientôt me confier une grande mission et remettre entre mes mains le sort de toute la communauté de Santa Gloria.

* * *

Quelques jours après mon retour de chez le timide cacique Ameyro, l'Amiral vint me voir et me remercia et me félicita encore une fois pour ce que j'avais fait. Puis il me dit : « Diego Mendez, mon fils, aucun de ceux qui sont ici, excepté toi et moi, ne se doute du danger dans lequel nous sommes, par suite de notre petit nombre et du grand nombre des Indiens sauvages dont le caractère est inconstant et fantasque. Lorsqu'il leur prendra fantaisie de venir nous brûler dans nos maisons de paille, il nous sera bien difficile de les en empêcher. L'arrangement que tu as fait avec eux pour qu'ils nous apportent des vivres, ce qu'ils font de bonne grâce, peut bientôt ne plus leur convenir; il ne serait pas surprenant que demain ils ne nous apportent plus rien. Or nous ne sommes pas en position de prendre ces vivres de vive force. J'ai pensé à un moyen de nous tirer d'embarras. J'aimerais que tu me dises ce que tu en penses. Ce serait que quelqu'un s'aventure sur le canot que tu as acheté jusqu'à l'île d'Hispaniola; là-bas, il achèterait un navire et viendrait nous sortir de la situation périlleuse dans laquelle nous nous trouvons. Que penses-tu de cela, mon garçon ? »

J'avais déjà envisagé cette possibilité. C'était à mon avis de la pure folie, mais ce n'était pas tout à fait impossible. En fait, on ne pouvait pas savoir. L'année précédente, nous avions croisé dans ces eaux qui séparent l'Hispaniola de la Jamaïque. Elles étaient alors dangereusement calmes; nous nous étions trouvés pendant trois ou quatre jours en panne totale de vent. Ce qui avait failli être un drame pour nos caravelles pourrait bien convenir parfaitement à une embarcation à rames comme un petit canot indien. Mais la mer est changeante, « plus encore que le cœur de l'homme », comme dit mon bon ami Las Casas. Avec elle, on ne sait jamais à quoi s'attendre.

L'Amiral ne m'a pas caché qu'il y avait selon lui, dans ces parages, des courants et des vents contraires qu'il faudrait remonter sur près de 200 milles. Puis, après avoir touché l'Hispaniola au cap Saint-Michel, il faudrait encore longer l'île sur au moins 200 milles, dix jours, peut-être vingt. Une folie. Tentante, effrayante folie !

Je suis un héros, c'est vrai, mais il m'arrive d'avoir des accès de crainte. Ce jour-là, sur la plage de la baie de Santa Gloria, j'ai dit à l'Amiral que la chose me semblait absolument impossible. On ne pouvait pas selon moi faire cette traversée sur un canot indien. Même les indigènes, qui en connaissent pourtant infiniment mieux que nous le maniement, ne s'aventuraient jamais si haut en mer, par peur des remous et des vents, mais surtout de l'énorme soleil qui y régnait.

L'Amiral n'a pas semblé surpris ni choqué de ma réponse.

Nous nous étions assis dans l'ombre d'un très gros arbre au tronc lisse et sec, tout au fond de la plage, face à l'océan qui était ce jour-là d'un calme remarquable. Rien sur l'eau, pas une ride, pas un pli, que de très longues et très plates vagues. Rien dans le ciel non plus, que le soleil qui commençait à descendre tranquillement sur notre gauche, pas un nuage, pas de vent. L'Amiral a ramassé un bout de bois et s'est mis à dessiner dans le sable. Des îles et des côtes, des terres que je ne reconnaissais pas du tout. Je suis notaire, pas géographe. Je n'avais par exemple qu'une très vague idée de la configuration des côtes que nous avions suivies au cours de l'année précédente. L'Amiral, lui, semblait les connaître par cœur, toutes.

Il a dessiné pendant une heure, deux peut-être, s'arrêtant par moments pour réfléchir (il avait alors sur les lèvres un sourire chaque fois plus large, plus satisfait) reprenant çà et là un contour, grossissant un cap ici, là creusant une baie, allongeant, déplaçant des îles, tellement absorbé par son dessin qu'il finit vraiment par oublier que j'étais là. Il chantonnait en italien un petit air gai qu'il reprenait sans cesse.

Puis il est revenu s'asseoir près de moi et a contemplé son œuvre, ses Indes, d'un air de grand contentement. Il a relevé la tête et a dit : « Ah! te voilà, mon petit », comme si je venais juste d'arriver. Notre arbre avait commencé à ramasser toute son ombre sous lui, comme s'il craignait que la marée montante ne la lui mouille ou ne l'emporte.

L'Amiral a entrepris alors de me nommer une à une toutes ces terres qu'il avait dessinées sur la plage. Elles formaient devant nous un cercle grossier d'une dizaine de pas de diamètre. « Tu vois, c'est là-bas que je suis arrivé en 1492. » Il me désignait une toute petite île tout en haut de sa carte, au bas de la plage. « Tu vois, c'est Guanahani, la première île. C'était le 12 octobre 1492. »

Il s'était levé, il marchait entre ses îles en se contorsionnant d'amusante façon. « Là, cette grande forme allongée qui ressemble à une crosse de mousquet, c'est Cuba, avec le Jardin de la Reine où nous avons failli faire naufrage, tu te souviens ? Moi, je prétends que c'est une péninsule rattachée à la terre ferme d'Asie ; d'autres disent que c'est une île. Faudra voir. Ici, tu vois ce coquillage rose et noir que j'ai placé ici, en plein milieu de notre mappemonde, c'est nous, c'est exactement où nous sommes, Santa Gloria au nord de l'île de Jamaïque. Et sur ta gauche, il y a Bonacca, tu te souviens, Diego Mendez, mon fils ? Regarde ! la Côte des Oreilles juste ici. Tu te souviens de notre interprète indien, le vieux Juan Perez ? Et tu as la Côte des Moustiques un peu plus bas et ici le Veragua. Regarde, je suis debout sur le Veragua. Et ça, là, souviens-toi, les Indiens cracheurs qui vous ont tant fait rire, Fernando et toi, ils vivent à peu près ici. Et les Indiens joueurs de tambours et de trompes sont là, tout près. »

Et sur chacun des lieux qu'il me nommait, l'Amiral posait une petite pierre blanche ou un coquillage. Nous sommes passés devant la fameuse Muraille des Écritures où nichaient des milliers d'oiseaux et devant La Huerta et le pays Talamanca. Nous sommes descendus vers Puerto Gordo, Portobelo, Retrete. « Tu te souviens des tempêtes et des misères qu'on a connues, Diego Mendez ? Crois-tu qu'on s'en est sorti pour venir moisir ici ? »

J'étais debout sur la mappemonde devant l'Amiral. Et j'ai nommé Belén avant lui.

« Ici, c'est Belén, n'est-ce pas, Amiral ?

— Et là, derrière toi, tout en haut de la plage, tu as le Paradis terrestre. J'ai promis à Fernando de l'y amener un jour. »

Il est sorti de la mappemonde par l'ouest, l'a contournée au nord, en passant au-dessus de Guanahani, ses pieds nus dans l'eau, et est allé à pas prudents se poster tout à fait à l'est, de l'autre côté du monde, très loin. Et il a tracé d'autres lignes dans le sable. J'ai reconnu l'Espagne et le Portugal, l'Europe, la Méditerranée. Il s'était arrêté, un pied sur l'Afrique, l'autre dans la mer Océane, penché au-dessus de la mer des Caraïbes, et il me regardait de son regard bleu, intense, les deux mains posées à plat sur le bas de son dos, dans une attitude qui lui était familière. J'ai trouvé à ce moment-là qu'une formidable énergie se dégageait de lui. J'ai trouvé brillant et fascinant cet homme qui avait près de deux fois mon âge et qui se passionnait toujours à ce point pour les mystères de la vie.

Il était assis sur ses talons au beau milieu de la mer Océane, dos à l'Europe, le soleil bas en plein visage. La marée montante avait englouti presque toute l'Europe et Guanahani, la première île, tout au nord, et elle commençait à lécher la côte septentrionale de Cuba. L'Amiral ne disait rien. D'un geste rêveur, il promenait sa baguette sur une grande île voisine de Cuba que je savais être l'Hispaniola. Je pouvais ainsi comparer la distance qui nous séparait de cette île de celles, infiniment plus grandes, que nous avions parcourues depuis l'Europe et tout au long de la côte veraguayenne.

L'Amiral jeta un joli coquillage entre les deux îles. « Tu te souviens, pendant ce calme plat où nous sommes tombés l'été dernier, en août, après avoir quitté l'Hispaniola ? Tu te souviens de cette petite île que nous avons aperçue juste ici et que nous n'avons jamais pu toucher, faute de vent, tu te souviens, Diego Mendez ? »

Je vous jure que je ne m'en souvenais pas. Les calmes plats, oui. Parce qu'il n'y a rien en mer de plus éprouvant que des calmes plats. Mais une île entre la Jamaïque et l'Hispaniola, jamais. Je ne dis pas que l'Amiral mentait, je dis seulement que je n'avais aucun souvenir de cette île. Pendant un moment, j'ai hésité. Devais-je dire à l'Amiral la plate vérité, que je n'avais aucun souvenir de cette île, ou faire semblant de le croire ? Au fond, ma petite vérité n'avait plus beaucoup d'importance. Je savais que j'entreprendrais cette traversée ; je savais aussi que l'Amiral savait qu'il m'avait convaincu. Ça s'était passé au moment où il s'asseyait sur ses talons au beau milieu de la mer Océane.

« Vous savez, Amiral, que j'ai plusieurs fois risqué ma vie pour vous et vos hommes, lui ai-je dit. Et Dieu chaque fois m'a miraculeusement sauvé. Vous savez aussi que parmi vos hommes il ne manque pas de médisants qui disent que vous me confiez toujours les choses où il y a de l'honneur à acquérir, et qui prétendent pouvoir les exécuter aussi bien que moi. Je veux que vous leur proposiez cette entreprise pour voir si parmi eux il se trouvera quelqu'un prêt à s'en charger. Si tous refusent, je hasarderai de nouveau ma vie pour votre service. »

La marée était haute déjà; elle couvrait l'Hispaniola, la Jamaïque, le Veragua. Il ne restait plus, à nos pieds, tout en haut de la plage, que le Paradis terrestre, la Trinidad, le golfe de Paria... La nuit venait rapidement. Nous voyions, à l'autre bout de la baie, les feux de nos caravelles échouées. Puis, pendant que nous revenions silencieux par la plage, nous avons entendu les hommes chanter le Salve Regina. Il y avait dans tout cela une puissante douceur et en moi une grande et rayonnante peur. Je savais que personne, parmi ces hommes que j'allais retrouver, ne voudrait se charger de l'entreprise de l'Amiral. Salve Regina, mater misericordiæ...

* * *

Dès le lendemain de notre conversation, l'Amiral a convoqué tous les Espagnols sur la plage où était tiré le canot que j'avais rapporté de chez Ameyro. Il leur a proposé son affaire, dans les mêmes termes qu'à moi la veille au soir. Les gars sont restés muets, évidemment. Je le savais, je l'aurais juré. Pas une seule question. Ils regardaient par terre, puis ils ont dit ici et là, chacun se parlant à soi-même, que cette entreprise était impossible, que plusieurs navires beaucoup plus gros s'étaient perdus dans ces parages en allant faire des découvertes, qu'il y avait dans ce passage maritime entre la Jamaïque et l'Hispaniola des vents furieux, des mers impétueuses, et cætera. Certains me cherchaient du regard et dès qu'ils m'avaient trouvé (je m'étais placé tout à fait en retrait, sous le couvert des arbres), ils détournaient vivement la tête et se taisaient.

Quand j'ai été certain que personne n'accepterait la proposition de l'Amiral, je me suis avancé. La foule des hommes s'est ouverte devant moi. Je suis allé près de l'Amiral et j'ai dit en regardant les gars : « Je n'ai qu'une seule vie, comme chacun de vous. Je suis prêt à la hasarder pour le service de l'amiral Colomb et pour le bien de vous tous qui êtes ici en grand danger. J'espère en Notre Seigneur Dieu. Il m'aidera dans mon entreprise, comme il l'a déjà fait tant de fois. »

J'avais envie d'ajouter plein de choses comme : « Je fais cela pour vous, même si je considère que vous n'en valez pas vraiment la peine. » Mais ç'aurait été mentir un peu. Ce n'était pas pour eux que je faisais ça, comme je l'ai mieux compris plus tard. C'était pour moi au fond, pour qu'ils m'admirent et qu'ils se disent, chacun au fond de soi : « Mendez, quel homme ! » Et c'était un peu aussi par mépris pour eux, que j'agissais. Pour qu'ils comprennent qu'ils n'étaient tous qu'une bande de couards et que je n'étais pas des leurs.

Je ne parle pas de Bartolomé Colomb qui, je crois, se serait embarqué dans cette aventure, si son frère l'Amiral ne lui avait expressément demandé de rester auprès de lui, car il était le seul capable de contenir les hommes. Je ne parle pas non plus du pauvre Pedro de Terreros qui n'était pas à cette assemblée. Il était resté dans son hamac, fiévreux, inconscient, au bord de la mort, je crois. Eût-il été en santé, il se serait, j'en suis sûr, porté volontaire lui aussi.

Quand je parle de couard, je pense en particulier à Pedro de Ledesma, le plus puissant athlète de la flotte, qui est dans l'eau comme chez lui. Qu'il ne se soit pas proposé ne m'étonnait cependant pas le moins du monde. Ledesma a besoin du regard et de la présence des autres pour être brave. Il peut alors risquer sa vie avec empressement. Par contre, dès qu'il est seul, je le sais, je l'ai souvent observé à son insu, il redevient terriblement timide et hésitant. Quand il va nager très haut dans la mer, il sait que nous le suivons du regard depuis le rivage et qu'il sera accueilli à son retour par des bravos et des sourires d'admiration. Mais je suis sûr qu'il n'est jamais allé se promener seul en forêt. Je suis sûr qu'il ne partirait jamais en canot avec pour uniques compagnons des rameurs indiens. D'ailleurs, je ne l'ai jamais vu parler une seule fois à un Indien. Je lui en ai fait un jour la remarque. Il m'a répondu qu'il ne savait pas quoi leur dire !

Un qui m'a étonné par contre, c'est Flisco. J'aurais cru qu'il se serait offert tout de suite. Flisco est un homme brave et ingénieux, très généreux aussi. Lorsque je m'étais avancé, j'étais persuadé qu'il allait offrir de m'accompagner. Il n'en fit rien. J'ai pensé alors qu'il était aussi peu valeureux que tous les autres. J'allais plus tard me rendre compte que je me trompais.

L'Amiral est venu vers moi, il m'a embrassé et m'a posé sur les joues de gros baisers sonores. Il me secouait doucement les épaules en disant : « Je savais bien qu'il n'y aurait que toi, Diego Mendez, qui oserais te charger d'une telle entreprise. » Et il a dit à l'intention des hommes, sans les regarder : « Vous l'aiderez à préparer ce voyage. Et tous les soirs, jusqu'à son retour, nous prierons pour lui la vierge d'Antigua. »

* * *

Le lendemain, les gars ont tiré mon canot au sec et entrepris de le radouber. J'ai fait placer une quille postiche afin qu'il soit plus stable. C'était un canot long d'une trentaine de pieds, creusé dans un seul tronc d'arbre, lourd, très bas de bord. Une fois chargés, ces canots indiens n'ont plus que quelques pouces de bordage hors de l'eau. Dès que la mer n'est pas parfaitement calme, ils deviennent très dangereux. J'ai donc fait clouer quelques planches pour relever la poupe et la proue afin qu'on n'embarque pas trop d'eau. Nous avons soigneusement enduit la coque de goudron et de suif. J'ai fait poser un mât et une voile.

Je n'ai jamais compris ce qui, à ce moment-là, se passait dans la tête des six rameurs indiens qui partaient avec moi. Ils semblaient parfaitement confiants, nullement effrayés par la perspective de passer vingt jours et vingt nuits, peut-être plus, sur des mers pratiquement inconnues. Je crois qu'ils ne se rendaient pas vraiment compte dans quoi ils allaient s'embarquer. Il fut entendu que nous ramerions ferme du coucher au lever du soleil. Pendant les plus chaudes heures du jour deux rameurs seulement, qu'on relayerait aux deux heures, maintiendraient le canot dans le vent et le courant de manière à ce qu'on ne perde pas notre avance de la nuit. Chaque rameur avait sa provision d'eau, dont il devrait lui-même assurer l'économie. Nous avions des vivres pour cinq jours, le temps de toucher la pointe occidentale de l'Hispaniola au cap Saint-Michel que l'Amiral avait ainsi nommé en l'honneur d'un compatriote à lui, Michel de Cueno, que Terreros et les plus vieux avait connu et dont ils parlaient souvent avec beaucoup d'émotion.

J'ai très peu vu l'Amiral au cours des trois ou quatre jours qu'ont duré les préparatifs de mon départ. Il était tout occupé à rédiger les lettres qu'il devait me remettre. Il s'agissait de trois lettres que son fils Fernando écrivit sous sa dictée. L'une était adressée au gouverneur Ovando à qui je l'ai remise dès que j'ai pu. Les deux autres, je les ai toujours en ma possession. Il y a un court message au père Gorricio, supérieur du monastère chartreux de Las Cuevas à Séville où l'Amiral habitait avant notre départ. Et une longue missive aux Rois catholiques.

Je suis certain, Las Casas aussi, que le gouverneur Ovando, qui sait que j'ai ces lettres en ma possession, a fait des arrangements avec tous les capitaines qui rentrent en Espagne pour que, si jamais je les leur confiais, ils les détruisent ou les lui remettent plutôt que de les porter à leurs destinaires. Je n'ose les donner à personne. Après mon arrivée en Hispaniola, je les ai gardées sur moi, sous ma ceinture, pendant des semaines, dans un sac de cuir souple. Mais j'avais peur à tout moment que des hommes d'Ovando se saisissent de moi et ne me les volent. De plus la chaleur et la sueur de mon corps avait brûlé le cuir dans lequel elles se trouvaient. Les sceaux de cire qu'y avait mis l'Amiral avaient fondu et la cire avait pénétré le papier et commençait à délayer l'encre.

J'ai lu ces lettres. Mais ce n'est pas par indiscrétion que je l'ai fait. Je le jure. Je les avais avec moi depuis plusieurs mois. Je les ai lues parce que je craignais de les perdre ou qu'elles ne se détériorent au point de n'être plus lisibles. J'en connais maintenant l'essentiel. Si jamais je les perdais, je saurais, tant aux Rois catholiques qu'au père Gorricio, en faire un compte rendu fidèle.

Il y a dans ces lettres, surtout évidemment dans celle adressée aux Rois, de bouleversantes révélations, les confessions d'un homme triste, brisé dans son corps et dans son âme ; il y a de graves accusations aussi, portées contre de hauts et puissants dignitaires castillans. Je comprends qu'Ovando craigne que ces lettres parviennent à leurs destinataires.

Ces lettres, elles sont maintenant gravées en moi. Je les connais par cœur. J'ai ces lourds secrets en moi. Ovando le sait, je le sens. Mais il n'osera pas me faire tuer. Il y a Las Casas, il y a Flisco, quelques autres près de moi, à qui j'ai parlé de ces lettres, sans leur en dévoiler le contenu, mais en leur disant l'importance qu'elles avaient. Je suis tranquille, maintenant. Je suis une lettre vivante, une missive bien cachetée, scellée, indestructible. Je le sens.

La veille du jour où j'ai quitté Santa Gloria, Terreros n'était pas en mesure de me parler de sa femme et de ses enfants, comme il faisait si souvent, ni même de me faire ses adieux. Je suis allé le voir, malgré l'interdiction que m'avait faite l'Amiral qui craignait que je contracte sa maladie en m'approchant de lui. Je crois qu'il ne m'a pas reconnu. Il était tout maigre, gluant de sueur, un souffle rauque et court soulevait sa large poitrine. Terreros était, quelques semaines plus tôt, l'un des hommes les plus forts que j'avais connus de toute ma vie. Et je le voyais ce soir-là aussi faible et démuni dans son hamac qu'un nouveau-né.

J'étais perdu dans mes pensées lorsque j'entendis derrière moi une voix traînante, un peu chantante, à l'accent italien : « Je pense qu'il n'y a plus d'espoir. Je pars avec toi, Mendez. » J'avais reconnu Flisco. Nous avons pleuré. Flisco et Terreros étaient devenus de très grands amis au cours de ce voyage. Flisco, mince comme un fil, presque chauve ; Terreros, bâti comme un taureau, longue barbe et long cheveux très noirs. L'un, joueur, rieur et, à moins qu'il n'ait donné sa parole, changeant sans cesse d'idée, impie un jour, tout en Dieu le lendemain ; l'autre, sauvage et taciturne, qui ne s'animait que lorsqu'il parlait de sa femme bien-aimée et des nombreux enfants qu'il avait laissés en Espagne et dont par moments il se languissait au point de verser des pleurs.

Le jour se levait quand nous avons fini de ménager à l'avant du canot un banc supplémentaire sous lequel nous avons arrimé les vivres et l'eau de Flisco. J'étais content et confiant. Flisco aussi. Il m'a seulement dit avant d'aller dormir : « Je serais plus tranquille s'il mourait avant que nous partions. » Mais le soir, quand nous avons quitté Santa Gloria, Terreros allait un peu mieux. Il dormait paisiblement. Nous ne l'avons pas réveillé.

* * *

Nous devions d'abord longer la côte septentrionale de la Jamaïque jusqu'au royaume du cacique Ameyro où mes rameurs reverraient leurs familles. Pendant quelques jours donc, nous serions en territoire connu. Ensuite, nous pousserions jusqu'à l'extrémité est de l'île d'où nous nous élancerions sur la mer pour la partie la plus hasardeuse de notre voyage. Une traversée d'une centaine de milles, selon l'Amiral.

Je pensais sans cesse à cette petite île entre la Jamaïque et l'Hispaniola, « un peu plus près de l'Hispaniola que de la Jamaïque », dont il m'avait parlé. L'idée qu'il ait pu me mentir dans le but de me pousser à effectuer ce voyage me chagrinait et me tuait, non pas tellement que je croyais notre exploit irréalisable si jamais cette île n'existait pas, mais parce que je me disais que si l'Amiral avait cru bon de me mentir en me représentant les choses plus aisées qu'elles ne l'étaient en réalité, c'était qu'il ne me croyait pas capable d'affronter cette réalité, c'était qu'il doutait de moi. Cette pensée, que je ne parvenais pas à chasser de mon esprit, m'enlevait mes forces et mon courage.

J'avais parlé à Flisco et à Chavez, qui nous avait beaucoup aidés dans nos préparatifs et qui avait eu ce courage de nous avouer en toute candeur qu'il n'avait pas, lui, assez de grandeur et de force pour partir comme nous. Brave Chavez ! Ni lui ni Flisco ne se souvenaient, ou très vaguement, de cette île. Et je n'osais plus redemander à l'Amiral de me la décrire : « Tu verras, c'est tout petit, m'avait-il dit, mais assez haut sur la mer. Tu ne peux pas la manquer, si tu navigues un quart au nord à partir de la pointe est de la Jamaïque. Tu verras, il y a quelques arbres et de grands rochers très pâles. Et de l'eau, certainement. Vous pourrez faire un feu et prendre un bon repas, vous reposer surtout. Si le ciel est bien sec, vous pourrez depuis le sommet de cette île apercevoir le cap Saint-Michel qui se trouve à une trentaine de milles plus à l'est. »

Pendant deux jours, je devrais dire pendant deux nuits, nous avons longé l'une des plus belles côtes du monde, très escarpée, avec de minces chutes écumantes et éclatantes, de grandes parois rocheuses qui scintillaient sous le soleil levant. On voyait des villages accrochés aux montagnes. Et parfois le sentier que j'avais suivi lorsque j'étais allé chez Huareo et chez Ameyro. J'aimais tellement ces paysages et cette île, que j'en avais par moment le cœur chaviré de joie. J'ai décidé que si je parvenais avec la grâce de Dieu à m'acquitter de ma mission je demanderais à l'Amiral qu'il me donne la Jamaïque, comme il avait donné la Saona à son ami Michel de Cueno. Je me voyais assez bien en seigneur de cette île, la plus peuplée, la plus belle des Caraïbes. J'établirais ma capitale sur les hauteurs toujours venteuses et fraîches de Santa Gloria. J'aurais des esclaves remplis d'amitié pour moi. Et des femmes, beaucoup de femmes…

En attendant, je craignais que mes rameurs, en retrouvant leurs familles, ne soient dissuadés de partir avec nous. C'est le contraire qui s'est produit. Au cours des deux jours que nous avons passés chez Ameyro, tous les jeunes hommes des villages environnants sont venus nous offrir leurs services. J'ai compris plus tard la raison d'un tel engouement.

Nous avions atteint la pointe de l'île, à deux jours de rame de chez Ameyro. Nous devions nous reposer un jour ou deux avant d'entreprendre notre traversée. J'étais allé marcher le long de la plage qui est en cet endroit beaucoup plus régulière et sablonneuse que dans la baie de Santa Gloria. À un mille environ de notre campement, j'ai trouvé un sentier que par curiosité j'ai emprunté. Il m'a rapidement conduit par une pente raide à un autre sentier qui courait sur les hauteurs parallèlement à la côte. Je venais de m'y engager pour rentrer retrouver mes compagnons quand j'ai entendu au loin un coup de feu. J'aurais pu penser que Flisco venait d'abattre un sanglier ou quelque oiseau. Mais j'ai eu tout de suite un mauvais pressentiment. J'ai pressé le pas, en suivant le sentier plutôt qu'en rentrant par le bord de l'eau. Quand je suis arrivé aux abords de notre campement, j'ai vu en bas sur la plage déserte notre canot sans amarre dont la marée montante commençait à soulever l'arrière et qui bientôt serait poussé de travers sur la plage. Je n'osais m'approcher avant d'avoir un peu mieux compris ce qui se passait.

Je cherchais comment descendre sans être repéré, quand soudain des Indiens surgis de terre ou tombés du ciel se sont jetés sur moi, m'ont plaqué contre terre et se sont assis sur moi. J'en avais un sur chaque jambe, sur chaque bras, et deux ou trois sur les épaules et le dos. Ma capture avait été si subite que je n'avais pu proférer un son. Tout s'était passé dans un parfait silence.

Dès qu'ils m'eurent immobilisé, les Indiens se sont mis à chuchoter entre eux très vivement. J'ai vite compris qu'ils se disputaient. Ils semblaient excessivement nerveux. J'ai réussi à me dégager du fessier qui m'empêchait de respirer et l'Indien que j'avais ainsi dérangé n'a pas osé se rasseoir sur ma tête. J'ai même cru voir qu'il me regardait d'un œil absolument effaré. Il était tout jeune, douze ans, je dirais. Les autres continuaient de chuchoter; le ton montait. Puis l'un d'eux, le plus lourd, qui trônait sur mes reins, les a fait taire. Il s'est levé, à mon grand soulagement. Il avait une poignée de petites pierres blanches qu'il a fait rouler sur le sol et qu'il a ramassées une à une en désignant chaque fois par son nom l'un des Indiens qui me tenaient prisonnier. J'ai compris qu'il tirait au sort pour savoir lequel d'entre eux me mettrait à mort. Et je me suis demandé comment il procéderait. J'étais couché sur mon coutelas que, je crois, ils n'avaient pas vu, tant ils étaient fébriles.

Je crois en Dieu. Je crois que Dieu est en nous. J'avais à ce moment si peur et si peu d'espoir que je me suis recommandé à Lui et me suis abandonné à sa Sainte Miséricorde. Tout ce que j'ai fait par la suite, je l'ai fait sans réfléchir; c'est Dieu qui en moi agissait; c'est Lui qui a guidé chacun de mes gestes.

La terre contre laquelle j'étais immobilisé était molle et humide et offrait une assez forte pente. Depuis que ma tête et mes reins étaient dégagés, je pouvais librement respirer. Par miracle, aucun de mes membres immobilisés n'était tordu ou endolori. Mon pied droit était fermement appuyé contre une pierre ou contre le tronc d'un arbre. Et dans ma main gauche je serrais une racine que je sentais solide. Pendant un assez long moment, Dieu a fait que je suis resté parfaitement immobile, je dirais même détendu, n'opposant aucune résistance à mes agresseurs. Puis brusquement, au moment où je m'y attendais le moins, Il a tendu tous mes muscles. Ma jambe droite s'est brusquement redressée, ma main gauche s'est cramponnée à la racine. J'ai roulé sur moi vers le bas de la pente entraînant dans ma chute un Indien qui par peur, je pense, s'agrippait à moi de toutes ses forces. La pente était très raide; nous glissions vers la falaise; nous tombions en tournoyant dans un bruissement de feuilles et de branches cassées. Il est arrivé la tête la première sur les galets de la plage et moi sur lui, l'assommant net.

Puis je courais sur la plage. Flisco me voyant venir sortait en courant lui aussi du couvert des arbres où il s'était embusqué, il se postait près du canot, son arquebuse pointant la forêt derrière moi. Mais personne ne m'avait suivi. Nous libérions deux Indiens que Flisco avait attachés au fond du canot, leur donnions des coups de pieds et de poings pour qu'ils rament plus vite et aussi parce que nous étions effrayés et en colère... Nous poussions notre canot hors de la baie. Je voyais au bas de la falaise le corps inerte de l'Indien qui avait déboulé avec moi. Flisco me racontait comment il avait mis les Indiens en fuite en tirant de l'arquebuse et fait deux prisonniers et forcé l'un d'eux à ligoter l'autre, et l'avait ensuite assommé avant de le ligoter à son tour, puis s'était caché pour attendre mon retour, car il ne savait de quel côté j'étais parti.

C'est alors que Dieu m'a rendu à moi-même et que j'ai compris que je venais encore une fois par un grand miracle d'échapper à la mort. Moi, je vous le jure, je n'avais rien fait. Que me remettre dans les mains du Dieu vivant. J'avais perdu mon coutelas dans ma chute. Mais je n'avais rien, pas une égratignure digne de ce nom.

Nos deux prisonniers pleurnichaient, surtout celui que Flisco avait assommé et qui portait une large ecchymose sur le côté du visage. Ils nous parlaient dans leur langue que nous comprenions assez pour savoir qu'ils nous demandaient de les laisser se reposer. Mais chaque fois qu'ils faisaient mine de s'arrêter de ramer, Flisco les frappait au visage. Ou moi, je le faisais. Durement. Ils ont ramé sans arrêt toute la nuit. Flisco et moi dormions à tour de rôle. Mais pendant la journée, nous avons dû les laisser se reposer un peu, de peur de les perdre. Nous ne pouvions seuls diriger notre embarcation.

Le lendemain, dans la nuit, nous arrivions chez Almeyro. Dans l'aube naissante, nous sommes montés jusqu'au village en silence, nos deux prisonniers bâillonnés, mains liées dans le dos. Nous sommes entrés tous les quatre dans la hutte d'Ameyro que Flisco a réveillé d'un grand coup de pied. Il m'a tout de suite reconnu. Je pense qu'il ne comprenait vraiment pas ce qui se passait. C'est un timide, je l'ai dit. J'ai pensé alors que ses hommes avaient fomenté ce complot contre nous à son insu.

Dieu n'était peut-être pas en moi, à ce moment-là, autant qu'Il l'avait été au haut de la falaise où j'avais été fait prisonnier,

311

mais je le sentais à nos côtés. Bien que nous ayons peu dormi, Flisco et moi, je nous sentais forts, déterminés, durs comme le fer.

Flisco, qui était sorti de la hutte pour aller pisser, est revenu en courant. Il m'a arraché l'arquebuse des mains, en même temps qu'il ouvrait à coups de pieds le mur de branchage de la hutte d'Ameyro, il a tiré à l'aveuglette et s'est mis à courir en direction de son tir après avoir laissé tomber l'arquebuse que j'ai tout de suite rechargée. Je l'ai suivi.

Il tenait par les cheveux un Indien qui hurlait si fort qu'on devait l'entendre jusqu'à Santo Domingo. Le coup d'arquebuse l'avait frappé plutôt faiblement au mollet. C'était la peur, plus que la douleur, qui le faisait hurler. Flisco a tiré si fort ses cheveux qu'il lui a arraché le cuir de la tête. Mais l'autre n'a pas eu le temps de s'enfuir bien loin. Flisco a couru sur lui et l'a fait trébucher. C'est alors seulement que j'ai reconnu cet Indien, c'était un guerrier de Huareo, ce gros lard qui m'avait fait avaler du feu quand j'étais allé commercer chez lui et qui m'avait donné une vieillarde pour que je prenne mon plaisir avec elle. Mais je n'étais pas au bout de mon étonnement.

« Regarde ce qu'il avait sur lui », me dit Flisco.

À deux pas du sauvage, dans l'herbe, mon coutelas.

* * *

C'était donc ce chien de Huareo qui, connaissant l'expédition que nous avions entreprise, nous avait tendu cette embuscade après avoir débauché nos rameurs. Ses autres guerriers ne pouvaient pas être bien loin. Sous la menace de notre arquebuse, Ameyro nous en a livré deux qui s'étaient cachés parmi les siens. Nous leur avons coupé les oreilles et le bout du nez, de même qu'à celui à qui Flisco avait arraché la chevelure, et nous les avons renvoyés au cacique Huareo leur chef, afin qu'il comprenne ce qu'il en coûte de s'en prendre aux Chrétiens.

Nous avons dormi dans la hutte d'Ameyro. Moi d'abord, pendant que Flisco veillait. Puis nous avons mangé. Et dormi encore à tour de rôle pendant un jour et une nuit et encore un jour.

Ameyro nous a donné douze rameurs frais et dispos qui se sont relayés jour et nuit. Et nous sommes rentrés à Santa Gloria. On nous fit un bel accueil, mais tout le monde évidemment était cruellement déçus. Sauf Flisco et moi. Les aventures que nous venions de vivre nous avaient revigorés. Nous savions maintenant que notre embarcation tenait bien la mer, qu'elle était assez rapide. Nous savions surtout que Dieu était à nos côtés. Et les Indiens, contre nous. Nous savions aussi que nous repartirions dans quelques jours. Et que nous réussirions. Ces choses-là se sentent.

Terreros allait un peu mieux. Mais il était faible comme un agneau naissant. Et si maigre que nous n'avons pu, Flisco et moi, réprimer notre rire en sa présence. Il riait lui aussi. Flisco lui a coupé les cheveux et la barbe et nous l'avons emmené marcher sur la plage jusqu'à l'embouchure du ruisseau, où l'eau est douce et bien fraîche, et il s'est lavé enfin, car il était d'une formidable saleté. Nous lui avons nettoyé ses vêtements aussi et son hamac. Il riait, mais il avait par moment des accès de toux qui le laissaient pantois.

Il a cependant écrit à sa femme et à ses enfants une belle lettre que Flisco a expédiée en Espagne dès notre arrivée en Hispaniola. Il n'est pas impossible que les agents d'Ovando l'aient interceptée et lue. J'ose croire cependant qu'ils l'ont ensuite acheminée à la famille de Terreros, car elle ne contenait que de tendres aveux et des vœux de bonheur.

Nous avons acheté un second canot du village voisin de Maïma avec lequel Bartolomé avait su développer de très amicales relations. On nous fournit également huit autres rameurs. Flisco et moi en aurions ainsi chacun dix. Et, afin que nous puissions contenir et diriger ces équipages, l'Amiral adjoignit à chacun de nous six Chrétiens armés. Nous serions ainsi dix-sept hommes par canot. De plus, il fut entendu que Bartolomé constituerait une petite armée qui nous escorterait jusqu'à la pointe de l'île. Au retour, il ferait des représailles chez Huareo et Ameyro, « aussi délicates que possible », avait recommandé l'Amiral qui ne voulait surtout pas que ce conflit dégénère en guerre ouverte. Nous avions tous remarqué que les peuples de la Jamaïque, contrairement à ceux de l'Hispaniola, vivaient en bonne intelligence et qu'ils étaient, grâce à ce magnifique réseau de sentiers qui couvrait toute leur île, en constantes relations les uns avec les autres.

* * *

Chaque fois que dans ma vie j'ai dû accomplir quelque entreprise hasardeuse ou fastidieuse, que ce soit dans mes études, dans mon travail de notaire ou dans ces missions que me confiait l'amiral Colomb, je me la suis d'abord représentée comme plus difficile qu'elle n'était en réalité, afin qu'une fois dedans, je sois soulagé de la trouver aisée. Quand, à l'université, mes maîtres devaient faire l'examen de mes connaissances, j'imaginais chaque fois qu'ils seraient avec moi d'une effroyable sévérité. De même, avant d'entreprendre cette traversée, j'ai longuement (il faut dire que j'ai eu amplement le temps) imaginé les pires horreurs, des tempêtes, de grands vents contraires. Il n'y eut rien de cela. Il y eut pire.

Mon esprit revenait toujours à cette île mystérieuse dont m'avait parlé l'Amiral. Par moments, je souhaitais qu'elle ne soit pas là. Au retour, je dirais à Colomb : « Vous m'avez trompé. » Puis j'aimais mieux qu'elle y soit, car je ne croyais pas possible de faire cette traversée d'une seule traite. J'avais calculé qu'il nous faudrait passer au moins cinq jours en mer. Notre pire ennemi serait la chaleur et le soleil, qui non seulement nous mettraient à dure épreuve mais feraient rapidement pourrir nos vivres et croupir notre eau.

Nous devions partir à la tombée du jour. Mais le jour était gris, il y avait même un petit vent frais qui nous venait de l'ouest. J'ai décidé d'en profiter et j'ai devancé notre départ. Quand la nuit est venue, nous avions perdu de vue les montagnes bleues de la Jamaïque.

Cette première nuit en mer s'est bien passée. Nous avons même pu hisser nos voiles basses et prendre de travers notre petit vent de l'ouest qui semblait bien établi. Mais dès les premières heures du jour suivant, j'ai su que ce serait l'enfer. Le vent était tombé tout à fait. Il faisait si chaud que nous en avions tous mal au cœur et à la tête. À tour de rôle, nous allions nous reposer à l'abri du soleil dans les cabanes de branchages que nous avions construites à la proue de nos embarcations. Mais c'était suffocant, sans vent nulle part, avec toute cette lumière brutale qui nous brûlait les yeux et la peau. Nous avons nagé un peu, mais je crois que c'était pire ensuite, à cause du sel.

Vers midi, au moment le plus chaud de la journée, j'ai entendu crier Flisco. Je l'ai vu debout dans son canot qui frappait ses rameurs à grandes claques derrière la tête.

« Ils ont bu toute leur eau, Diego. Ils n'ont plus d'eau, ces imbéciles. »

Il pleurait de rage. J'ai crié aux Espagnols qui l'accompagnaient de l'empêcher de frapper trop durement les Indiens. Nous en avions encore besoin.

Lorsque je constatai que les miens non plus n'avaient plus d'eau, j'eus moi aussi envie de les frapper à tour de bras. J'avais sous mon banc un petit tonneau de réserve, mais je ne pensais pas au départ devoir l'ouvrir avant le troisième jour. Le pire était qu'ils ne comprenaient pas notre colère. Ils nous regardaient d'un air stupide.

J'aurais pourtant dû y penser. J'avais vu agir les Indiens au cours des voyages que nous avions faits le long de la côte jamaïcaine. Ils buvaient et mangeaient dès qu'ils avaient soif et faim, de sorte qu'il avait fallu aller à terre à deux reprises pour faire de l'eau. Les sauvages ne savent pas ce qu'est le sacrifice ou le renoncement, ils ne savent pas faire l'économie de leurs forces ou de leurs vivres. Et je pense que c'est la grande différence entre eux et nous. Las Casas dit que c'est parce qu'ils ne savent pas mesurer le temps; et qu'ils n'ont pas de passé, pas d'histoire. Je dis que c'est parce qu'ils sont incapables de faire des projets ou des conquêtes comme nous en faisons.

Aujourd'hui, dans cette éprouvante oisiveté qui m'est imposée, je pense souvent à tout cela avec un certain émerveillement. En compagnie de Las Casas, je m'embarque dans de longues et passionnantes discussions sur les Indiens. Je me dis que c'est heureux qu'ils soient faits autrement que nous. Mais ce jour-là sur la mer, entre la Jamaïque et l'Hispaniola, je ne trouvais pas cela amusant du tout.

Nous avons, Flisco et moi, placé nos canots côte à côte pour parler un peu. Il avait lui aussi un tonneau de réserve. Nous avons averti nos Espagnols qu'ils ne devaient pas compter sur ces réserves. Nous les gardions pour les Sauvages. Mais nous en ferions nous-mêmes l'économie. Nous avons décidé qu'ils n'auraient rien avant le lendemain matin.

Au coucher du soleil, chacun des Espagnols a pris sa ration d'eau. Nous avons bu lentement, en poussant de grands soupirs de satisfaction devant les Sauvages qui nous regardaient en pleurnichant.

Dans la nuit, notre seconde nuit en mer, l'un des Indiens est mort. Je l'ai fait jeter par-dessus bord.

La journée suivante fut horrible. Nos rameurs pleurnichaient sans arrêt. Et nos coups n'avaient plus aucun effet sur eux. Afin d'éviter tout complot, nous les avons tenus au silence. C'était une précaution bien inutile. Ils n'avaient plus aucune force. Quand ils ramaient, c'était machinalement, mollement. Plusieurs d'entre eux se laissaient tomber au fond de nos canots où ils gisaient inertes. De temps en temps, leurs compagnons les aspergeaient d'eau de mer. Plusieurs d'entre nous étions pris de vomissements et de subites diarrhés, comme si nos corps n'avaient pu retenir le peu d'eau qu'ils ingurgitaient.

Pour la troisième fois, la nuit est tombée sur nous. Il était difficile d'évaluer la distance parcourue. Il y avait peu de vent; nous pensions, Flisco et moi, que nous nous trouvions dans un courant contraire qui retardait notre avance. Mais, même en tenant compte de ce courant, nous calculions avoir fait au moins 60 milles, plus de la moitié du chemin. Et l'île dont m'avait parlé l'Amiral n'était toujours pas en vue. Il m'avait donc menti. Il savait qu'au moment où je réaliserais qu'il n'y avait pas d'île entre la Jamaïque et l'Hispaniola, nous aurions franchi le point de non-retour et que notre salut dès lors se trouverait, si faible fût-il, du côté de l'Hispaniola. Cependant la haine très vive que j'ai à ce moment-là éprouvée pour l'Amiral s'est dissipée sitôt que la fraîcheur de la nuit nous a enveloppés.

J'ai fait donner de l'eau aux Indiens, même à ceux qui se mouraient ou feignaient de mourir. Cette nuit-là, il fut entendu que nous ramerions à tour de rôle pendant de courtes périodes. C'était notre dernier espoir. Si nous parvenions à faire une vingtaine de milles avant le matin, nous serions probablement en vue de l'Hispaniola. Mais si au lever du jour on ne voyait encore que la mer vide partout autour de nous, je savais que nous en serions tous profondément abattus au point que nos vies seraient alors en grand danger.

C'est un Indien qui un peu avant minuit est venu me secouer et, me tenant le visage à deux mains, a dirigé mon regard vers la lune qui se levait sur la mer, droit devant nous. Il y avait comme une petite incrustation mate dans sa lumière. Un cap ! Presque au même moment quelqu'un a crié de l'autre canot. « Un cap ! Là-bas ! »

Ce n'était pas l'Hispaniola. C'était l'île dont m'avait parlé Christophe Colomb, l'île de l'Amiral.

* * *

Nous avions comme Jonas passé trois jours et trois nuits dans le ventre de la Bête. Mais nous étions enfin au bout de nos peines, libérés.

L'abordage a été difficile. Nous étions tous épuisés. Et il n'y avait pas de plage nulle part. L'île de l'Amiral était un gros rocher haut et lisse qui n'avait de végétation qu'à son sommet, un plateau rêche et sec long d'environ un demi-mille, d'où nous avons aperçu, sous le soleil levant, à une trentaine de milles dans l'est, le cap Saint-Michel, l'Hispaniola, enfin.

Nous étions convenus avec l'Amiral que sitôt vue cette île, Flisco rentrerait à Santa Gloria prévenir nos compagnons de la réussite de notre mission, pendant que je continuerais vers Santo Domingo où j'affréterais une caravelle. Mais lorsque Flisco a parlé de cette convention à ses hommes, qui jusque-là en ignoraient tout, ils ont tous dit qu'ils n'étaient pas tenus de respecter des engagements qu'on avait pris sans les consulter et que pour rien au monde ils ne rentreraient en canot à Santa Gloria, après avoir tant souffert et si généreusement risqué leur vie. Je leur donnais raison. Flisco s'était résolu de rentrer seul avec des rameurs indiens. Ceux-ci cependant, par malice ou par bêtise, s'étaient rendus inaptes à effectuer cette traversée.

Nous avions trouvé de l'eau fraîche au creux des rochers. Ces Indiens en ont tant bu que trois d'entre eux sont morts quelques heures plus tard et plusieurs autres ont souffert d'horribles maux de ventre, si bien que le soir venu, au moment de partir, nous savions déjà qu'ils ne nous seraient plus d'aucune utilité. J'étais tenté de les abandonner sur cette île déserte afin qu'ils y trouvent la mort que selon moi ils avaient bien méritée par leur bêtise. Mais je ne sais quel sentiment de pitié m'a pris. Je les ai laissés se glisser au fond de nos canots où ils se sont recroquevillés en gémissant. Les Espagnols heureusement, et quatre Indiens moins étourdis que les autres, étaient frais et dispos. Nous avions fait du feu et pris un bon repas de conches et d'oursins. Et nous avions tous bien dormi.

Le lendemain matin, nos deux canots étaient tirés sur une plage de l'Hispaniola. Santo Domingo était encore à 350 milles, mais nous n'avions qu'à suivre la côte. Nous aurions de l'eau, des vivres, des havres. Nous étions sauvés. Les nôtres aussi qui étaient restés là-bas, à Santa Gloria. C'était ce que je croyais. J'étais bien naïf. Voilà plus de quatre mois que je suis en Hispaniola et je n'ai pas encore pu me rendre à Santo Domingo. Certains jours, je suis tenté de retourner à Santa Gloria. J'aimerais savoir ce qui s'est produit là-bas depuis mon départ. J'aimerais revoir l'Amiral et qu'il sache que Nicolas de Ovando est son seul et unique naufrageur, qu'il sache surtout que j'ai accompli la mission qu'il m'avait confiée.

3

Au cours des semaines qui ont suivi le départ de Mendez et de Flisco, la concorde a régné à Santa Gloria. Mais les jours et l'espoir passant, il était devenu de plus en plus évident que Mendez et ses hommes s'étaient perdus. Des Indiens du bout de l'île, qui étaient allés vers la haute mer, disaient avoir aperçu une embarcation renversée à la dérive. À Santa Gloria, les murmures et les grognements avaient repris.

L'opposition s'était organisée autour des frères Porras, qui n'étaient vraiment pas très intelligents, ni très vaillants, mais qui exerçaient sur les hommes, surtout sur les jeunes mousses facilement impressionnables, un puissant ascendant, parce qu'ils avaient un bagou à tout casser et qu'ils disaient posséder des relations en haut lieu. Ni l'un ni l'autre n'avaient la moindre expérience des choses de la mer. Ils n'avaient rien fait de tout le voyage. À part rappeler de temps en temps qu'ils étaient capitaine en titre de la *Bermuda* (Francisco) et contrôleur des comptes pour la Couronne (Diego). Ils refusaient péremptoirement les raisons alléguées par les frères Colomb pour avoir échoué les navires à Santa Gloria. Selon eux, qui n'y connaissaient strictement rien, la *Bermuda* aurait pu tenir jusqu'en Hispaniola. Colomb avait refusé de s'y rendre parce que, disaient-ils, il se savait interdit de séjour dans cette île. Et plutôt que de risquer là-bas sa seule vie, il avait préféré entraîner tous ses hommes dans cette misère où ils se trouvaient maintenant. L'analyse des frères Porras n'avait pas beaucoup de bon sens, mais les hommes étaient désespérés, amers, prêts à croire n'importe qui, à tenter n'importe quoi...

On faisait et refaisait l'inventaire des erreurs commises par Christophe Colomb; on faisait et refaisait le compte des morts dont il était plus ou moins directement responsable, depuis les massacres de la Navidad jusqu'aux guerres du Xaragua et du Veragua, en passant par les épidémies d'Isabela, les exécutions de Santo Domingo, les noyades de La Huerta; on faisait le compte des navires perdus depuis le naufrage de la *Santa Maria*; on critiquait les politiques qu'il avait adoptées à l'égard des Indiens, trop dures ou trop conciliantes, jamais efficaces; on rappelait en se moquant sa crise de larmes devant les Rois catholiques après que Bobadilla l'eut renvoyé en Castille enchaîné; on calculait l'or et les perles qu'il avait ravis à la Couronne espagnole; on disait qu'il avait amassé un trésor fabuleux, qu'il avait trahi, que Mendez était allé prévenir ses complices; que ceux-ci bientôt viendraient à son secours, et ce serait la guerre; on imitait son accent, sa démarche hésitante, ses doigts crochus, ses regards enflammés, son dos voûté, on disait qu'il était juif, on le haïssait passionnément. On voulait le tuer. Mais on avait peur. On ne savait pas tuer un Chrétien. On résolut de l'abandonner.

Les mutins avaient un plan d'une formidable simplicité. Ils allaient se trouver des canots, à Maïma ou ailleurs, et tenter comme Mendez et Fieschi la traversée vers l'Hispaniola. Ce n'était pas parce que ces deux-là n'avaient pas réussi que la chose était impossible.

Certains cependant craignaient de s'embarquer dans cette aventure et disaient que, si on arrivait à Santo Domingo sans les frères Colomb, on serait accusés de désertion et de mutinerie et pendus. Mais les frères Porras prétendaient connaître les odieux dessous de cette histoire. Ils disaient que rien ne ferait plus plaisir au Roi que de savoir les Colomb réduits à l'impuissance sur une île sauvage.

« À Santo Domingo, nous serons reçus en héros, je vous le jure, disait Francisco Porras. Surtout si Colomb n'est pas avec nous. Ovando ne veut pas le voir. Il lui a refusé l'accès du port de la ville. C'est pour ça que nous sommes ici aujourd'hui. Tant et aussi longtemps qu'il sera parmi nous, nous devrons croupir dans ces limbes, nulle part on ne voudra de nous, ni en Hispaniola, ni en Castille. Nous sommes les otages de Colomb. Nous devons nous débarrasser de lui. Partons d'ici.»

Parce que l'amant de ses sœurs, Alonso de Morales, trésorier royal, lui avait longuement parlé de la disgrâce dans laquelle était tombé Colomb et de l'embarras dans lequel il mettait le Roi et toute l'Espagne avec ses Capitulations de Santa Fe, Francisco Porras s'était cru investi d'une importante mission et en était venu à se prendre pour une sorte d'espion appointé par la Maison des Indes. Il devait, au cours de ce voyage, confondre Colomb, amasser les preuves de sa duplicité, de sa traîtrise, de l'ambition qu'il avait de se tailler aux Indes un empire personnel au détriment de Ferdinand d'Aragon.

Depuis que l'Amiral lui avait retiré sa capitainerie, au tout début de ce voyage, Porras s'était retranché dans une parfaite oisiveté d'où il observait son homme sans relâche. Il s'était convaincu peu à peu que Colomb, se sachant perdu, avait décidé d'entraîner tout le monde avec lui. Vingt fois, cent, mille fois, Porras avait fait le projet de le tuer. Et alors, il sortirait les hommes de Santa Gloria et, après une épique traversée, arriverait à Santo Domingo où il serait salué comme un grand héros. Plus tard, en Castille, il deviendrait un intime du Roi qui lui confierait d'autres missions, des secrets, des pouvoirs…

Mais, aussi mauvais assassin que mauvais marin, il n'avait pas osé, pas réussi. D'une certaine manière, il avait échoué, lui aussi. Il ne serait pas l'assassin de Christophe Colomb. Pas directement. Colomb mourrait de sa belle mort, mais au moment que lui, Francisco Porras, aurait choisi. Il avait en tête une idée diabolique.

On savait à quel point l'amitié qui liait les Chrétiens et les Indiens était fragile. Depuis quelques semaines, la plupart des Indiens manifestaient en effet beaucoup moins d'enthousiasme pour la pacotille chrétienne. Ils avaient tous, même les enfants, une clochette de bronze au cou et des billes de verre, des miroirs et de la passementerie à ne savoir qu'en faire, des galons rouges et dorés, des gants... Ils n'en voulaient pas plus.

Avant de quitter la Jamaïque, Porras achèverait de briser ces liens. Ses hommes incendieraient quelques villages, violeraient, tueraient. Les Indiens en représailles attaqueraient Santa Gloria. Ou au moins, ils rompraient les ententes et cesseraient d'approvisionner les Chrétiens. Colomb et ses hommes, tous déjà considérablement affaiblis, n'auraient cette fois aucune chance de s'en sortir. En moins de deux semaines, ils seraient morts.

« Partons d'ici, disait Porras aux conjurés. Et oublions-le avec ses malades et ses amis. Personne d'autre que lui ne sera tenu responsable de sa perte. »

La conspiration commença à prendre forme un peu avant Noël. Le 2 janvier 1504, Francisco Porras se rendit à l'aube sur la *Capitana*. L'Amiral était couché, perclus d'arthrite, fiévreux.

« Nous rentrons en Hispaniola, lui dit Porras.

– Ce n'est pas possible, pas en cette saison, souffla l'Amiral.

– Parlez pour vous, Colomb. Vous ne pouvez pas rentrer en Hispaniola, vous, ni en cette saison, ni en aucune autre. Vous le savez. Je le sais aussi. Quant à nous, personne ne nous a interdit l'accès à Santo Domingo. Nous partons. Vous restez ici.

– Au nom de qui parles-tu ?

– Au nom de tous ceux qui voudront me suivre. »

D'un bond, Porras fut à la proue de la *Capitana* qui dominait la plage et cria aux hommes qu'il rentrait en Castille... De partout, on entendit alors crier « moi aussi », « moi aussi », « moi aussi », 48 fois. Même s'ils ne s'étaient pas bien préparés, les mutins étaient maîtres de la situation. Bartolomé, le seul homme du clan des Colomb qui aurait pu être vraiment dangereux, était entouré de sept ou huit d'entre eux. D'autres se trouvaient avec Porras près de l'Amiral et de Fernando. D'autres contrôlaient la plage et l'autre caravelle...

Le pauvre Terreros, que tous ces cris avaient sorti de sa torpeur d'agonie, demandait qu'on lui apporte une épée. « Je veux tuer, je veux tuer », disait-il de sa grosse voix sourde. Mais toute résistance eut mené à un massacre dont le clan Porras serait certainement sorti vainqueur.

« Partez, dit l'Amiral à Porras.

– Restez, lui répliqua celui-ci. »

Bartolomé, Chavez, les deux Génois, quelques mousses restés fidèles aux Colomb, s'étaient retirés avec leurs armes sur le château arrière de la *Capitana*. Les frères Porras, Ledesma, quelques autres, discutaient nerveusement à savoir s'il fallait les désarmer, ce qui impliquait qu'on les tue, car jamais Bartolomé ni Chavez n'accepteraient de rendre leur épée. Et si on tuait Bartolomé, il faudrait ensuite les tuer tous. C'était risqué. Bartolomé Colomb était un tueur dangereux, déterminé. Les mutins avaient peur de lui. Jamais les Porras, leurs chefs, n'avaient tué un Chrétien, ni Ledesma, ni aucun d'entre eux. Ils étaient maîtres de la situation, mais ne savaient qu'en faire. Ils s'emparèrent d'une dizaine de petits canots que l'Amiral avait achetés aux Indiens et quittèrent Santa Gloria, dans le plus grand désordre, nerveux, effrayés autant qu'enivrés par leur propre audace, entonnant des chants de Castille, plus pour se donner du courage que pour manifester leur joie.

Restaient 29 hommes sur la *Capitana* et 19 sur la *Bermuda*, 48 en tout, comme les mutins. Plus de la moitié étaient invalides, certains mourants. Colomb fit transporter tout son monde sur la *Capitana*. Il posta des veilleurs jour et nuit à chaque extrémité de la baie. Il mit son équipage sur un pied de guerre.

Au cours des jours suivants, les Indiens des villages de la côte avec lesquels on avait des ententes commerciales arrivèrent les mains vides en disant que des Chrétiens étaient venus chez eux, qu'ils s'étaient emparés de leurs canots et de tous les vivres qu'ils possédaient, et ils leur avaient dit d'aller se faire payer par l'Amiral et, si l'Amiral n'était pas content, de le tuer. Mais les Indiens ne voulaient pas qu'on les paie. Ils ne voulaient pas non plus tuer l'Amiral. Ils voulaient qu'on leur rende leurs canots. Ils prévenaient les Chrétiens que l'entente qu'ils avaient avec eux était rompue.

Plus tard, d'autres vinrent de plus loin qui racontaient qu'on avait saccagé leurs jardins et brûlé leurs maisons. On pouvait ainsi suivre la progression des mutins le long de la côte. Plus ils s'éloignaient de Santa Gloria, plus ils s'enhardissaient. Bientôt, les messagers parlèrent de pillage et de mise à sac systématique, de viols, de meurtres... On sut que les mutins avaient recruté de force une cinquantaine de rameurs, qu'ils avaient tué Huareo, qu'ils s'étaient établi au village d'Ameyro, à la pointe orientale de l'île, où ils attendaient un vent favorable pour s'élancer vers l'Hispaniola.

Les Indiens cessèrent de venir à Santa Gloria. Les Chrétiens, plus que jamais isolés sur leur caravelle, s'attendaient à voir appaître la mort chaque fois qu'un frémissement agitait les grands arbres de la forêt de la baie de Santa Gloria...

C'était la fin. À moins d'un miracle.

« Prions », dit l'Amiral.

Le miracle se produisit. Il s'appelait Banaboa.

* * *

Banaboa était cet Indien que l'Amiral avait bien connu lorsqu'il était venu pour la première fois en Jamaïque, lors de son second voyage. Fasciné par les Chrétiens, leur langage, leurs vêtements, leurs armes, par leurs vaisseaux surtout, Banaboa avait alors abandonné femme et enfants pour se joindre à l'équipage de Colomb. Quelques jours plus tard, sur la côte de Cuba, il s'était enfui. On ne l'avait jamais revu.

Or voici que, près de dix ans plus tard, fin janvier 1504, Banaboa se présentait à Santa Gloria et demandait à voir l'amiral Colomb. Celui-ci fut proprement estomaqué. D'autant plus que Banaboa, autrefois timide et silencieux, très effacé, était devenu un cacique haut en couleurs, lourdement maquillé, accompagné d'une quinzaine de guerriers qui lui obéissaient au doigt et à l'œil.

Il s'excusa auprès de l'Amiral de s'être enfui autrefois. Mais il ne pouvait, disait-il, vivre heureux sans les siens. Il raconta qu'il avait fait tout seul le voyage de retour. Cent milles, quatre jours et quatre nuits seul en mer sur un canot qu'il avait gréé à la façon chrétienne, avec un petit mât et une voile.

Dans son village, qui portait encore le nom de Bon Temps, que lui avait autrefois donné l'Amiral, il avait retrouvé sa femme et eu d'autres enfants. Il était devenu grand cacique régnant sur tout l'ouest de la Jamaïque, région que les naufragés ne fréquentaient pas du tout, car elle se trouvait la plus éloignée de l'Hispaniola où ils continuaient d'espérer pouvoir se rendre un jour. Santa Gloria était en effet tout entière tournée vers l'Orient, vers l'Europe, et n'avait établi de liens d'aucune sorte avec les villages situés plus à l'Ouest, comme si l'idée même de l'Ouest était morte ou totalement oubliée, l'Est représentant à lui seul toute la réalité, tout l'espoir, le seul avenir.

Banaboa savait depuis longtemps déjà que des Chrétiens se trouvaient naufragés sur la côte de la Jamaïque. Lorsque l'Amiral lui demanda pourquoi il avait tant tardé à lui rendre visite, il répondit en toute candeur qu'il avait peur de succomber de nouveau aux charmes des Chrétiens. Mais pourquoi avait-il finalement changé d'idée ? Il ne répondit pas. Il regarda longuement l'Amiral, si vieux, si triste et brisé. Et il fondit en larmes. Il s'informa de l'Indien Diego Colón, qui appartenait à l'Amiral et avec lequel il s'était autrefois lié d'amitié. L'Amiral lui dit la vérité: qu'il avait été battu à mort par des Chrétiens parce qu'il voulait défendre son maître. Le cacique de Bon Temps pleura encore. L'Amiral lui narra ses propres malheurs. Et lui demanda de l'aide, bien humblement. Banaboa lui donna sur-le-champ les onze guerriers qui l'accompagnaient et promit d'organiser rapidement un nouveau réseau d'approvisionnement.

Dès le lendemain quatre Indiens partaient pour le bout de l'île afin de s'enquérir des mutins. On sut que Porras et ses hommes avaient par trois fois échoué dans leur entreprise de quitter la Jamaïque. Et qu'ils n'essaieraient probablement plus. Ils avaient en effet perdu la plupart de leurs rameurs indiens. À chacune de leurs tentatives, de forts vents contraires les ayant forcés à rebrousser chemin et menaçant de chavirer leurs canots surchargés, ils jetaient quelques-uns de leurs Indiens à la mer, ne gardant que ceux dont ils avaient besoin pour ramener leurs embarcations à terre. S'ils se révoltaient, les Indiens étaient impitoyablement exécutés. Après un mois, les mutins n'avaient plus qu'une dizaine de rameurs, des êtres soumis, pleutres et faibles.

À la mi-février, ils erraient à travers le pays d'Ameyro. Sans doute incapables d'établir des relations commerciales avec les Indiens, ils étaient réduits au pillage et devaient se déplacer sans cesse, les villages saccagés devenant forcément improductifs. Ils ne semblaient pas vouloir se rapprocher de Santa Gloria, de peur sans doute de devoir affronter les hommes de l'Amiral et leurs nouveaux alliés indiens.

Grâce à Banaboa, les Chrétiens de Santa Gloria avaient réussi à rétablir avec les villages voisins des relations satisfaisantes. Mais après quelques semaines, s'étant rendu compte qu'ils n'avaient rien à gagner dans ces échanges, les Indiens recommencèrent à se montrer négligents et arrogants. Ils avaient remarqué que la consommation d'un seul Espagnol équivalait à celle d'au moins vingt Indiens. Ils n'avaient pas l'habitude de faire des provisions et ils ne savaient pas travailler la terre pour en tirer d'abondants produits. Encore une fois, les Chrétiens se voyaient acculés à la famine.

Alors un événement se produisit qui allait une fois de plus confirmer l'Amiral dans cette opinion que Dieu veillait sur lui et sur les siens. Et qu'on pouvait toujours trouver dans les livres les solutions et les réponses dont on avait besoin.

* * *

L'Amiral avait à son bord un vieil exemplaire du calendrier astronomique de Johannes Müller, astronome et mathématicien allemand, mort une trentaine d'années plus tôt, connu des intellectuels européens auprès de qui il faisait encore autorité sous le nom de Regiomontanus.

Comme tous les penseurs de son siècle, Regiomontanus avait rêvé d'élaborer une représentation du monde qui tienne compte des grandes théories astronomiques mises au point par les savants du monde antique et qui soit en même temps conforme à l'enseignement des prophètes. Il avait traduit Ptolémée, Archimède, Euclide, lu et relu Augustin, Thomas d'Aquin, Pie II. À travers eux, il cherchait la Parole, le Verbe du monde. Car les Européens, avant de voyager sur la mer Océane pour aller voir comment le monde était fait, ont d'abord tenté d'en connaître les arcanes par la recherche purement intellectuelle, comme s'ils avaient voulu s'épargner les difficultés et les dépenses du voyage. Ils remuaient toutes choses sous leurs signes, noms ou symboles, sans le contrepoids des actes réels.

Colomb avait été formé à cette école de pensée qui privilégiait la réflexion intellectuelle au détriment de l'observation empirique. Et, comme beaucoup d'hommes de son temps, il hésitait entre deux représentations souvent contradictoires du monde : celle qu'il avait trouvée dans les livres, celle qu'il avait découverte dans ses voyages. Longtemps, il n'avait cru qu'aux livres, refusant le témoignage de ses sens. Mais au cours de cette dernière année, il en était venu à douter, non plus de la réalité mais des livres.

Ainsi, chaque fois qu'il ouvrait l'Almanach de Regiomontanus, il se trouvait plongé dans un abîme de perplexité. Pour la première fois de sa vie, ayant franchi depuis longtemps déjà le cap de la cinquantaine, il se mettait à douter de cette représentation du monde que lui proposaient les savants et les prophètes. Il s'était rendu à l'évidence que cette autorité, qui depuis si longtemps et avec tant de force s'imposait à lui, se fondait en fait sur une grande ignorance et beaucoup de prétention. Dans la lettre aux Rois qu'il avait confiée à Diego Mendez, il avait écrit qu'il se croyait désormais en mesure de corriger les visions et les conceptions anciennes de l'univers, car il avait réellement vu de ses yeux comment le monde était fait. Il avait compris, lui le premier, que la terre n'était pas tout à fait ronde, mais qu'elle avait la forme d'une poire, au sommet de laquelle se trouvait le Paradis terrestre.

Fernando cependant fréquentait toujours assidûment les livres que l'Amiral tenait dans sa cabine. Féru de mathématiques, il s'amusait pendant des heures à parcourir les

Éphémérides de Regiomontanus qui donnaient pour jusqu'au milieu des années 1530 les dates et les heures des éclipses totales ou partielles de la lune et du soleil, à Nuremberg et à Salamanque.

Un jour, il informa son père que, selon Regiomontanus, il devait y avoir une éclipse totale de lune le 29 février 1504. Huit jours plus tard. Malgré le profond malheur dans lequel il se trouvait, l'Amiral restait curieux des secrets du monde. Il fit avec Fernando le projet de calculer grâce à cette éclipse la distance à laquelle il se trouvait de l'Europe. Il lui suffisait en effet de faire la différence des heures entre celle indiquée par Regiomontanus pour Nuremberg ou Salamanque et celle à laquelle l'observation serait faite en Jamaïque et de multiplier par 15, chaque heure correspondant à un arc de 15 degrés du globe terrestre, pour obtenir sa position par rapport au méridien de Nuremberg ou de Salamanque.

À deux reprises, Christophe Colomb avait fait de semblables calculs. Les deux fois, selon Fernando et Bartolomé, il s'était lourdement trompé, parce qu'il était mal équipé, qu'il se trouvait sur des navires en mouvement et qu'il ne connaissait pas l'heure exacte. Mais le 29 février 1504, bien préparé, bien installé, il pourrait enfin réussir l'opération.

Il mourrait sachant où il se trouvait. C'était pour lui, qui avait passé plus de la moitié de sa vie en des lieux vagues et incertains, une espèce de réconfort.

* * *

Qui sait comment naissent et voyagent les idées ? Et d'où elles viennent ? On dirait des vaisseaux qui parfois relâchent dans ces ports que sont les esprits des hommes. Et alors elles entrent en eux et y débarquent leur cargaison de joie, d'exaltation.

Le matin du 27 février, l'Amiral est dans son lit. L'aube commence à poindre, violente, excessive, comme toujours sous ces basses latitudes. En quelques minutes, on passera de la nuit profonde au grand jour, du silence lourd et opaque à un éclatant concert de cris et de chants. C'est un moment très excitant, où l'esprit, détaché des préoccupations quotidiennes et encore tout enveloppé de sommeil, est toujours très accueillant.

L'Amiral donc est étendu dans son hamac, l'esprit au repos. Et alors il sent l'idée entrer dans son esprit. Sa respiration se fait plus rapide. Il est debout, fébrile; il arpente le pont de la *Capitana*, enjambant les hommes encore endormis.

« Fernando, Fernando, réveille-toi. Apporte-moi le Regiomontanus. »

On vérifie. Le 29 février 1504, éclipse totale de lune, un peu avant minuit. C'est dans le livre. Regiomontanus appartient peut-être à un autre âge, il n'est jamais sorti de la vieille Europe, il n'a rien vu, mais au cours des trente dernières années, Christophe Colomb a pu maintes fois vérifier la justesse de ses Éphémérides.

« Va me chercher Bartolomé. Vite ! Et réveille-moi Chavez. Et Luigi et Fulvio. Réveille tout le monde. »

À la première heure, ce même jour, Colomb fait savoir aux caciques et aux notables des villages environnants qu'il veut les voir tous à Santa Gloria dans deux jours avec tout leur peuple car il a une nouvelle extrêmement importante à leur communiquer et qu'il leur a préparé une grande fête. Dans l'après-midi, il restera longtemps enfermé dans sa cabine avec deux interprètes indiens à qui il explique longuement ce qu'ils devront dire à leurs congénères lors de la rencontre. Il les fait ensuite séquestrer afin qu'ils n'aillent pas divulguer le secret qu'il leur a confié.

Ils seront tous là deux jours plus tard, le 29, tous les caciques des environs avec leurs femmes, leurs notables, leurs enfants. L'Amiral les fait attendre un long moment, jusqu'à la tombée du jour. Puis il sort de sa cabine. Il porte un pourpoint, un chapeau, des gants écarlates. Depuis la proue de la *Capitana* il s'adresse à la foule en castillan. Pendant que les interprètes traduisent, Colomb observe sur le visage des Indiens l'effet de ses paroles.

Ses paroles font rire. Certains invectivent les interprètes. Mais quand la lune se lève à l'Orient, tous se taisent et la regardent en silence. L'Amiral se retire dans sa cabine, pendant que les interprètes répètent son message aux Indiens.

« Le Dieu des Chrétiens qui est au ciel récompense les bons et punit les méchants. L'Amiral lui a parlé. Ce Dieu est en colère contre vous parce que vous ne respectez pas les accords conclus avec les Chrétiens. Pour vous montrer sa puissance, Il va cette nuit enlever la lune du ciel. Si dans trois jours, vous refusez toujours de nourrir les Chrétiens, ses amis, il enlèvera aussi le soleil de votre ciel et tout sera plongé dans l'obscurité. »

Or la lune monte dans le ciel, claire et pleine. Soudain, une ombre rougeâtre s'attache à son bord et grandit sur elle comme un chancre et finalement l'avale toute. Les Indiens, saisis d'une sainte terreur, cachent leurs femmes et leurs enfants dans la forêt et reviennent en pleurant près de la *Capitana*. Ils sont à genoux dans le sable nauséabond de la plage, ils se frottent aux flancs du navires, ils supplient l'Amiral de parler à son Dieu. Ils promettent des montagnes de hutías grillés, de gâteaux de yucca, de poissons frits ou frais, tout ce que vous voulez, Grand Amiral de la mer Océane. Pour rien, pour la lune.

Et l'Amiral, levant les bras au ciel, la leur rend.

4

Cette même nuit, 29 février 1504, Diego Mendez, Flisco, Ovando, plus de deux mille hommes et femmes se trouvaient sur les remparts de Santo Domingo d'où l'on pouvait observer l'éclipse de lune dans toute sa splendeur. Ce fut un moment extraordinaire, inoubliable. L'armée chrétienne était entrée le jour même dans la Capitale des Indes. Toute l'Hispaniola était enfin pacifiée.

Santo Domingo fit un chaleureux accueil à Mendez, Flisco et leurs hommes, beaucoup plus qu'aux jeunes et valeureux soldats de l'armée pacificatrice qui, après une campagne de plus d'un an, avait enfin réussi à mater définitivement les rébellions indiennes. Le récit que les compagnons de Colomb firent de leurs aventures, de l'expédition du Veragua, de la guerre de Belén, du naufrage à Santa Gloria, leur donnait aux yeux de tous un immense prestige et, au grand désespoir du gouverneur Ovando, grandissait plus encore le personnage déjà légendaire quoique controversé de Christophe Colomb.

Santo Domingo était en train de devenir ce que les frères Colomb avaient jadis rêvé qu'elle fût, une ville capitale administrée par des fonctionnaires compétents, l'arrêt obligé des grandes caravelles entre la vieille Europe et l'inconnu. Chaque mois, quelques centaines de jeunes hommes y débarquaient.

La plupart d'entre eux ne pensaient qu'à repartir le plus rapidement possible. Les uns, bouleversés, pour rentrer en Europe et n'en plus jamais ressortir. Les autres, la plupart, pour aller plus loin encore, vers le jamais vu, l'innommé, le parfaitement sauvage. Malgré les bons salaires offerts et les bénéfices de toutes sortes, il était de plus en plus difficile de retenir ces jeunes gens à Santo Domingo. La ville était donc devenue un lieu de passage. Et c'est ça qui, aux yeux de Mendez et de Flisco, depuis près de deux ans éloignés de l'Europe, la rendait si excitante. Ils se trouvaient à nouveau branchés sur la Chrétienté.

Mendez rencontrait régulièrement Ovando qui aimait sa conversation et son esprit, qui lui prêtait ses chevaux et ses livres et l'invitait régulièrement à sa table. Le gouverneur cependant voyait d'un mauvais œil l'amitié de Mendez et de Las Casas. Il n'aimait pas les remontrances et les admonestations par trop virulentes que lui faisait ce dernier, qui avait recommencé à critiquer ouvertement son administration. Il avertissait Mendez « bien charitablement » que s'ils faisaient mine, « vous et votre Las Casas », de soulever les esprits faibles de la colonie en se servant comme levier du nom de l'amiral Colomb, il les ferait mettre aux fers sans hésiter. Mendez était prudent. Mais l'oisiveté à laquelle il était confiné lui pesait. Fin mars, il avait déjà lu deux fois plutôt qu'une tous les livres de la bibliothèque personnelle du gouverneur.

Ovando lisait, au grand étonnement de Mendez, des livres de chevalerie, des cantilènes et des romanceros dans lesquels erraient des héros incorruptibles et invincibles qui vivaient de l'air du temps, toute une littérature inspirée de Lancelot du Lac et de Roland. Mendez n'avait jamais tellement prisé ce genre de littérature dont les intellectuels si raffinés de Florence ou de Venise faisaient des gorges chaudes. Il avait quand même tout lu avidement, non pas que ces historiettes à l'eau de rose et ses héros pâmés l'aient de quelque manière touché, mais il avait l'impression de découvrir à travers eux une âme, un homme, Ovando, qu'il rejoignait dans ses pensées, dans ses rêves, dans son intimité.

Et il avait fini par éprouver une espèce de sympathie pour lui. Il savait bien sûr que dans la réalité, Ovando n'avait rien de chevaleresque. C'était un froid administrateur, rigide, pas très rieur, bassement calculateur. Rien à voir avec ces héros fous d'absolu, cherchant partout l'aventure. Mais Mendez savait désormais que derrière cette façade, il y avait un homme, un cœur, un rêveur. En lui ouvrant sa bibliothèque, c'était sans doute ce qu'Ovando souhaitait qu'il découvre.

« En fait, ce que je lis, avait dit Mendez à Las Casas, ce ne sont pas des romans de chevalerie. Je lis un homme, je lis Ovando lui-même.

– Il te laisse lire en lui, disait Las Casas, parce qu'il sait bien que, connaissant ses rêves, tu ne chercheras pas à lui nuire. C'est très habile de sa part. »

Las Casas, lui, n'était vraiment pas très habile. En quelques semaines, il avait réussi à se faire d'indéfectibles ennemis à Santo Domingo. N'eût-été le respect qu'on portait à son nom, il aurait certainement été mis aux arrêts et renvoyé en Espagne. Il avait retrouvé sa verve et sa vigueur d'antan. Il était plus que jamais arrogant avec tout le monde, surtout avec son ancien esclave Oabo qu'il croisait parfois dans les rues de la ville, mais aussi avec la plupart des fonctionnaires du Roi et de la Maison des Indes, avec les jeunes hidalgos fraîchement débarqués à qui il reprochait de se comporter en conquérants dans un pays qui ne leur appartenait pas. Lui qui avait toujours détesté les armes de toutes sortes avait maintenant l'habitude de porter un long coutelas à la ceinture.

« Je ne frapperais jamais personne avec cette arme, disait-il à Mendez. Mais si jamais la Doña de Oabo m'attaque, je la tue. »

À Santo Domingo, Las Casas avait des terres qu'il tenait de son père, ancien compagnon de l'amiral Colomb. Il cherchait le moyen de mettre ce domaine en valeur. Mais il manquait de ressources et de connaissances. Le pays avait été dévasté par la pacification. Le village indien attaché au domaine des Las Casas avait été totalement détruit. Il avait entrepris des démarches pour obtenir une autre encomienda et des serfs indiens. Ovando, qui voulait se débarrasser de lui, commençait à trouver l'idée assez intéressante.

« Vous voulez une encomienda, Las Casas. On vous en donnera une. À Cuba. Ça vous va ? »

Ça lui allait parfaitement.

« Que voudrait-il que je fasse d'une encomienda en Hispaniola ? demandait Las Casas. Ce crétin a tué tous les Indiens de l'île. Il n'y a plus personne pour travailler la terre ici, plus personne ne connaît le nom et l'usage des arbres et des plantes de cette île, ni ses animaux, ni rien… C'est cela qui m'enrage, vois-tu, Mendez ? Il y a dix ans, cette île était encore vivante. Aujourd'hui, tout est à recommencer. Il faudra tout réapprendre et tout refaire. Même le réseau de sentiers qui permettait d'aller partout facilement et rapidement est détruit ou abandonné. Nous sommes des sauvages imbéciles. Dans quelques mois, ce sera la famine, parce que nous ne savons pas cultiver cette terre qui n'a rien à voir avec celle sèche et froide de l'Andalousie ou de l'Aragon. »

Il rêvait parfois de son village indien où il ferait régner la paix, l'harmonie… Les Indiens lui appartiendraient, il les aurait convertis à la Foi du Seigneur Jésus, mais il vivrait comme eux. Ils auraient leurs champs, leurs pêches, leurs ateliers, aucun lien économique avec l'Espagne. Bien que toujours très pieux, Las Casas ne pouvait s'empêcher de critiquer la Chrétienté.

« La Chrétienté fait une grave erreur en s'imaginant qu'elle est toute l'Humanité, qu'elle est seule au monde, et que tous les autres hommes, je pense à ces Indiens par exemple, ne font pas partie du monde. Nous allons le regretter, Mendez. Je te dis qu'il y a quelque chose de plus vaste que la Chrétienté, qui regroupe tous les hommes de toutes les races, même les Noirs de Guinée. Actuellement, la Chrétienté se comporte avec une intolérable suffisance, comme une totalité. Je te dis, moi, que ce ne sera plus longtemps possible. »

Mendez avait une furieuse envie de rentrer en Europe. Contrairement à Las Casas, il croyait que le monde là-bas était meilleur et plus heureux que jamais.

« Comment peux-tu dire une chose pareille ? demandait Las Casas, indigné. Ce que tu appelles le monde, c'est l'Europe, évidemment. Les Indiens, eux, ne sauraient être heureux, puisque nous leur arrachons leur âme. L'Europe non plus, par conséquent, ne saurait être heureuse. Comment un monde qui anéantit tout un peuple peut-il prétendre être devenu meilleur ?

— En te portant à la défense des Indiens, tu travailles à l'amélioration et au perfectionnement du monde ! Vrai ou faux ?

— Je veux travailler au perfectionnement du monde. C'est vrai. Mais je ne crois pas pour autant que demain le monde sera meilleur et plus heureux.

— J'ai déjà parlé de ces choses avec l'Amiral, disait Mendez. Il croit, lui, que c'est un grand péché que de penser qu'on peut améliorer le monde et perfectionner l'œuvre du Créateur. Selon lui, le monde n'est pas perfectible, il est immuable, parce que d'ordre divin. Il dit que nous devons tenter de le comprendre, non de le changer.

— C'est pourtant ce qu'il a fait, lui. Il a changé le monde, en voulant le comprendre.

— Et il n'a rien compris. Et ça ne lui pas donné grand-chose. »

* * *

Une rumeur née en Espagne et qui courait depuis déjà quelque temps à Santo Domingo vint à plusieurs reprises frôler les oreilles de Mendez : la famille Pinzón avait intenté un procès à Christophe Colomb. On prétendait que le vrai découvreur de la route des Indes était Martin Alonzo Pinzón. Colomb avait bien sûr contribué de façon importante à cette découverte. Mais il n'aurait été en fait qu'un collaborateur de Martin Alonzo, lequel avait fait l'erreur de mourir quelques jours après le retour, laissant à son associé toute la place, tout le crédit de la découverte. La famille Pinzón prétendait que Martin Alonzo avait lui-même déterminé la route suivie en 1492 et que c'était depuis le navire qu'il commandait, la

Pinta, que Rodrigo de Triana avait, dans le nuit du 12 octobre, aperçu pour la première fois les côtes pâles et plates des Indes. Elle demandait donc qu'on reconnaisse Martin Alonzo comme le véritable découvreur du Nouveau Monde et qu'on lui élève une statue à Palos, sa ville natale. Et, magnanime, elle renonçait à tout autre privilège ou bénéfice, pas de titre, pas de terre, pas un grain d'or.

Mendez, homme de loi rompu aux manigances et aux tractations, comprit tout de suite qu'il y avait du Ferdinand d'Aragon derrière ça. Si on parvenait en effet à faire la preuve que Pinzón avait découvert les Indes avant Colomb, les Capitulations de Santa Fe ne tiendraient probablement plus. Le roi Ferdinand ne serait plus forcé de partager l'or des Indes avec lui. Colomb d'ailleurs ne serait plus amiral, ni vice-roi, ni gouverneur. Il n'aurait plus aucun privilège, aucun titre. Il ne serait plus que le second de Pinzón.

Ni Mendez, ni Las Casas, ni Flisco, n'avaient connu Pinzón. Mais ils avaient tous en tête, comme tous ceux qui à l'époque s'intéressaient le moindrement aux Indes, les péripéties et les incidents du premier grand voyage de découverte. Las Casas surtout qui, dans les premiers temps qu'il était aux Indes, encore tout exalté par son grand projet de livre sur les Indiens, avait recopié de larges extraits du journal de bord de ce premier voyage qu'il avait emprunté au petit Fernando. Quelques semaines plus tard, hélas ! le texte original allait être emporté par les torrents de boue de l'ouragan qui avait déferlé sur Santo Domingo; emportées aussi la copie qu'en avait faite Las Casas, les journaux de bord des deux autres voyages de l'Amiral et une importante documentation sur les Indes et ses habitants. Au cours des jours suivants, malgré la confusion et la commotion régnant dans la ville, Las Casas avait tenté de reconstituer le premier journal de mémoire. Le résultat était un document lacunaire qu'il avait aujourd'hui en sa possession.

Ainsi, ce fameux ouragan de juillet 1502 n'avait pas seulement détruit la flotte commandée par le capitaine de Torres, tué 500 personnes et englouti l'or des Indes, il avait aussi infléchi d'une certaine manière le cours de l'histoire.

« L'histoire est ce qui est écrit et noté, essentiellement. Ce sont les notaires qui amassent les matériaux dont est formée l'histoire », pensait Mendez. Or l'ouragan avait effacé à jamais un important chapitre de cette histoire, avait détruit, pulvérisé d'irremplaçables matériaux. Mendez avait tout de suite compris que les avocats de Ferdinand combleraient à leur convenance cette lacune. Rien, à part les témoignages d'hommes souvent hostiles à l'Amiral et la version toujours contestable de Las Casas, que l'on ne manquerait pas de considérer comme partial, étant donné les liens étroits qui depuis deux générations unissaient sa famille et celle de l'Amiral, ne permettait désormais de reconstituer les faits.

À Séville, au cours des mois précédant le départ, Mendez avait à plusieurs reprises pressé l'Amiral de faire imprimer ses journaux et de déposer ses originaux devant notaire. Le père Gaspar Gorricio qui considérait, comme beaucoup de religieux et d'intellectuels rétrogrades, que la presse à imprimer était une invention satanique, l'en avait chaque fois dissuadé.

Par ailleurs, le petit Fernando n'avait pu retrouver à la Maison des Indes les copies de ces journaux signées de la main de l'Amiral. Mendez était persuadé qu'on les avait détruites, comme on voulait détruire l'Amiral. L'histoire désormais était à la merci du plus fort, qui était libre de la modeler à sa guise, de la réécrire à son avantage.

Tout était limpide et, pour Mendez et Las Casas, parfaitement évident. Lors du premier voyage, Martin Alonzo Pinzón qui commandait la *Pinta* s'était à deux reprises écarté du navire amiral et avait tenté de trouver seul la route des Indes. De cela, Las Casas était absolument sûr. Pinzón avait vraiment tout fait pour rentrer en Espagne avant Colomb… Selon Mendez, il était fort plausible qu'il ait été dès le début de cette aventure stipendié par Ferdinand d'Aragon, lequel avait toujours amèrement et presque ouvertement regretté d'avoir signé les fameuses Capitulations de Santa Fe le liant à Colomb. Il suffisait que quelqu'un d'autre réalise la découverte, pour que ce maudit traité devienne caduc et non avenu.

Mais Pinzón avait échoué. Au retour, en mars 1493, de grosses tempêtes l'avaient écarté de la *Niña* et porté sur la côte galicienne tout au nord de l'Espagne, de sorte qu'il avait pris deux jours de retard sur l'Amiral. Certains disaient qu'il était mort de dépit autant que de la vérole. Colomb, plus heureux que Pinzón, avait touché la côte portugaise juste au nord de Lisbonne où il était entré, et il avait tout de suite fait connaître sa découverte aux Rois catholiques, à son protecteur Luis de Santangel, à ses amis franciscains de la Rabida, de sorte que le 13 mars 1493, lorsqu'il entra à Palos, la nouvelle de son exploit était déjà criée et publiée à travers toute l'Europe. Dix ans plus tard, Ferdinand d'Aragon appelait encore les Pinzón à la rescousse dans l'espoir d'infirmer les Capitulations et de rayer de cette histoire le nom de l'amiral Colomb.

Quant à la reine Isabelle, elle n'avait plus beaucoup d'intérêt ni d'autorité en ces matières. Elle était triste et seule. Depuis le départ de ses enfants, elle s'était réfugiée dans la prière. Il n'y avait désormais qu'un roi en Espagne, Ferdinand d'Aragon, le plus farouche ennemi qu'aura eu Christophe Colomb de toute sa vie.

5

Lorsque, le 23 août 1500, Francisco de Bobadilla débarqua à Santo Domingo avec mission royale de faire enquête sur l'administration des frères Christophe, Bartolomé et Diego Colomb, il aperçut sur la rive droite de la rivière Ozama, juste sous les remparts à peine commencés de la ville, cinq Chrétiens qui se balançaient au bout d'une corde. Dans la petite prison de la toute nouvelle capitale des Indes, il devait en trouver cinq autres attendant le même sort, condamnés à mort pour activités subversives par le gouverneur Christophe Colomb. Bobadilla les fit tout de suite libérer. Parmi eux se trouvait un certain Diego de Escobar.

Après sa libération, interdit de séjour en Castille où il était également sous le coup d'une condamnation à mort, le truand Escobar décidait de s'établir à Santo Domingo, dont il était l'un des plus anciens habitants. Il avait assisté à la chute des frères Colomb. Il était là et souriait de son plus mordant sourire le jour où on les avait enchaînés et menés à bord de la *Gorda Maraña* qui devait les ramener en Europe.

Quatre ans plus tard, en mars 1504, le successeur de Bobadilla, Nicolas de Ovando, décidait d'envoyer aux nouvelles à Santa Gloria, dans l'île de la Jamaïque, où depuis près de neuf mois l'amiral Colomb se trouvait naufragé avec une centaine de ses hommes. Il confia cette mission à nul autre que Diego de Escobar, jadis condamné à mort par celui que tout le monde à Santo Domingo, tant par dérision que par pitié, n'appelait plus que le Naufragé.

On comprit immédiatement qu'il ne s'agissait pas, avec Escobar dans le décor, d'une véritable opération de secours, mais au mieux d'une simple vérification, à savoir si Colomb était bel et bien mort à Santa Gloria. Certains même chuchotaient qu'il était plutôt question d'une exécution, que Diego de Escobar avait été chargé d'assener le coup de grâce à Christophe Colomb. C'était pousser un peu loin. Escobar ne pouvait quand même pas sans autre forme de procès exécuter près de cent Chrétiens. Mais ce n'était un secret pour personne que le gouverneur Ovando espérait faire savoir en Espagne que la route vers la fortune et la gloire était enfin libre.

Diego Mendez, inquiet, aurait voulu partir avec Escobar. Ovando s'y opposa fermement. Escobar souriait, comme toujours; il partit avec un équipage très réduit, mais armé jusqu'aux dents, six Chrétiens, quelques Indiennes pour le service et le plaisir, sur une toute petite caravelle qui n'avait même pas de nom, qui n'était même pas bénie. Cinq jours plus tard, suivant la route que lui avait indiquée Mendez, il se trouva devant Santa Gloria. C'était la nuit. Il avait repéré les feux qu'on tenait toujours allumés dans l'espoir chaque jour plus faible que des secours arrivent. Les naufragés n'aperçurent la petite caravelle que longtemps après le lever du soleil, quand elle n'était plus qu'à un demi-mille de leur campement. Ils la regardèrent s'approcher en silence. Pas de pleurs, pas de cris. Le cauchemar était fini, croyaient-ils, les pauvres fous.

Escobar mit une barque à l'eau et vint se ranger près de la *Capitana*. L'Amiral le reconnut tout de suite à son sourire, l'inoubliable et troublant sourire du beau Diego de Escobar qui lui mettait la bouche légèrement de guingois et découvrait, avec une exaspérante lenteur, ses petites dents très blanches et acérées.

On ne comprenait pas trop ce qu'il était venu faire là, avec cette petite caravelle sans nom, sans couleurs, avec des filles indiennes à bord, nues, qui riaient. Était-ce le hasard qui l'avait poussé à Santa Gloria ? Était-il en mission commandée ? Envoyé par Mendez ? Par Ovando ? Chassé peut-être lui aussi de Santo Domingo pour quelques nouveaux crimes ?

« Vous allez bien, capitaine ? » dit-il à l'Amiral.

Sans écouter la réponse fort aimable et courtoise que lui faisait Colomb, il promena longuement son regard sur les deux caravelles échouées, pourries, entourées d'immondices, et sur les hommes hâves qui le considéraient en silence. Puis il hocha la tête d'un air exagérément approbateur, avec beaucoup de moquerie dans son sourire et, faisant un grand clin d'œil à l'Amiral, il lui dit :

« Pas mal, pas mal du tout, votre petite colonie, mon capitaine. C'est vraiment très très bien, très réussi ! J'en parlerai à mon Seigneur le gouverneur Ovando. Je crois qu'il aura du mal à contenir sa joie quand je lui dirai que vous vous en êtes si bien tiré. »

Colomb qui aurait, on s'en doute bien, donné pas mal cher pour l'égorger de ses propres mains, lui demanda avec beaucoup de civilité des nouvelles des Rois catholiques et du gouverneur Ovando et du cardinal de Fonseca et ce qui se passait à Santo Domingo et en Castille, dans le monde…

« Je ne vois pas Francisco Porras », dit tout à coup Escobar d'un ton sec et tranchant. « Où est mon bon ami Francisco Porras ? Je veux lui parler, capitaine, vous m'entendez. Mon Seigneur Nicolas de Ovando, gouverneur de Santo Domingo par la grâce des Rois catholiques, m'a dit que Francisco Porras était le plus sensé de vos hommes et que je devrais m'enquérir auprès de lui des résultats de votre expédition.

– Les frères Porras et leurs amis sont partis vivre chez les Sauvages. »

La voix de l'Amiral tremblait, ses mains aussi, ses lèvres tremblaient, ses pensées, son âme.

« Si je comprends bien, mon capitaine, reprit Escobar, ils vous ont laissé tout seul avec les malades. Ce n'est pas très gentil de leur part. Quels vilains garçons, ces Porras, n'est-ce pas ? »

Escobar se retourna vers sa caravelle qui se dandinait sur les flots bleus juste à l'extérieur de la baie et fit de grands signes de la main. Une autre barque fut mise à l'eau et s'approcha. On fit monter à bord de la *Capitana* un gros morceau de lard salé et deux petits tonneaux de vin.

« Tenez, c'est pour vous, mon capitaine. Des gracieusetés du gouverneur Ovando, qui m'a chargé de vous dire que vos hommes Diego Mendez et Bartolomé Fieschi se sont proprement acquittés de leur mission et qu'ils viendront vous chercher dès qu'ils pourront affréter une caravelle. À moins que vous ne préfériez vous installer ici définitivement. C'est très joli ici, vous savez.

– Dans combien de temps selon vous ?

– Dans combien de temps quoi ?

– Dans combien de temps Mendez et Flisco pourront-ils affréter une caravelle ?

– Dès qu'il se trouvera une caravelle libre à Santo Domingo.

– Quand, à peu près ? Je vous demande ceci parce que, comme vous pouvez par vous-même le constater, plusieurs de mes hommes sont gravement malades. Et les Indiens s'agitent. Nous sommes ici depuis neuf mois, vous savez. Ce fut très dur pour nous tous. Y a-t-il souvent des caravelles disponibles à Santo Domingo ? »

Escobar prit le temps de lisser sa fine moustache avant de répondre :

« Bien sûr ! Chaque fois qu'il plaît à votre bon ami, le gouverneur Nicolas de Ovando, il y a une ou trois ou même cinq ou dix caravelles disponibles à Santo Domingo. »

Jamais de toute sa vie Christophe Colomb n'avait été à ce point humilié. Mais il devait continuer d'être aimable, flatter bassement. Heureusement que son frère Bartolomé n'était pas là, parti à la recherche des mutins, Bartolomé, pour se battre, les tuer, très fâché, Bartolomé. Il aurait tout gâché. Il aurait tué Escobar. Il se serait emparé de sa caravelle. Il serait rentré à Santo Domingo…

C'était peut-être cela justement qu'il fallait faire, se disait l'Amiral, tuer Escobar. N'était-il pas condamné à mort par le légitime gouverneur de l'Hispaniola, le seul et unique vice-roi des Indes, Christophe Colomb lui-même ? Et ce Bobadilla,

qui avait levé la sentence, n'était-il pas un vulgaire usurpateur sans génie et sans gloire ? Il était évident que Diego de
Escobar était venu à Santa Gloria dans l'espoir de constater
la mort de Colomb et qu'il rentrerait à Santo Domingo en
disant qu'il fallait patienter encore quelques mois, que cette
mort tant attendue ne saurait tarder.

« Voulez-vous venir à mon bord ? » demanda l'Amiral à
l'homme souriant et arrogant qu'il avait autrefois condamné
à mort. Il se voulait charmant. Son sourire tremblait. Il était
vieux, fatigué…

« Hélas, mon capitaine, j'aimerais bien, mais je ne puis
accepter votre invitation, malgré le vif désir que j'en ai. Mon
Seigneur, le gouverneur de Santo Domingo, m'a formellement interdit de fouler le pont de vos caravelles, comme il
vous a interdit, je crois, d'entrer à Santo Domingo. »

Colomb écrivit à Ovando une lettre polie et implorante,
véritable kyrie eleison, dont Escobar consentit à se charger.
Mais il refusa, par pure méchanceté, pensa l'Amiral, de
donner aux naufragés la moindre nouvelle de ce qui s'était
passé en Espagne depuis deux ans qu'ils étaient partis, rien
sur leurs familles ou leurs amis, rien sur les Rois catholiques,
rien sur les Indes, ni sur Ovando ou sur Bobadilla, rien pour
Bartolomé sur la princesse Anacoana, rien pour Fernando sur
Bartolomé de Las Casas et les journaux de bord qu'il lui avait
prêtés, rien non plus sur la Grande Flotte qui, commandée
par Antonio de Torres, l'ami de cœur de l'amiral Colomb,
était sortie de Santo Domingo un méchant jour de juillet,
deux ans plus tôt, pour rentrer en Espagne, malgré l'épouvantable tempête qui se préparait.

Au coucher du soleil, la petite caravelle d'Escobar était
déjà loin à l'horizon. Personne parmi les naufragés n'avait
tenté de le retenir, n'avait crié au secours. Personne n'eut la
force de manifester sa peine. Ils regardèrent tous en silence la
petite caravelle s'éloigner. Un cauchemar prenait fin, un
autre commençait.

Depuis le temps qu'ils étaient coupés de l'Europe, les
naufragés avaient fini par croire qu'elle n'existait peut-être
plus, qu'elle n'avait peut-être même jamais existé, qu'elle

n'avait été qu'une vision, qu'une illusion, comme les Indes, comme ce passage vers le pays du Grand Khan, comme le Grand Khan lui-même. Malgré le doute que par son ironie perverse Escobar avait voulu semer dans leur esprit, les gars savaient maintenant qu'ils pouvaient être secourus. Ils savaient au moins qu'ils n'étaient pas totalement disparus de cette vieille Europe qu'ils venaient de redécouvrir. Ils n'étaient pas pour autant au bout de leurs peines. Ils allaient se remettre à espérer, à attendre, à scruter chaque jour la mer vide…

L'Amiral quant à lui avait enfin compris qu'il n'était pas aimé et qu'on voulait qu'il disparaisse. Comment expliquer autrement qu'on ne donne pas de caravelle à Mendez? Les Rois catholiques avaient certainement été informés de son infortune. Ils avaient eux aussi choisi de le laisser mourir. Il était de trop dans cette histoire. Il avait compris maintenant. Réaliser cela lui faisait beaucoup de bien, le durcissait. Or il avait grand besoin, en ce moment de sa vie, d'être durci et protégé, car il sentait autour de lui un grand froid, une vaste conspiration que son absence et ses malheurs avaient affermie.

Il mesurait, amusé, la vertigineuse absurdité de la situation dans laquelle il se trouvait: un Grand Amiral de la mer Océane commandant une flotte constituée de deux vaisseaux échoués et un équipage fait d'une cinquantaine d'hommes dont la très grande majorité n'étaient restés près de lui, il le savait, certains s'étaient même fait un malin plaisir de le lui dire, que parce qu'ils étaient trop gravement malades pour suivre les mutins. Il pouvait pratiquement compter sur les doigts de la main les hommes valides qui lui étaient restés fidèles: son frère, son fils, deux vieux amis de Gênes, le pilote Juan Chavez, le père Alejandro parfois qui au fond était fidèle à tout le monde, tantôt aux uns, tantôt aux autres, et rêvait d'une impossible réconciliation…

Mendez et Flisco ne reviendraient vraisemblablement jamais. Pedro de Terreros, qui avait été de toutes ses campagnes maritimes et qui s'était maintes fois battu pour lui et qu'il aurait fallu retenir tout à l'heure, s'il avait été là, pour qu'il n'écrabouille pas cet Escobar de malheur, Pedro, le gros, le bon Pedro de Terreros, était mort, quelques jours plus tôt, au petit matin, tout seul dans son hamac. Et Diego Tristan que l'Amiral aimait tant, mort à Belén, comme tant d'autres emportés par les orages ou les maladies ou tués par les Indiens.

Ils étaient maintenant moins de cent dans ce pays qui n'était pas le leur, même si l'Amiral en avait jadis pris possession au nom des Rois catholiques. Moins de cent Chrétiens. Et ils s'entretuaient! Depuis quatre mois, c'était la guerre.

6

Les Indiens avaient tendance à oublier la leçon que leur avait donnée l'Amiral lors de l'éclipse du 29 février. Ils se montraient parfois négligents et arrogants. Mais il suffisait de leur rappeler de temps en temps que le terrible Dieu des Chrétiens n'était pas content pour qu'affluent hutías et yuccas à Santa Gloria.

L'ennui cependant s'était de nouveau installé parmi les Chrétiens, un ennui mou et pesant, sans ressources, sans idée, qui pénétrait jusqu'au fond des âmes. Il pleuvait. De lourdes pluies du nord qu'on prenait de plein fouet. À la mi-mars cependant, la plupart des malades étaient rétablis. Certains songeaient même à aller rejoindre les mutins.

Un dénommé Bernal, apothicaire de Valence, être timide et discret qu'on croyait capable de résister mieux que quiconque à l'ennui et à l'oisiveté, réunit autour de lui quelques mécontents. Il s'apprêtait à déclencher une nouvelle mutinerie quand Diego de Escobar était arrivé avec sa caravelle sans nom, ses filles nues, son sourire fendant, ses deux tonneaux de vin et son lard salé. Bien malgré lui, cet animal allait donner à l'Amiral de quoi entamer de nouvelles négociations avec les mutins.

On avait appris par les Indiens que ceux-ci étaient réellement désemparés et divisés. Ils s'étaient en effet rendu compte qu'ils ne pouvaient indéfiniment piller les villages de l'île. Il leur fallait des alliés. Il leur fallait établir des relations commerciales durables avec les Indiens. Or aucun d'entre eux ne maîtrisait la langue. De plus, les Indiens en avaient tellement peur qu'ils s'enfuyaient tous à leur approche. Les mutins avaient donc fait autour d'eux un vide qui les terrorisait. Certains d'entre eux songeaient même à se rapprocher de Santa Gloria et, si possible, à rentrer en grâce auprès de l'Amiral.

Colomb leur députa deux de ses hommes chargés de son pardon général, d'un tonneau de vin et de la moitié des salaisons d'Escobar. Les frères Porras, qui devaient bien se douter qu'ils seraient exclus de ce pardon, les reçurent avec hauteur et se montrèrent exigeants. Ils voulaient des vivres, une garantie signée de la main de l'Amiral qu'aucune poursuite ne serait intentée contre eux et, advenant un règlement, les meilleures places pour eux et leurs hommes à bord de la *Capitana*. C'était trop demander; les pourparlers furent rompus.

Quelques jours plus tard, on apprit que les mutins marchaient sur Santa Gloria, seul abri commode de toute l'île, seul lien possible avec le monde. Ils avaient lamentablement échoué dans leur tentative d'émancipation. Mais ils continuaient de dire que tout était de la faute de l'Amiral.

Bartolomé, à la tête d'une petite armée constituée des onze Indiens de Banaboa et d'une trentaine de Chrétiens, partit à leur rencontre. Le heurt eut lieu dans la montagne à moins d'un mille à l'intérieur des terres, derrière le village ami de Maïma. Ce fut assez horrible. Court et horrible.

On découvrit d'abord que les guerriers de Banaboa ne savaient pas faire la guerre. Ils se préparaient longuement au combat, par des chants, des danses, ils se peinturluraient le visage et le corps, croyant ainsi effrayer leurs ennemis. Mais lorsqu'ils se trouvaient en face d'eux, ils semblaient à bout de ressources, comme si les jeux avaient été faits, comme s'ils venaient simplement constater l'effet de leurs prières et de leurs danses. Ils faisaient la guerre en l'absence de leurs ennemis, dans leurs têtes, par une sorte de conjuration.

Si leurs peintures, leurs chants et leurs simagrées avaient déjà eu quelque effet chez leurs congénères, ils n'impressionnèrent pas du tout les Chrétiens de Porras qui en tuèrent et en blessèrent gravement plusieurs et mirent rapidement les autres en fuite. Bartolomé et ses Chrétiens restaient seuls devant la horde des mutins. Ceux-ci tuèrent quelques loyalistes. Mais ils étaient mal organisés, ils n'avaient aucune stratégie. Bartolomé et ses hommes réussirent à isoler les meneurs, ce qui créa un grand désordre dans la petite armée rebelle.

À l'issue d'un corps à corps, Pedro de Ledesma tomba d'une haute falaise rocheuse et se blessa très gravement: crâne fracassé, bras cassé, mollet tranché, plante du pied arrachée, on lui voyait la cervelle et la moëlle.

Bartolomé, qui avait été témoin de sa chute, cria alors très fort que Ledesma était hors de combat, ce qui acheva de terroriser les mutins qui se voyaient privés de celui qu'ils croyaient, à tort, être leur plus vaillant guerrier. Après que Francisco Porras, le meneur, eut été fait prisonnier, ce fut la débandade générale. Porras et quelques prisonniers furent ramenés à Santa Gloria, avec les blessés. Le fidèle Chavez, un œil crevé, une lance chrétienne lui traversant le corps, mourut le soir même. L'Amiral eut énormément de peine. Chavez était en effet, à part Bartolomé et Ledesma, le dernier de ses vieux compagnons. Ledesma, lui, malgré ses très graves blessures, survécut.

Le lendemain, les compagnons de Porras, que la perspective d'errer indéfiniment dans un pays hostile effrayait, envoyèrent demander à l'Amiral qu'il les reçoive avec indulgence, affirmant qu'ils avaient un vif repentir de leurs actes de rébellion et qu'ils étaient prêts à lui jurer obéissance. L'Amiral proclama un pardon général, dont serait toutefois excepté Francisco Porras, lequel fut lourdement chargé de chaînes et tenu dans l'isolement complet. Quelques jours plus tard, l'Amiral le condamna à mort, mais consentit à suspendre sa sentence tant et aussi longtemps que les mutins se conduiraient bien. Francisco Porras, après avoir été si longtemps semeur de discorde, devenait ainsi le garant de la paix.

La plupart des mutins étaient contents que leur folle équipée soit enfin terminée. Le récit qu'ils firent de leurs misères au cours des quatre mois et demi passés hors de Santa

Gloria suffit à décourager quiconque eût été tenté de suivre leur exemple.

Il y avait près de deux mois qu'Escobar était venu, les pluies et les vents d'hiver avaient cessé, les grosses chaleurs et les calmes plats revenaient et les moustiques... et toujours pas de nouvelle de Santo Domingo, malgré les prières. L'opaque désespoir, la torpeur à nouveau... Et une troisième sédition se levait à Santa Gloria. Elle n'eut pas beaucoup d'adeptes, mais elle était fondamentale, une insurrection contre la suprême autorité des Rois catholiques, du pape, des savants et des prophètes, contre le Grand Amiral de la mer Océane. Elle était menée par un homme de 53 ans, perclus d'arthrite, tout blanc de barbe et de cheveux, la face rouge, les yeux hagards et fiévreux, très bleus, nul autre que l'amiral Christophe Colomb lui-même.

* * *

D'habitude, l'Amiral imposait d'autorité ses idées et ses volontés à son équipage. Or depuis plusieurs semaines, depuis l'éclipse en fait, il ne parlait à peu près plus jamais à qui que ce soit en particulier, pas même à Fernando son fils, ni à son frère l'Adelantado. Quand il avait quelque chose à dire, il réunissait ses hommes, leur livrait son message et n'entendait pas de réplique.

Or Bartolomé remarqua un jour que son frère, d'ordinaire si peu loquace, s'entretenait en aparté avec tout un chacun, même avec d'anciens mutins qui avaient été très durs avec lui ou avec des petits mousses auxquels il n'avait à peu près jamais adressé la parole. Que leur disait-il ?

« Il nous a dit, don Bartolomé, que nous devrions cesser d'attendre du secours de Santo Domingo et qu'il fallait abandonner l'idée de rentrer un jour en Europe... Que nous avions mieux que cela à faire... Et que nous devrions tous pour commencer devenir des païens. »

Ce que fomentait l'Amiral était une rébellion fondamentale contre lui-même, ou plutôt contre l'homme trop crédule qu'il avait été, contre tout ce à quoi il avait cru si fort depuis plus de 30 ans, contre les prophètes et les savants qu'il se reprochait amèrement d'avoir écoutés et suivis sur des chemins qui ne menaient nulle part.

Il disait en outre à ses hommes qu'ils avaient été abandonnés par la Chrétienté. Et il entreprenait de les convaincre de cesser de prier et d'espérer, leur disant qu'il fallait chercher ailleurs un autre salut. Beaucoup l'écoutaient et cessaient effectivement d'espérer, ce qui était pour eux un très vif soulagement. Les autres, les voyant en joie, suivaient leur exemple et cessaient eux aussi d'espérer. Ils ne s'arrachaient plus les yeux, chaque matin, pour voir s'il y avait une voile à l'horizon, du côté du soleil levant. Ils évitaient ainsi d'être déçus, comme ils l'avaient été si cruellement, chaque jour, chaque heure, depuis plus de dix mois.

«Nous allons partir d'ici dès que nous aurons un vent favorable, leur disait tout bas l'Amiral. Nous ferons en sens inverse le voyage de mon ami le cacique Banaboa. Nous irons à Cuba, puis nous pousserons jusqu'au bout de cette terre, vers l'ouest, là où nous mènera le vent, dans un autre monde, vous verrez.»

Bientôt, au grand désespoir du père Alejandro, une bonne moitié de l'équipage s'abstint de participer aux prières et aux chants du soir. Deux clans se formèrent, les Chrétiens irréductibles et les Infidèles néophytes. Pendant des heures et des heures, dans la chaleur poisseuse de l'été revenu, on discutait de théologie, avec une énergie dure et âpre. Bizarrement, les proches de l'Amiral, même son fils et son frère, ne le suivirent point dans cette aventure. Ils l'observaient, inquiets.

L'Amiral détruisait systématiquement les auteurs anciens qu'il avait jadis fréquentés et ridiculisait leurs représentations du monde. Il levait une véritable campagne de haine contre l'homme qu'il avait été, le ridiculisant aux yeux de tous, le traitant de vieux fou ignare et aveugle.

«Bartolomé mon frère avait raison: il n'y a rien dans les livres. Que des sottises. Je me suis trompé, je vous ai entraînés dans une histoire sordide et sans issue. Aristote, Ptolémée, Esdras, tous affirmaient savoir comment le monde était construit, mais ils ne l'avaient jamais parcouru comme nous l'avons fait, ils n'avaient jamais quitté les bords de cette mare aux grenouilles qu'est la mer Méditerranée. Ils prétendaient tout connaître des secrets du monde. Et moi, naïf, fou que j'étais, je croyais tout ce qu'ils disaient. »

Il en voulait surtout au prophète Esdras qui soutenait que le monde était fait de sept parties de terre et d'une partie d'eau.

« Nous savons bien, nous, que c'est faux. Tout ce que j'ai toujours cru et pensé sur le monde est faux d'un bout à l'autre. Je vous ai dit qu'il y avait de l'or ici, c'est faux, vous voyez bien; que nous y rencontrerions le Grand Khan, faux aussi; que nous y trouverions le Paradis terrestre et ses quatre grands fleuves et Jérusalem, faux toujours. »

Un soir, au bout d'un long monologue, il s'est emporté, sans raison apparente, contre Bartolomé qui ne lui avait pas adressé la parole depuis deux ou trois jours: « Ne parle plus jamais de la Chine devant moi, tu m'entends, Bartolomé Colomb. »

Bartolomé se demandait bien ce qui avait pu déclencher chez lui une aussi hargneuse révolte. Son frère était à nouveau la proie des grandes fièvres quartes. Mais ça ne pouvait tout expliquer. Il fallut attendre que l'Amiral entre en plein délire, pour comprendre enfin ce qui s'était passé.

Il parlait sans cesse des résultats des observations et des calculs qu'il avait effectués avec Fernando lors de l'éclipse du 29 février. Il s'était alors rendu compte qu'il n'était qu'à cinq heures, soit à peine 70 degrés des côtes les plus avancées de l'Europe, pas même le quart de la circonférence du globe. Il était donc très loin de cette Asie que, depuis 12 ans, il disait et croyait avoir atteinte. Ainsi Juan de la Cosa, ce cartographe sévillan qui, trois ans plus tôt, prétendait que ce que Colomb avait découvert au-delà de la mer Océane ne pouvait être les Indes, avait donc raison. Vespucci aussi. Et Hojeda. Et tous ces gens qu'il avait si farouchement contredits.

« Nous ne sommes pas aux Indes, ni en Chine. Marco Polo n'est jamais venu ici. Je l'avais mal lu, mal compris. Nous sommes dans une autre Création, dans l'Œuvre d'un autre Créateur. Les Sauvages qui habitent ces îles ne sont pas des fils d'Adam, comme nous. Nous sommes dans un Nouveau Monde. »

Il commença à parler du Grand Amiral de la mer Océane comme s'il avait été une autre personne. Jamais, même dans le plus secret de leurs plus féroces conversations à son égard, les hommes n'avaient parlé de lui avec autant de haine et de mépris. Jour et nuit, Christophe Colomb invectivait le Grand Amiral de la mer Océane, et se laissait parfois emporter dans un tel fou rire, en parlant de lui, qu'on ne parvenait plus à comprendre ce qu'il disait.

Puis sa fièvre empira et le terrassa. Il était à peine conscient lorsque le 28 juin 1504, un an et cinq jours après l'échouement à Santa Gloria, un petit vaisseau que Diego Mendez avait pu fréter à Santo Domingo et qu'il avait mis sous le commandement de Diego de Salcedo, un vieil ami de l'amiral Colomb, parut devant la baie de Santa Gloria, où on ne l'attendait plus.

Diego Mendez n'était pas à bord. Il était rentré en Espagne remettre aux Rois catholiques la longue lettre de Christophe Colomb.

* * *

La caravelle de Salcedo était, comme il fallait s'y attendre, afin que ne soit pas brisée l'horrible harmonie de tout ce voyage, en très piètre état, mal voilée, trop basse, pourrie, prenant l'eau, prenant mal le vent de travers. Le voyage de retour vers Santo Domingo fut long et ennuyeux, sans surprise donc, sans violence non plus, quarante-six jours de grande platitude, vent debout, dans une formidable promiscuité. Cent hommes malades et fatigués revenaient péniblement au monde.

Chacun avait de temps en temps un pincement au cœur, une sorte de trac. Jamais personne n'était resté aussi longtemps si loin des hommes et de leurs villes, si proche d'un autre monde. Pas même Ulysse, qui n'était pas sorti de la Mare aux grenouilles; ni Marco Polo, l'homme à pied, qui n'avait fait qu'aller au bout de la terre et dont les voyages n'avaient pas vraiment changé la face du monde.

Qu'allaient-ils devenir dans cet Ancien Monde maintenant qu'ils en avaient découvert un nouveau ?

L'Amiral avait repris des forces au cours de ce voyage et, se souvenant de ses derniers moments de lucidité à Santa Gloria, il avait demandé à son frère Bartolomé :

« J'ai extravagué, n'est-ce pas ?

– Oui, mais dans ton extravagance, tu disais tout compte fait plus de choses sensées que de bêtises. Pour une fois. »

Il rentrait défait, mais soulagé, presque satisfait. Il avait enfin compris la vraie nature de sa découverte. Il se sentait libre, propre. L'idée qu'il se faisait maintenant de la configuration des terres et des mers correspondait pour une fois à ce qu'il avait vu, à la réalité tangible et visible, navigable. Il n'était plus déchiré entre deux conceptions du monde, l'une écrite, l'autre faite de mers et de côtes, de terres et d'îles. Il savait, il admettait enfin que les prophètes et les saints s'étaient trompés ou qu'il les avait mal lus, mal compris. Le monde n'était pas construit selon un plan rigoureusement établi. Le monde était inachevé. Personne, pas même Dieu, ne savait comment il finirait.

On dut relâcher à deux reprises pendant plusieurs jours, pour laisser passer le vent ou faire des vivres et de l'eau. C'est ainsi qu'un soir, on se retrouva dans l'île Beata, au même endroit exactement « tu te souviens, Fernando ? » où, deux ans plus tôt, au tout début de ce terrible voyage, l'Amiral avait raconté à son fils ses retrouvailles avec Bartolomé et l'histoire de Francisco Roldan, le grand révolté, un rêveur, un dur, qui avait cru le premier pouvoir vivre sans l'Espagne, sans la Chrétienté, dans cet autre monde.

« Je sais maintenant que c'est possible », disait l'Amiral.

On savait aussi par Salcedo que Roldan était mort. Et Torres aussi, le grand ami de cœur. Bobadilla, l'usurpateur, mort lui aussi. Et le pauvre Guarionex. Tous avalés par la mer Océane.

Le 13 août, la caravelle entrait en rade de Santo Domingo. Le gouverneur Ovando vint à la rencontre de l'Amiral. Il se montra avec lui très affable et l'invita dans sa maison. Ils parlèrent longuement, comme de vieux amis. Ils visitèrent ensuite l'immense chantier presque terminé de la Torre del Homenaje, les nouveaux remparts. Ovando parlait des plans qu'il avait pour la ville, demandait conseil à l'Amiral, l'écoutait ou faisait semblant.

Le lendemain matin, il libérait les frères Porras, disant que personne d'autre que lui n'avait aux Indes le pouvoir de mettre les gens en prison. L'Amiral ne le revit jamais. Le 12 septembre, il quittait l'Hispaniola qu'il ne devait jamais revoir. Il partait avec son fils, son frère et vingt-deux de ses hommes. La majorité des rescapés de Santa Gloria, las de voyager, avaient choisi de rester à Santo Domingo.

La traversée fut très longue et tumultueuse. Ils arrivèrent à Sanlúcar de Barrameda, en Castille, le 7 novembre 1504, dans la nuit. Personne ne les attendait.

Épilogue

À Santo Domingo, tout au nord de la ville, dans le pauvre quartier Simón Bolívar, à la confluence des rivières Ozama et Isabela, il y a une toute petite rue très sale et très jolie qui porte le nom du découvreur de l'Amérique, la calle Cristóbal Colón. La rue voisine, du côté est, toute petite elle aussi, doit son nom au fondateur de la ville, Bartolomé Colón, le frère bien-aimé de Christophe, son alter ego, son homme de confiance. La Bartolomé Colón se ramifie en tortueux sentiers qui descendent vers les rivières. Elle croise en chemin la minuscule rue Anacoana.

Les rues Cristóbal Colón et Bartolomé Colón débouchent toutes les deux sur le boulevard Nicolás de Ovando, une grande artère brutale et commerciale, toujours très animée, très bruyante. Don Frey Nicolás de Ovando homme de devoir, bon administrateur, intègre et en toutes choses efficace, était un pacificateur né, « très épris de justice ». C'est ainsi en tout cas que ses contemporains nous l'ont décrit. Il a fait pendre la princesse Anacoana, en même temps que quatre-vingt caciques et leaders indiens. Rentré en Espagne en 1509, il fut royalement félicité et fait Grand Commandeur de l'ordre d'Alcántara.

Christophe Colomb était mort trois ans plus tôt, le 20 mai 1506, après avoir épuisé tout l'arsenal d'arguties juridiques imaginables pour conserver ses privilèges et ses titres, se faire payer ses royalties, poursuivre ses détracteurs, se défendre contre d'anciens compagnons qui le poursuivaient en justice, pour diverses raisons et avec plus ou moins de succès .

Il avait également relancé le roi Ferdinand à travers toutes les Espagnes. Avec toujours son fils Fernando à ses côtés. Mais le roi Ferdinand n'a plus jamais trouvé le temps de rencontrer le Grand Amiral de la mer Océane. La reine Isabelle, qui l'aurait sans doute plus volontiers entendu, est morte le 26 novembre 1504, moins de trois semaines après qu'il fut rentré de son quatrième et dernier voyage aux Indes.

Il n'était pas si pauvre ni si isolé que le veut une certaine légende misérabiliste. Il était même assez riche. Il avait rapporté beaucoup d'or du Veragua. Et il touchait de temps en temps une part de sa dîme sur les revenus royaux de l'or extrait en Hispaniola. Mais cette richesse n'était rien, si peu que pas, à côté de ce à quoi il croyait avoir droit: un dixième, plus un huitième, plus un tiers de tout ce qu'on rapportait de là-bas, or, perles, bois de brasil, tabac. Plutôt que de jouir peinardement de ce qu'il avait, qui était quand même bien, il gâcha les dernières années de sa vie à essayer d'obtenir le reste, c'est-à-dire l'impossible.

Il mourut sans avoir le plaisir de nommer ce continent qu'il avait découvert. Il n'eut pas non plus (heureusement pour lui) le temps de voir quelqu'un d'autre lui donner un nom. Ou plutôt, un prénom.

Pendant que Christophe Colomb, aveugle et goutteux, se mourait des fièvres quartes à Valladolid, un intellectuel allemand, Martin Waldseemüller, s'apprêtait en effet à baptiser le nouveau continent. Ce Waldseemüller, géographe et cartographe, qui se faisait appeler Hylacomilus (beaucoup d'intellectuels de l'époque, surtout en Allemagne, se dotait par pédanterie d'un nom latin), écrivait une introduction à une édition des œuvres de Ptolémée, l'homme dont Colomb avait par ses découvertes réfuté la représentation du monde. Hylacomilus inséra dans son texte de larges extraits des journaux du navigateur florentin, Amerigo Vespucci, à qui il attribuait tout le crédit de la découverte du Nouveau Monde.

« Comme l'Europe et l'Asie ont reçu des noms de femmes, proposa-t-il, je ne vois aucune raison pour ne pas appeler cette nouvelle partie du monde Amerigê, c'est-à-dire terre d'Amerigo, ou America, d'après l'homme sagace qui l'a découverte. »

Vespucci, grand admirateur de l'Amiral, écrivait plus joliment que lui, dans un style plus accrocheur, plus coloré. C'était un homme pratique, très méthodique et méticuleux. Contrairement à Colomb, il s'occupait personnellement des préparatifs de ses expéditions, de l'administration, du budget, du bilan. Dans ses journaux de bord, ses *Navigationes*, il se révéla un fin causeur et un doux contemplatif, un poète, dépeignant longuement les ciels des pays qu'il visitait, plutôt que les terres, et avouant sans fausse pudeur avoir été charmé par les Indiennes nues aux petits seins ronds et fermes. Avec ses écrits de texture très moderne, il a emballé l'Europe de son époque.

Colomb, austère et renfrogné, d'une pudibonderie effrayante, n'a pas su intéresser ses contemporains à sa découverte. Sauf dans son premier journal de bord, où il se laissa aller dans une sorte de délire et chanta les beautés océanes et les charmes des terres qu'il découvrait, il a toujours décrit les paysages, les côtes, les havres, les fleuves, d'un point de vue très technique de marin: profondeur, exposition aux vents, direction et force des courants, etc. Chacun de ses journaux de bord ressemblait donc à une thèse. Il voulait toujours prouver quelque chose: qu'il était bien aux Indes, que telle île ressemblait à une île décrite par Marco Polo ou que tel fleuve avait tous les attributs du Nil ou du Gange...

* * *

Sur son lit de mort, Colomb était entouré de ses proches. Des hommes exclusivement. Son frère Bartolomé, ses fils Diego et Fernando, Diego Mendez, Bartolomé Fieschi dit Flisco, quelques autres.

Il s'est tourné vers Mendez et lui a dit:

« Tu ne m'as jamais parlé de cette île, Diego Mendez, entre l'Hispaniola et la Jamaïque.

– Elle y était, Amiral.

– Tu vois, Diego Mendez, heureusement que je t'en avais parlé. Les choses dont on ne parle pas n'existent pas. »

* * *

La maison où trépassa l'amiral Colomb existe toujours. Elle est haute, très longue, dans une rue assez large, sans arbres, un grand mur grenu, crépi, d'un blanc sale. Il y a d'étroites fenêtres sur trois étages, avec des jalousies et de minces balcons comme on trouve dans tous les pays espagnols. En fin d'après-midi, le soleil dessine des espèces de cartes géographiques sur le mur écaillé. On dirait des écritures. Il y a des petits vieux tout de noir vêtus sur le trottoir; ils parlent à voix basse, comme si ce qu'ils se disaient sur la pluie et le beau temps était de la plus haute importance. Au rez-de-chaussée, il y a un café, des tables de billard. Le soir, c'est rempli de yuppies castillans et de touristes.

À deux pas se trouve la maison où Cervantes écrivit son Don Quichotte, *El Ingenioso Hidalgo don Quijote de la Mancha*. Ce héros dont les rêves et les chimères étaient constamment contredits par une implacable réalité, n'est pas sans rappeler don Cristóbal Colón de Las Indias qui, presque jusqu'à la fin de sa vie, refusa de reconnaître la réalité telle qu'elle était, disant qu'il était aux Indes alors qu'il ne s'y trouvait pas, voyant le Japon là où se trouvait Cuba, la Chine au Panama, le Paradis terrestre au Venezuela, et reconnaissant aux bouches de l'Orénoque les eaux des quatre grands fleuves du Paradis, le Tigre et l'Euphrate, le Gange et le Nil...

Valladolid est aujourd'hui une assez grosse ville sèche et poussiéreuse, au cœur de la Vieille-Castille, à plus de 200 milles de la mer. On y trouve quelques splendeurs architecturales du bas Moyen Âge et de la Renaissance. Et des industries lourdes, du métal hurlant: aluminium, construction automobile, industries chimiques. Drôle d'endroit pour mourir, Amiral!

Pendant l'été 1506, les os de Christophe Colomb ont été transportés au couvent des Chartreux de Séville où veillait toujours le bon père Gorricio qui mourra très vieux de sa belle mort, sans avoir revu l'Italie. Quelques années plus tard, on érigea dans la vieille ville un magnifique tombeau avec des anges, des trompettes et une statue de Colomb tout en haut portant la croix et la bannière, dans une pose qu'il aurait sans doute aimée, très glorieuse et flamboyante.

En 1536, ses os furent envoyés à Santo Domingo. Puis, lorsque les Français s'emparèrent de l'Hispaniola, on les transporta à la Havane où on érigea un autre tombeau. Toujours dans le grandiose. Quand les Français quittèrent Santo Domingo, en 1697 (traité de Ryswick), ne conservant que la partie occidentale de l'Hispaniola, Haïti, on rapatria les cendres de Colomb. Elles se trouvent toujours à Santo Domingo, à l'arrière de la cathédrale, dans une espèce de coffre de pirate, suspendu par les fameuses chaînes de l'Amiral, entouré d'inscriptions, de scènes de la légende colombienne...

Au cours des années 1950, un médecin américain put ouvrir ce coffre. Il y trouva des ossements d'un homme d'environ 55 ans ayant souffert de l'arthrite. Et aussi des ossement d'un homme un peu plus jeune, sans doute le fils aîné de Colomb, Diego, vice-roi du gouvernement des Indes occidentales en 1509. Diego Colón fut un piètre administrateur. N'eût été l'appui de son oncle, il n'aurait pu se maintenir bien longtemps au pouvoir. Il fut déchu de ses fonctions en 1515, moins d'un an après la mort de Bartolomé. *Qualis pater, talis filius*.

* * *

Les os du notaire Diego Mendez sont restés à Valladolid, dans un petit cimetière très ombreux. Sur sa tombe, il a fait écrire ces mots:

«Ci-gît l'honorable gentilhomme Diego Mendez, qui a grandement servi la couronne royale d'Espagne dans la découverte et la conquête des Indes avec l'amiral don Cristóbal Colón de glorieuse mémoire... Par charité, un Pater et un Ave à sa mémoire. »

Il y a, gravé dans la pierre, un canot indien, pour rappeler l'aventure qu'a vécue Mendez. Selon les plus illustres historiens de Colomb, Salvador de Madariaga et Samuel Morison, cet exploit reste « l'un des plus grands faits de bravoure de toute l'histoire maritime ».

Mendez a laissé dans sa bibliothèque, à Valladolid, des livres pieux et savants, beaucoup de philosophie, *L'Art de bien mourir* d'Érasme, des sermons et des colloques, *La Philosophie morale* d'Aristote, un livre de contemplations sur la Passion de notre Rédempteur, un traité sur la vengeance de la mort d'Agamemnon... les œuvres de Machiavel et de Thomas More qui, la même année, 1513, avaient publié deux livres remarquables, best-sellers de l'époque, *Le Prince* (la manière d'acquérir et de conserver le pouvoir) et *Utopia*, sorte de roman ancêtre de la science-fiction, dans lequel More imaginait ce que pourrait devenir le Nouveau Monde. Il proposait un plan d'organisation économique, sociale, politique et culturelle et en faisait la terre d'épanouissement d'un communisme idéal.

Lorsque Mendez mourut, en 1536, on savait déjà évidemment que le contraire exactement était en train de se produire.

* * *

Fernando, fils naturel de Christophe Colomb, son proche collaborateur, son bâton de vieillesse, ne fut pas son héritier. C'est Diego, le fils légitime, qui reçut, après d'interminables procès, les vestiges des titres et des privilèges contestés et qui les transmit à ses descendants. Ces titres ne sont plus aujourd'hui qu'honorifiques.

Fernando Colomb travailla pour Charles Quint comme conseiller aux affaires indiennes. Il voyagea avec lui à travers toute l'Europe du début du XVIe siècle, dans les cours les plus brillantes d'une époque exaltée où il a pu côtoyer de grands penseurs, de grands artistes. Il garda ses manies de collectionneur. Il fonda à Séville la célèbre Bibliothèque Colombine. Bon fils, il fit exactement ce que son père lui avait demandé, il écrivit un livre sur le Grand Amiral de la mer Océane. Il se créa, fils illégitime, un père idéal, un héros.

« Dieu fit élection de l'Amiral, mon père, comme d'une sorte d'apôtre prédestiné aux grandes choses qu'il accomplit, rendant glorieux le nom de ses ancêtres au lieu d'en recevoir le moindre lustre, et n'ayant brillé que de son propre éclat. »

Dans son *Histoire de la vie et des découvertes de Christophe Colomb*, Fernando pare son père de toutes les qualités, créant autour de lui une tradition littéraire hagiographique qui va culminer au XIXe siècle avec une foule d'auteurs catholiques constituant un lobby très actif auprès du Saint-Siège. On recommandait alors la canonisation de Christophe Colomb, qui avait apporté à l'Église catholique des millions de fidèles.

Au cours des âges, on a chargé Colomb de divers habits, de symboles, de masques, de rôles... Il est devenu une sorte de héros à tout faire, un mannequin impressionnant errant à travers l'histoire, affublé selon les époques et les auteurs des morales et des idéologies les plus diverses. Chacun fera de lui ce qu'il veut. Colomb sera un prophète et un leader comparable à Moïse pour Lamartine, un thaumaturge apostolique et un saint martyr pour Léon Bloy, un aventurier calculateur et sans scrupule pour Jules Verne, un rêveur du genre Petit Prince pour Victor Hugo, un Juif sioniste avant la lettre pour Salvador de Madariaga, un écrivain d'une puissante originalité pour Joaquin Balaguer, l'amant de la maîtresse du pape Alexandre Borgia pour Stephen Marlowe, l'amant de la reine Isabelle pour d'autres, etc.

Il y a, dans les bibliothèques sévillanes, une monumentale iconographie de Christophe Colomb. Des centaines de portraits de lui. Tous peints par ouï-dire ou en imagination. Personne en effet n'a peint l'Amiral de son vivant. Les images de lui sont donc multiples, infinies. Il est brun, blond, roux, noir, gros nez, nez long et fin, chauve, barbu, trapu, imberbe...

La vie de Colomb est jusqu'à un certain point une création née de l'imagination plus ou moins romanesque et plus ou moins honnête d'une foule d'historiens. Elle est la somme de mille et une suppositions, de désirs, d'illusions, d'erreurs, de flagrantes contradictions. Elle a dû en bonne partie être inventée, extrapolée; œuvre d'imagination, donc roman, une sorte de roman collectif inachevé qui ne nous apprend peut-être pas grand-chose sur le Découvreur lui-même, mais qui nous fournit de précieux renseignements sur l'imaginaire occidental des 500 dernières années. Dis-moi quels héros tu te donnes, je te dirai qui tu es !

Le Grand Amiral de la mer Océane a été craint et admiré de ses contemporains. Fort peu aimé cependant. Aucun de ses biographes, même parmi les plus farouchement admiratifs, n'est parvenu à nous donner de lui l'image d'un homme attachant, sauf lorsqu'on le retrouve en compagnie de ses fils, de ses frères et de quelques rares et indéfectibles amis, le père Juan Perez, Diego Mendez, le gros Terreros, quelques autres.

Envieux, amer, maladivement possessif, avide de gloire, pétri d'orgueil, violent et entêté, toujours en guerre ou en procès, contre les Indiens, contre ses associés, contre les Rois catholiques qui l'ont protégé, anobli et enrichi, dangereusement schizophrène et mégalomane, maniaco-dépressif, Colomb a, toute sa vie, jusqu'au bout de la formidable et douloureuse folie mystique dans laquelle il a sombré, tenté aveuglément d'assujettir la réalité aux inébranlables conceptions qu'il s'était forgées en lisant la Bible, *Le Livre des Merveilles du Monde* de Marco Polo et les cosmographes du Moyen Âge épris de fabuleux, de merveilleux, de chimérique.

Il cherchait le Paradis terrestre. Il a cru et clamé qu'il l'avait trouvé. Il a été long à admettre qu'il y avait « autre chose » que ce qu'il croyait découvrir avant de partir. Lorsqu'il a quitté Palos, le 3 août 1492, son idée était faite. Pour lui, la réalité était celle des livres, des prophètes et des poètes. Christophe Colomb, né l'année même où Gutenberg publiait sa fameuse *Bible latine* (le premier vrai livre imprimé de l'histoire) avait une vision livresque du monde. Il n'allait pas découvrir, mais vérifier, s'assurer (pure formalité au fond) que la réalité concordait bien avec le Livre. Il ne croyait pas au Nouveau Monde, parce que le Nouveau Monde n'était nulle part dans le Livre. Il a toujours refusé d'admettre son erreur de calcul, sa fameuse, sa géniale et féconde erreur.

Dans la lettre aux Rois catholiques, dite Lettre Rarissime, qu'il a confiée à Diego Mendez, le naufragé Colomb s'acharnait encore à démontrer que le monde était petit. Il en donnait pour preuve les calculs pourtant erronés de Marin de Tyr, et réfutait péremptoirement ceux, remarquablement précis, qu'avait faits Ératosthène plus de trois siècles auparavant et ceux de Ptolémée cent ans plus tard.

Fort de ses erreurs de calcul et de jugement, il affirmait que la terre n'avait pas plus de 18 000 milles de circonférence à l'équateur (elle en a 25 000) et que la distance par l'Ouest entre l'Espagne et les Indes, où était allé Marco Polo deux siècles plus tôt, n'excédait pas 2 700 milles. Il fallait pour Colomb que le monde soit petit. Et il a cherché partout, tout le temps, des preuves de cette petitesse. S'il avait cru le monde grand, s'il avait su (comme les Sages de Salamanque qui lui ont longtemps et avec raison refusé les subsides royaux) évaluer justement la réalité, jamais il ne se serait lancé dans cette aventure; jamais il n'aurait découvert l'Amérique. Il s'est heureusement entêté à persister dans l'erreur.

Ce n'est donc pas par hasard que le refus du réel et la foi aux chimères forment les thèmes centraux de la pensée et de l'humour de Cervantès, qui a écrit son Don Quichotte à deux pas de cette maison où était mort le découvreur de l'Amérique, dans une Espagne décadente et incapable, comme Christophe Colomb et comme le Chevalier à la Triste Figure, d'envisager l'implacable et banale réalité. Don Cristobal Colón préfigure magistralement Don Quichotte.

Et le modèle de Sancho Pança? C'est encore Christophe Colomb qui, comme le gros Sancho, rêve de toutes ses forces de devenir gouverneur d'îles et de se voir attribuer des titres de noblesse qu'il pourra transmettre à ses descendants (Sancho a deux filles; Christophe, deux fils). Toute sa vie, l'amiral Colomb, comme le compagnon de Don Quichotte, se battra pour obtenir des privilèges honorifiques. Incapable d'être heureux, insatisfait, insatiable chercheur d'or, il voulait désespérément rentabiliser son entreprise, de sorte qu'il a sans cesse maquillé sa découverte, de manière à ce qu'elle séduise princes et marchands, prétendant que les Indiens étaient tous de « bons sauvages » généreux et couards, que l'or chez eux naissait partout en abondance, qu'il y avait des épices à la tonne, que la terre était riche et généreuse, etc. Ainsi, dès le début, l'Amérique a été une fiction, une pure invention, un rêve.

* * *

Bartolomé de Las Casas fut frappé par la grâce (à laquelle, il faut bien le dire, il s'était depuis plusieurs années sans cesse exposé) à Santo Domingo, un dimanche matin, le 21 décembre 1511, dans la petite église de la calle Isabela la Católica. Le père Antonio Montesino, dominicain, ardent défenseur des droits humains, adressait alors aux encomenderos et aux conquistadors espagnols qui s'apprêtaient à dévaster le continent, un sermon qui eut dans la jeune colonie l'effet d'une bombe.

« *Decid ¿con qué derecho y con que justicia tenéis en cruel y horrible servidumbre aquestos indios ? ¿No tienen animas racionales ? ¿No sois obligados a amallos como a vosotros mismos ?* » : « Dites ! De quel droit et au nom de quelle justice tenez-vous ces Indiens dans une servitude cruelle et horrible ? N'ont-ils pas des âmes immortelles ? N'êtes-vous pas obligés de les aimer comme les vôtres ? »

Bartolomé de Las Casas fut profondément bouleversé. Il avait 36 ans. Il venait enfin de trouver sa voie. Il fut ordonné prêtre et voua désormais sa vie à la défense des Indiens opprimés. Il franchit douze fois l'Océan pour aller, à la cour de Madrid, de Charles Quint, puis de Philippe II, plaider la cause de ses protégés. Il fonda plusieurs colonies en Hispaniola, au Mexique, dans le Venezuela, le Guatemala, le Pérou. Les Rois le nommèrent Protecteur universel de tous les Indiens et sous ses conseils publièrent, en 1517 et 1543, des ordonnances empreintes d'un certain esprit humaniste, mais qu'il était pratiquement impossible d'appliquer, l'empire étant trop vaste, l'autorité, trop lointaine, trop diffuse.

Soutenu par les dominicains dont il avait pris l'habit, sacré évêque de Chiapas au Mexique en 1544, Las Casas lutta toute sa vie contre les entrepreneurs espagnols qui exploitaient les Indes. Il est mort à 92 ans, laissant un grand nombre d'écrits polémiques en latin et deux ouvrages importants en espagnol: une *Histoire des Indes* qui ne sera publiée qu'en 1875, plus de trois cents ans après sa mort. Le Roi d'Espagne avait en effet interdit toute publication sur les Indiens des Indes occidentales. Il écrira aussi une l'histoire apologétique des Indiens, éditée en 1909. Et un commentaire accompagnant les fragments des journaux de bord de l'amiral Colomb.

Las Casas a créé lui aussi une tradition littéraire. Il a engendré ce qu'on allait appeler la Légende Noire, par opposition à la Légende Dorée, l'Eldorado, créée par Colomb lui-même et par ces insatiables rêveurs, ces envahisseurs, qui sont venus après lui chercher fortune et gloire en ce Nouveau Monde.

Ces deux légendes, la Noire et la Dorée, sont toujours vivantes. Elles sont l'Amérique.

TRI-GRAPHIC